JN029397

英熟語の鬼100則

認知言語学で
「気持ち」を捉える

時吉秀弥 Hideya Tokiyoshi

明日香出版社

まえがき

あなたが歩くとき、右足の動かし方、左膝の力の加減、手の振り方といったものをいちいち考えたりはしませんよね。全体でひとつのコーディネートされた動きとして処理されます。スポーツをしたりダンスや格闘技をしたりするとき、最初あれほど習得に苦労した基本の小さな動きの単位には、もはやいちいち気を配ることもなく、それらを組み合わせたより大きな動きの単位をこなしていきます。

英語を話すときも同じで、単語が単語だけで扱われることはなく、句・節・文などの形で必ず組み合わせて使われます。そしてそのかたまりは、それ自体が独自の意味を持ち、決して単なる単語の意味の総和などではありません。これは、あなたが歩くときに、体の各パーツの動きを全て足し算した合計以上の意味を、「歩く」という動きの単位の中に持つことと同じです。

●――謎解きで、イメージを身近に

この本では、元の単語たちとは全く異なる意味のかたまりに見える英語の熟語や構文の謎解きを行います。

丸暗記はニガテな人も、謎を解く過程を踏むことで、「へぇ、そうなんだ」と記憶しやすくなります。

しかも、熟語や構文が持つ英語としてのイメージが、日本語訳を超えてダイレクトに理解できるので、あなたはより直感的な英語表現ができるようになります。前著『英文法の鬼100則』に記した文法知識と連動させると、その理解はさらに深く、吸収はさらに加速される仕組みになっています。

読む書く、聞く話すのいずれにせよ、効率的で速い情報処理には、なるべく大きなかたまりごとに情報を処理していくことが求められます。歩くという動作は、歩くというひとつの動作単位として理解した方が速いわけです。

本書では、特に比較の構文の解説にページを割いています。大学受験を経験した方ならわかる通り、比較表現は英語の中で最も複雑な表現と構文が集中しています。読者のおひとりおひとりに、「くじらの構文」をはじめとして、『ついにわかる日が来た』という体験を提供できるよう、気持ちを込めて書きました。

どんなに難しい表現に見えても、人間が使う表現です。そこには、その表現の意味を伝えるための話し手の『表したいイメージ』があり、それを理解することがこれらの表現を真に理解し、直感的な使用を可能にするものだと信じています。『英文法の鬼100則』共々、あなたの効率良い英語学習のお供になることを願ってやみません。

本書の２つの特徴

本書は学習者の理解を深めるために、２つの工夫を凝らしています。

①解説する表現がどの分野でどれくらい使われているのかの割合を掲載
②例文の構造をわかりやすく図示し、そして「前から」読めるように工夫

●――話される分野の紹介

コーパスに基づき、解説する表現の、「話し言葉」「新聞・ニュース」「学術書・学術記事」の３つの分野の使用割合を示しています。「 」が話し言葉、「 」が新聞ニュース、「 」が学術書・学術記事での使用割合を示しています。

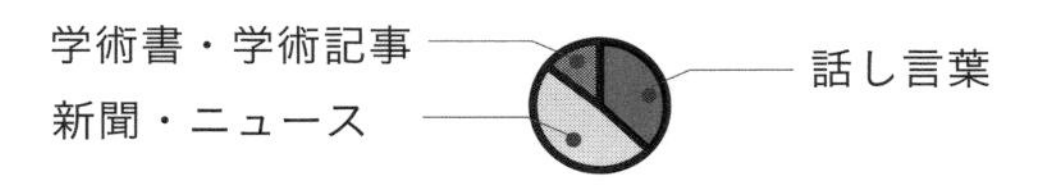

これを見ることで、その表現が堅い表現なのか、砕けた表現なのか、話し言葉なのか、書き言葉なのか、の傾向が読み取れます。

●――例文の構造説明

『英文法の鬼100則』で解説した自動詞・他動詞の「力のやりとり」を中心に、英文の構造を図示することで、とても楽に英文が読めるようにしています。表現は表現だけ覚えてもダメで、例文の中でどのように使われるかを理解して、初めて生きた知識となります。声に出して例文ごと覚えて実際に使えるようになりましょう。

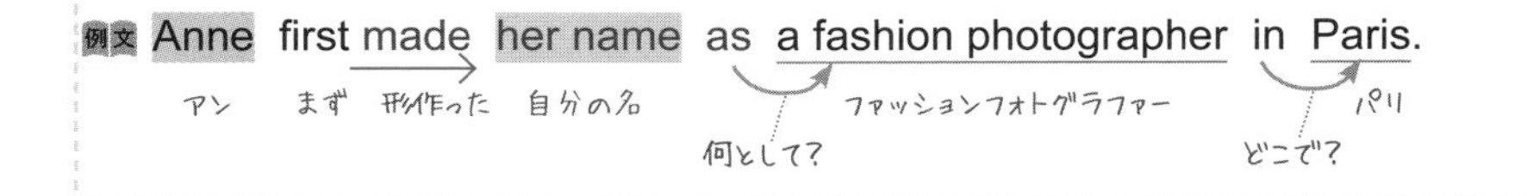

「英熟語の鬼 100 則」目次

第1章 前置詞の世界と表現

第2章 基本動詞を使いこなす

第3章　由来がわかると見えてくる言葉

第4章 構文の仕組みと気持ちを理解する

第１章 第２章 第３章 第４章 第５章

第5章 比較の構文で世界を広げる

カバーデザイン：krran 西垂水 敦・市川 さつき
本文イラスト ：末吉 喜美

第1章
第2章
第3章
第4章
第5章

英熟の鬼100

第 1 章

前置詞の世界と表現

Must

01

offの感覚

▶力が抜けてポロリ

offという言葉はおよそ14～16世紀頃にofから分離してできた言葉です。of自体は「全体から、それを構成する一部を取り出す」というのが根っこの意味の言葉ですが、offはそこから「取れて、離れる」という感覚に特化していった言葉です。ofがどんどん抽象的な意味になっていくなかで、「離れる」という、具体的な空間の意味に特化してoffはofから独立したわけです。

「離れる」と言えば、awayという副詞があるのですが、awayが「遠ざかっていった結果、(視界や聴覚から)消えてしまう」という感覚なのに対して、offは「緊張感をもってくっついていた(on)ものが、力が抜けて、ポロリと取れて離れる」という感覚がある言葉です。

She is away on business. 「彼女は出張でいません。」

→出張に行った結果、この場から消えている

She gave me a kiss and said, "Well, I'm off."

「彼女は私にキスをして言った。『じゃあ、もう行くね。』」

→彼女をこの場に引き止める力がなくなり、この場を離れる感覚。

同じbe動詞の後でも、offとawayではイメージが違うことに気付くでしょうか。

awayが離れてしまった先にある「到達点」に焦点を置くのに対して、offは「出発点」、つまり、ポロリと離れるところ、に焦点を置いていることが上の例文ではよくわかります。

上の例文の“I'm off.”は、文脈によっては「私は(今日は)休みだ。」という意味でも使います。

例文 I'm off today.　「今日は仕事は休みなんだ。」

これは単に仕事から離れていることを表すだけでなく、「仕事」の状況から「ポロリ」と取れて離れることで出て来る「力の抜けた状態」も表しています。スイッチをoffにしたときの「切れた」感じとも共通しています。offだけなら「〔休み〕という状態」、つまり様子を表す形容詞ですが、a day offなら、「１日間の休日」という名詞です。２日以上なら、two days offというように、dayを複数形にします（うっかりoffにsをつけてday offsとしないように注意!）。haveやtakeと一緒に使います。

例文 She took two days off.　「彼女は２日間の休みを取った。」

valuable information

【「休み」に関するよくある間違い】

「私は今日は休みだ。」というつもりで

× I'm holiday today.

と言ってしまう学習者を見かけます。しかし、まずholidayはholy day（聖なる日）が語源で「祝日」を意味し、個人的な休日を表すには不適切です。また、I'm holiday.は文字通り「私は何者かというと、祝日という者です。」という意味になり、文的にもおかしい表現です。もし、「今日は祝日だ。」と言いたいなら「状況」を意味itを主語にして、It's a holiday today.としましょう。

get offとtake off

「ポロリと離れる状態を〔手に入れる〕」のがget offで、「get off 乗り物」が「乗り物を降りる」という意味になるのはこのせいです。

例文 He got off the train at Shinjuku station. 「彼は新宿で電車を降りた。」

何かを手にとって(take)、体から離す(off)と、「脱ぐ」という意味が生まれます。振って(shake)離す(off)なら、「ふるい落とす」という意味になります。

例文 She took her socks off. 「彼女は靴下を脱いだ。」

例文 He shook off the thought.
「彼はその考えを振り払った。」

同じtake offでも、takeを「行動を『とる』」、offを「(地面から)離れる」という意味で解釈すれば、「地面を離れる行動をとる＝離陸する・飛び立つ」という意味になります。

例文 His private jet took off from Narita Airport.
「彼のプライベートジェットは成田空港を飛び立った。」

「ポロリと離れる、取れる」というところから、offには「減少」という意味も出てきます。

例文 It's a good deal. It's thirty percent off.
「お買い得ですよ。3割引です。」

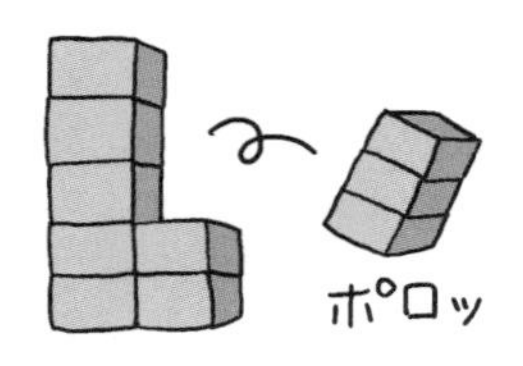

「くっついていたものがポロリと取れて離れる」という根っこの意味を持つoff。大体の感じがつかめたでしょうか。次項からはoffを使った表現を具体的に見ていきます。

復習問題

1. 「彼女は出張でいません。」
（ on, away, is, business, she ）.
2. 「彼女は2日間の休みを取った。」
（ two, off, she, days, took ）.
3. 「彼は新宿で電車を降りた。」
（ the train, got, at, he, Shinjuku station, off ）.
4. 「彼はその考えを振り払った。」
（ the thought, he, off, shook ）.
5. 「彼のプライベートジェットは成田空港を飛び立った。」
（ off, his, Narita Airport, took, private jet, from ）.

1.She is away on business.
2.She took two days off.
3.He got off the train at Shinjuku station.
4.He shook off the thought.
5.His private jet took off from Narita Airport.

Must
02

offを使った表現その1

▶「ポロリと離れる」から広がる意味

●── A come off:Aが取れる

offの「ポロリと取れる」という感覚がまっすぐ出て来るのが、come offです。comeは「自分の世界の外にあるものが、自分の世界の中にやって来る」というところから「実現」「現実化」の意味で使われることが多い動詞です(第45項参照)。A come offは「Aがポロリと離れるという状況が実現する」→「Aが取れる」という意味です。

例文 The cup's handle has come off. 「カップの取っ手が取れてしまった。」

●── A go off:Aが爆発する、発射される、ふっと消える

comeの反対語はgoですが、「離れていく」という意味を持つところは日本語と同じ(例:「私、もう行くね。」)で、そこから「手元を離れる=手が届かない=制御不能になる」という感覚で使われることがよくあります(第43項参照)。

A go offは「制御不能な状態でAが離れていく」という意味で、急激に何かが放たれたり、飛び出て行ったりする感覚を表します。またgo offは自動詞句ですので、「自分が他者に何かする」という他動詞とは違い、「自分が自分で何かする」という意味です。「する」というよりは「なる」という感覚です。

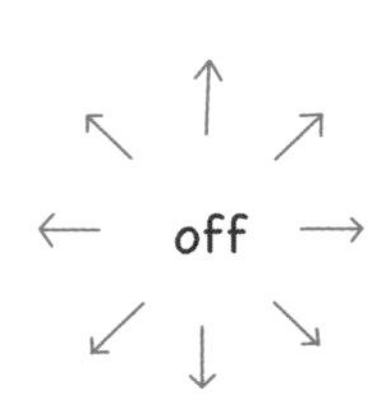

ですので、

A come off ：Aが取れる
A go off ：Aが爆発する、発射される、ふっと消える
A give off ：Aが匂い、熱、光などを放つ
put off A：Aを延期する
A pull it off：Aが成功する、うまくやる

・「(人が)アラームを鳴らす」というよりは「アラームが鳴る」
・「(人が)銃を発射する」というよりは、「銃口が火を吹く」あるいは場合によっては「誤って発砲してしまう」
・「爆弾を爆発させる」というよりは「爆弾が爆発する」

という感覚になり、「その場からポロリと離れる」が激しく行われると、「放つ、発する」となります。

例文 My alarm didn't go off. 「めざましのアラームが鳴らなかったんだ。」
例文 His gun went off by accident. 「彼の銃が暴発したんです。」
例文 The bomb went off on the airplane. 「その爆弾は、飛行機上で爆発した。」

●—— A give off：Aが(匂い・光・熱など)を発する

giveは「与える→周りに与える→放つ・発する」という意味で使われる場合があります。そこにoffがくっついて、「発生源から匂いや光、熱などが取れて離れて周りに広がっていく」という意味を出します。

例文 The cheese gave off a strange smell.
「そのチーズは変な匂いを放っていた。」
→ smellは「匂い」なので、本来不可算名詞ですが、形容詞をつけて、「そのときの具体的な、ひとまとまりの匂い」という感覚が発生すると「a＋形容詞＋smell」となります。

go off「破裂・爆発」の勢いに比べ、give offにはじわじわと広がるイメージがあります。

●—— put off A（= postpone A）：A を延期する 

文字通り「離して（off）、置く（put）」ところから、put off A は「予定していた計画をいったん脇へ置いておく」ということです。代名詞が目的語になる場合は、「put 代名詞 off」という語順になります。put off をかたく言うと postpone ですが、これは語源的に post（後）+ pone（置く）→「後に置く＝後回しにする」ことから「延期する」という意味になります。ちなみに put off と postpone の後ろに来る目的語は to 不定詞ではなく動名詞です。「本来なら今頃やっている最中のはずのことを先延ばしにしている」という感覚です。

例文 I postponed calling my dad a couple of times with lame excuses,

私　延期した　父に電話すること　何度か　ダメな言い訳

何をhaveして（道具のhave）？

until I couldn't put it off any longer.

ついにはどうなった？　私　置けなかった　それ　離して　これ以上

「父さんに電話するのを下手な言い訳で二度三度と引き延ばしにしてきたんだよ。で、ついにはこれ以上延ばせないところまで来ちゃったんだよ。」

→「カンマ ＋until」は、「ついに、とうとう〜という状態になってしまう」という意味をだします。「カンマ＝そこで次の状況に移り変わる」+「until ＝ある時までずっと同じ状態が継続」ということから、「ある状態が続いた結果、とうとう〜という状況に変化してしまう」という意味が出ます。

●—— A pull it off：（困難な状況の中で）A がうまくやる、成功する

pull off A という形でも使いますが、ほとんどの場合、pull it off という形で使います。it は漠然と「状況」をさし、「困難に負けず、うまくことを進める」ことを意味します。直訳すると「それを引っ張って、離す」です。これがなぜ「うまくいく、成功する」という意味になるのか？ Online Etymology Dictionary によると、「スポーツにおける表現を起源とし、賞金を勝ち取ることを意味する」そうです。イメージとしては「賞金を引

っ張って、それを置いてあるところから離す＝賞金を手に入れる」。ここから「逆境にめげず、優勝を勝ち取る→成功する」という意味が出た言葉です。コーパスで例文を調べてみると、canやcould、manage to ～（どうにか～やり遂げる）と使われる例が目立ちます。

「私が何とかうまくやりおおせたことに、彼らは感銘を受けている。」

復習問題

1. 「カップの取っ手が取れてしまった。」
　(has, the cup's handle, off, come) .
2. 「めざましのアラームが鳴らなかったんだ。」
　(go, my alarm, off, didn't) .
3. 「そのチーズは変な匂いを放っていた。」
　(a, off, the cheese, strange, gave, smell) .
4. 「父さんに電話するのを下手な言い訳で二度三度と引き延ばしにしてきたんだ。で、ついにはこれ以上延ばせないところまで来ちゃったんだよ。」
　(a couple, calling my dad, I, of times, postponed) with lame excuses, until (any, couldn't, it, I, put, off) longer.
5. 「私が何とかうまくやりおおせたことに、彼らは感銘を受けている。」
　They are impressed (to, I, it, that, off, managed, pull).

1.The cup's handle has come off.
2.My alarm didn't go off.
3.The cheese gave off a strange smell.
4.I postponed calling my dad a couple of times with lame excuses, until I couldn't put it off any longer.
5.They are impressed that I managed to pull it off.

Must

03

offを使った表現その２

▶切り離す off

●—— cut off A with B：Bとの A を断つ

offは「くっついていたものがポロリと取れて離れる」イメージを持っているので、「切り離す」イメージを持つ動詞と一緒に使うことがよくあります。cut off A with Bで「BとのAを断ち切る」という意味です。

米語コーパス（以下、COCA）で調べるとAに最もよく現れるのは、２位に４倍の差をつけてcontact（接触）、２位がcommunication（連絡）で、会話と新聞記事によく出ます。次がrelations（関係）で、学術記事によく見られます。またrelations withの後には国家などの組織が来ることが圧倒的で、複数形のrelationsで使うのが一般的です。「関係」の中には「いろいろなつながり」が含まれているからでしょう。

例文 My father cut off contact with us when I was eight.

切り離した　誰との接触？

「私の父は私が８歳のときに、家族の前から姿を消した。」

（直訳 我々との接触を断ち切った）

con　tact

例文 She is angry that you've cut off communication with her.

「君が連絡を一切しなくなったことを彼女は怒っているんだよ。」

例文 Saudi Arabia cut off relations with Moscow 52 years ago because it disapproved of communism.

「サウジアラビアは共産主義を否定した結果、52年前にモスクワとの関係を絶ったのです。」（ニュース番組での実際の使用例。COCAより。）

cut off A with B：BとのAを断つ
break off A with B：BとのAを取りやめる
get A off the ground：Aをうまくスタートさせる
get A off one's chest：Aという悩みを打ち明けて楽になる
A and B hit it off：AとBが意気投合する

●── break off A with B:B との A を取りやめる、中断する 

「切って離す＝断ち切る」cut offに対して、break offは「壊して離す＝取りやめにする、中断する」という意味を出します。

breakを理解するときに重要な前提は「緊張感」や「流れ」の存在です。そしてそれを「壊す」のがbreakです。例えばLet's take a break.（ちょっと休憩しよう。）なら、前提として「作業や授業」という緊張感と流れがあります。それまで緊張感を持って続けていた流れを壊すのがbreak offです。

例文 The U.S. broke off relations with Iran.
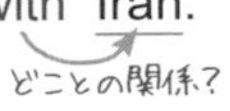

「米国はイランと断交した。」

break offは「急に断つ」「大きな力が働いて壊れる」イメージ、cut offは「供給を断ち切る」イメージを持ちます。

break off A with BのAによく出るのはtalksとnegotiationsで、どちらも「交渉」を意味します。（have）a talkだと「１つ話し合い（をする）」という軽い感じですが、「交渉」だと幾重にも話が積み重なるのでtalks、negotiationsという複数形になるのがふつうです。

例文 The government broke off talks(negotiations) with the protesters.

「政府はデモ隊との話し合い（交渉）を取りやめた。」

●── get A off the ground：Aをうまくスタートさせる

すでにご紹介したtake offは、「離陸」という意味を持っています。

His private jet took off from Narita Airport.
彼のプライベートジェット 飛び立った どこから？

「彼のプライベートジェットは成田空港を飛び立った。」

この感覚をget〔A = B〕という第５文型に応用したのがget A off the groundです。

ちなみにget〔A = B〕は、「A=Bの状態を手に入れる」→「AをBの状態にする」という構文です（第36項参照）。

I got〔the engine = started〕. 「私はエンジンをかけた。」
手に入れた エンジン ＝ かけられた状態

「A = off the groundの状態」とは、「Aが離陸している状態」。したがって、get A off the groundは「Aをうまくスタートさせる」「Aを軌道に乗せる」意味を出します。

例文 We spent a million dollars to get〔the project = off the ground〕.
手に入れる （手に入れる状況の内容）
「そのプロジェクトを軌道に乗せるのに、我々は100万ドルを費やした。」

●── get A off one's chest：Aという悩みを打ち明けて楽になる

get A off one's chestは、get〔A = off one's chest〕、つまり「〔A＝自分の胸から離れる〕という形を手に入れる」という表現です。Aは悩みの内容を表し、chest（胸）は、比喩的に「悩みの宿る場所」を意味します。元々chestは「箱」を意味する言葉です。胸は肺を中心とした箱のような空洞ですから、chestは「胸」を指すようになりました。

chest ＝胸
箱型の空間

例文 To get it off your chest, talk about it.
「その悩み、話してみなさい。」（COCAより）

直訳 それ（悩み）を自分の胸から離して（下ろして）しまうために、話しなさい

●── A and B hit it off：A と B が意気投合する

　実はhitは語源的には「偶然出会う」という意味でした。itは「状況」を意味するので（仮主語itやお天気のitなど、「よくわからないit」はだいたい「状況」を意味します）、hit itは「状況に偶然出会う」というのが直訳です。16世紀にはこれだけで「意気投合する」という意味で使われたようです。「ピッタリの良い状況に偶然出会う」という意味だったのでしょう。17世紀になりoffが加わりました。offの「離れる→その場を離れる→スタート」という意味が、hit it offの「良い関係がスタートする」という表現を成立させたのでしょう。

hit

例文 Adele and I met at a party and hit it off.
「アデルと私はパーティで出会って、意気投合したんだ。」

復　習　問　題

1. 「私の父は私が８歳のときに、家族の前から姿を消した。」
(contact, my father, us, off, with, cut) when I was eight.
2. 「政府はデモ隊との話し合いを取りやめた。」
(the protesters, the government, with, off, broke, talks).
3. 「そのプロジェクトを軌道に乗せるのに、我々は100万ドルを費やした。」
We spent a million dollars to (the, the, off, project, get, ground).
4. 「胸のつかえを取りたければ、話してみなさい。」
(your, it, to get, chest, off), talk about it.
5. 「私とアデルはパーティで出会って、意気投合したんだ。」
Adele and I (it, and, hit, met, at a party, off).

1.My father cut off contact with us when I was eight.
2.The government broke off talks with the protesters.
3.We spent a million dollars to get the project off the ground.
4.To get it off your chest, talk about it.
5.Adele and I met at a party and hit it off.

Must
04

offを使った表現その3

▶start と start off の違い

●── start off A：A を始める（start A とのちがいは？）

startとstart offは同じような使い方ができます。例えば、「1日を始める」と言うのに、start the dayとも、start off the dayとも言えます。しかし、コーパスで見るとstartでは言えてもstart offでは言えない目的語がいくつか発見できます。start the car, start the engine（車を始動させる）などです。一方、day（1日），process（過程），show（ショウ），discussion（討論）などはstart, start offのどちらの目的語にも使われます。これはつまり、start offの目的語には「プロセス・過程」を意味する言葉が来るということです。

○ I need a cup of coffee to start off the day.

始める　1日（というプロセス）

「私は1日を始めるのに、一杯のコーヒーがないとだめだ。」

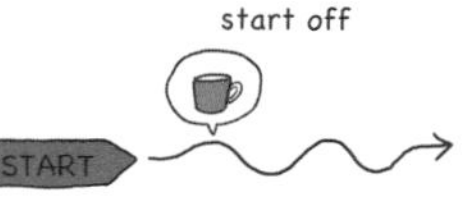

一方でcarやengineにはプロセスのイメージはありません。

I'm going to start ~~off~~ the car.

「車のエンジンをかけておくね。」

つまり、start offは、ただのstartに比べて「これからいろいろな移り変わりがある過程を始めるよ」という気持ちが強いわけです。

そして、offは「くっついていたものが、ポロリと離れる」ですが、同時に「そんなに離れていないところにある」ということになるのです。start offでは、「出発して、まだそれほど離れていない＝出発したばかりのところ」という感覚が出ます。上記の例文のstart off the dayは、「1日が始まったばかりのとこ

start off A：Aを始める
start off with A /by ~ing：A（すること）から始める
tell A off：Aを叱る
show A off：Aを見せびらかす
A level off(out)：Aが頭打ちになる、横ばい状態になる

ろ」というイメージがあります。

●—— start off with A /by ~ing：A（すること）から始める

例文 Start off with a beer. 「ビールで始めましょう。」

始めよう　ビール

何をhaveして？（with＝伴う＝持っている）

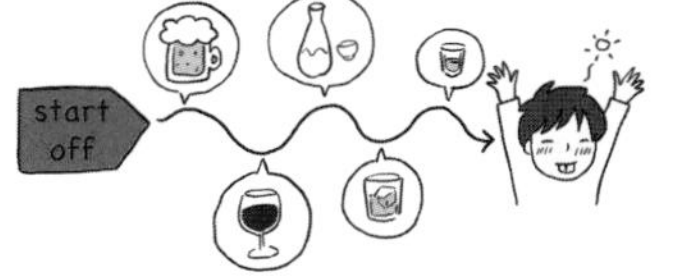

→何を始めるのかという目的語（プロセス名）は省略されていて、見た目が自動詞に。

「プロセスの第一歩を踏み出す」という感覚を持つstart offにwith Aをつけると、「プロセスの第一歩をAで始める」という意味になります。withは「have（持っている・伴う）」のイメージです。上の例文ではこれから色々飲んだり食べたりする、その手始めにビールを、ということを表しています。

またby ~ingを使うと、「プロセスの第一歩を～することで始める」という意味になります。この形で最もよく見るのが[I want to, I would like to, Let me] + [start off by saying ～]で、スピーチやプレゼンの最初で「（これから色々話すのだけど）まずは～だということを述べたいと思います。」のように使います。

例文 I'd like to start off by saying that there is a big difference between the two.

始めたい　言う　2つの間には大きな違いがある

何をすることで始める？　何て言う？

「まずは、この2点の間には大きな違いがあるということを述べておきたいと思います。」

直訳 この2点の間には大きな違いがある、ということを述べることによって（これから色々話す話を）始めさせてほしい

●—— tell off A：A を叱る

tellは「人に言葉で情報を伝える」というのが根っこの意味です。tell A offは直訳すると「Aに対してoffするように言葉で伝える」ということです。ここでのoffは「ポロリと離れる→その場からいなくなる」という意味です。

リンドストロムバーグという研究者は、shrug off their criticism（彼らからの批判を無視する 直訳 肩をすくめて、「だから何？」と批判を跳ね飛ばす）、write off a debt（借金を帳消しにする 直訳 帳簿に書いてあった借金をそこから消す）と同類の「その場から離して、消す」のoffがtell A offのoffだ、と論じています。つまり、元々 tell A offは、「Aに、消えろ！出て行け！と伝える」という意味だったようです。

例文 He was told off by the manager over the phone.

彼は　叱られた　誰に叱られた？　何越しに叱られた？

「彼は電話越しに、マネージャーに叱られた。」

●—— show off A：A を見せびらかす

offには「離れるけど、それほど遠く離れない」というイメージがあることはこの項ですでに述べました。「手元にあるものを、少し離して、相手の方に向けて、見せる」ということが「見せびらかす」という意味になります。自分のものを、自分の内に秘めておけば謙虚で慎ましいのですが、手元から離して、相手の方に向けて見せるわけです。

例文 She showed off her new necklace.

「彼女は新しいネックレスを見せびらかした。」

●—— A level off(out)：A が頭打ちになる、横ばい状態になる

levelはもともと「水平」を意味し、壁に水平の線で印をつけて、その高低差を「水準・レベル」の差という意味でも使うようになりました。ですから動詞では「水平にする」というところから「平らにする、ならす」「なぎ倒す（そして平

らにする)」という意味が出ます。level offは元々航空用語で、飛行機の上昇が止まり、水平飛行に移ることを意味します。offは「取れてなくなる」消失の意味もありますから、「水平になって(level)、上昇や減少の傾斜がなくなる(off)こと」を意味していると考えられます。offの代わりにoutが使われることもありますが、outは「外に出る＝事態の出現＝事態の完成」から、「水平状態の完成」を意味すると考えられます。この「水平飛行」から、数字や数量の増加や減少が止まり、グラフが「横ばい状態」になることにも使われるようになりました。

例文 Foreign investment has begun to level off.

「海外からの投資が頭打ちになり始めている。」

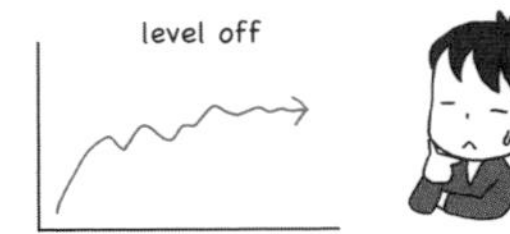

復　習　問　題

1.「私は1日を始めるのに、一杯のコーヒーがないとだめだ。」
I (a cup of, the day, off, need, to start, coffee).

2.「まずは、この二点の間には大きな違いがある、ということを述べておきたいと思います。」
(to start, by, off, like, I'd, saying) that there is a big difference between the two.

3.「彼は電話越しに、マネージャーに叱られた。」
(the manager, he, over, off, by, told, was) the phone.

4.「彼女は新しいネックレスを見せびらかした。」
(her new, off, she, necklace, showed).

5.「海外からの投資が頭打ちになり始めている。」
(has begun, investment, to, off, foreign, level).

1.I need a cup of coffee to start off the day.
2.I'd like to start off by saying that there is a big difference between the two.
3.He was told off by the manager over the phone.
4.She showed off her new necklace.
5.Foreign investment has begun to level off.

Must

05

atで見る景色

▶bird's-eye view

よく「atは点で、inは空間だ」という説明を耳にします。atが表す「点」とは、一体どういう「点」なのでしょうか？

I got lost in the station and arrived 30 minutes late.
「私は駅で迷子になり、30分遅れて到着した。」
Alex met him at the station.
「アレックスは駅で、彼と会った。」

上記の例文ではinとatがそれぞれthe stationとともに使われています。当然、駅自体は物理的に点になったり空間になったりはしません。ということは、人間が駅を「どう認識しているか」がatとinの使い分けを決めているのです。駅の「見え方」がatとinでは異なっているわけです。

上記の例文のin the stationにおいては、stationの内側に話者の視点があって、中から駅の空間の広がりを見渡している映像が浮かびます。「駅という空間の中で迷子になり」ということを表しています。

一方でat the stationでは、地図を広げて、「この地点には駅があり、この地点には議事堂があり、この地点にはスタジアムがあり……」というふうに、上空からいろんな地点を見渡す中にある一点として、the stationを指していることを表しています。つまり、atの世界では、「鳥が上空から景色を見渡すように、ズームアウトして全体を見渡す景色」なので、それぞれの場所が

「点」としてとらえられるのです。

●――atの根っこの意味は「移動中の一点を指す」こと

さらに重要なのは、atが「移動中の一点を指す」という意味を根っこに持つことです。

I was at the coffee shop two hours ago.　「2時間前には私は喫茶店にいた。」

は、「色々移動していく中で、2時間前には喫茶店にいた」というふうに「一時的にそこにいた」ことを表しています。この「移動」の感覚は行動としての実際の移動だけではなく、ある心の行動も関係しています。例えば、

The path climbed steeply upwards.
「道は、きつい傾斜の上り坂になっていた。」（オックスフォード現代英英辞典より）

の直訳は「その道は、上に向かって険しく登っていた」ですが、実際に人が坂道を登っているのではなく、当然「道」が何かを登っているわけでもありません。「話者の視線」が道をたどり、上方へ登っているわけで、この心の動きが言語化されているのです。このような言語表現の奥に潜む人間の世界のとらえ方を「**心的走査**（メンタル・スキャニング）」と呼びます。

先ほどのat the stationの例文では、「地図上で視線を走らせ、駅はどこだろうと探し、駅という地点へ目線がたどり着く」という心理的行動も表れています。心の中で視線の「移動」が行われているわけです。このようにatという言葉には「移動中の点」を指したり、「目標点にたどり着くために視線を移動させる」という感覚が色濃く存在します。

●――目盛り上を移動する点

そうした中で、atによく出て来るのが「目盛り上を移動する一点を指す」という用法です。

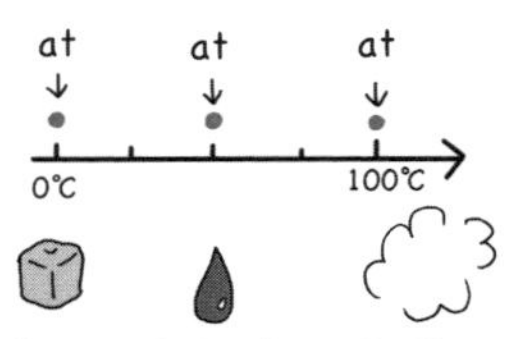

例文 Water boils at 100 degrees.

「水は100度で沸騰する。」

at 100 degreesの心理的映像が、「温度という目盛り上を視点が移動していって、100度の点に達したときに沸騰する」ことを表しています。

●――動く一点に照準を合わせる

シューティングゲームのように、動く一点に照準をパッと合わせるのもatの得意技です。toと比べてみましょう。

toを使うと、

He threw a ball to me.　「彼は私にボールを投げた。」

というふうに、ボールが「私の方へ」移動し、私が「受け取り手」として登場していることを意味します。

一方で「照準を合わせる」atを使うと、

例文 He threw a ball at me while I was running away.

「彼は逃げる私めがけてボールを投げてきた。」

というふうに、「標的」感の強い状況を表せたりします。この「鋭い」感覚はatが「点」であることと関係します。「一点」に照準を合わせる、ということは、意識を強くそこに集中することを表します。look at Aは視線をAという一点に合わせることを意味します。また、laugh at A（Aのことを笑う）はAという標的に笑いの感情を集中してぶつけるので、文脈によっては強い侮蔑の意味が出ます。

例文 She pointed and laughed at him.

「彼女は彼のことを指差して笑ったのです。」

→pointという動詞もlaughという動詞もatを伴い、himをターゲットにしている

●──「機能まで含めて、そこにいる」at

最後にatの面白い性質を１つご紹介します。

例文 A woman was standing at the front door.

「女性が１人玄関のところに立っていた。」

atが使われている上の文は、ただ女性が玄関の前に立っているだけでなく、「家の中の人を訪ねようとして、何か用事があって」立っていることまで表します。

しかし、例えば、玄関前にある自転車にそのような意図はありません。その場合、atは使わないのです。

A bicycle was parked by the front door.

「玄関のそばに自転車がとめてあった。」

このようにatは「機能を果たすためにそこにある」という意味で使われることがあるのです。

例文 She sat at the table and ate the avocado.

「彼女はテーブルについて、そのアボカドを食べた。」

→「食事をする」という機能も含めて、食卓についている

There were two men talking in front of the table.

「男が２人、テーブルの前で話をしていた。」

→テーブルは「どこに男たちがいるのか」という位置情報の手がかりに過ぎない扱い

Must
06

atを使った表現その1

▶目盛り上を動く点

ここでは「目盛り上を動く点」としてatを使った表現を紹介します。

●—— at one's best:〜の盛りで・最盛期で

グラフをさまよう「〜の調子・レベルを表す点」が、最高の地点にいることを表します。

例文 At his best, he published two books a month.

「最盛期には、彼は月に2冊、本を出版した。」

反対語は当然、at one's worstです。

例文 In Brazil, the economy was at its worst 20 years ago.

「ブラジルでは20年前、経済は最悪の時期だった。」

●—— at best:せいぜい・良くても

atとbestの間に何も言葉がない場合、bestという一見ポジティブに見える言葉を使っているのに、ネガティヴな意味が出ます。at the bestとするときもありますが、稀です。

例文 Her spoken French is shaky at best.

「彼女の話すフランス語は、お世辞にも良いとは言えない。」

直訳 彼女の話し言葉のフランス語は、一番よく言って、不安定(ふらついている)だ

shakyはshake「揺らす、震える」の形容詞。

at one's best：〜の盛りで・最盛期で
at best：せいぜい・良くても
at your convenience：あなたのご都合の良いときに
at all costs / at any cost：どんな犠牲を払っても・どれだけ費用がかかっても
at first：始めのうちは

これは、「彼女の話すフランス語」の良し悪しのレベルをグラフにして考えたときに、「最高の点で言っても」ということをat bestが表しています。このパターンにはat most（多くてもせいぜい）、at the earliest（どんなに早くても）、at least（少なくとも）、at worst（最悪の場合、下手すると）、などがあります。

例文 You will receive the data on Monday at the earliest.
「あなたがデータを受け取るのは一番早くても月曜日になるでしょう。」
→most や least と違って earliest は the をつけるのがふつう。

●──at your convenience：あなたのご都合の良いときに 

このatは「時間という目盛りの上を動く点」を表します。at seven（７時に）というのと同じ感覚です。時間の目盛りの上を動く点が「あなたの都合の良いとき」に行き着くことを表しています。

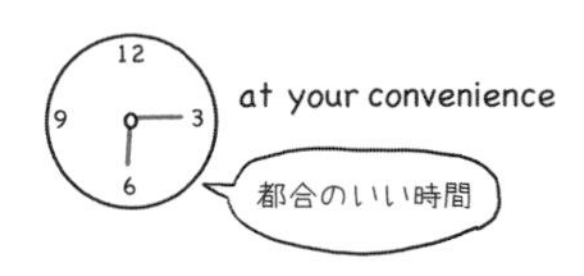

例文 Call me at your convenience.
「都合がいいときに電話くださいね。」

ここにearliestを加えると、「ご都合がつき次第すぐに」「なるべく早い段階で」という、丁寧だけど、少し相手に圧を加える表現になります。直訳すると「最も早い、ご都合の良い時点で」ということになりますね。

例文 Please call me at your earliest convenience.
「ご都合がつき次第、早めに電話していただきたいのです。」

●── at all costs / at any cost :どんな犠牲を払っても・どれだけ費用がかかっても

犠牲や費用のレベルを目盛りのイメージで考えたとき、その目盛りの最上位の点である「すべての犠牲」のレベル、「あらゆるコスト」のレベルにあることを表す表現です。

at all の後ろはcostでもcostsでも良いですが、costsの方が圧倒的に多く使われます。このcostsという複数形は「costの数」というよりは、costの量の多さを強調するものだと考えられます。珍しいことなのですが、不可算名詞に複数形のsをつけて「量の多さを強調する」場合がたまにあります。例えばwaterをwatersとすることで「水域」「海域」という意味になることがありますが、これは「水の量の多さを強調しているs」だと言われています。

at any costの場合はcostsとはなりません。これはanyのせいです。anyはanから派生した言葉ですので、冠詞のa/anと同様「抽選箱からランダムにどの1つを取り出しても」という感覚を持ちます。ですからat any costは「どれだけの量のコストを取り出してみても」というのが正確な感覚です。あらゆるレベルのcostの量を取り出してみても、ということなのでanyの後ろではcostは不可算名詞で単数形です。

例文 They wanted to avoid conflict at all costs.

「彼らはどんなに犠牲を払っても衝突を避けたかった。」

例文 Win at any cost!

「どんな犠牲を払っても勝て！」

●── at first：始めのうちは

for the first time（初めての）やin the first place（そもそも・まず第一に）など、「前置詞＋first」という形はいろいろありますが、at firstは「始めのうちはこうだったけど、後で話が変わって来る」という意味での「始めのうちは」という表現です。「1つのストーリー」という目盛りを思い浮かべたとき、ストーリーの最初の方の目盛り上にある

「点」がat firstです。ストーリーが進むにつれ、その「点」が動いていき、話は別の方向へ展開していきます。つまり、at firstには、必ず「後で話が違ってくる」という意味が含まれます。ちなみにat lastは「ついに、とうとう」です。

例文 At first I thought she was just busy and couldn't call me back.

「始めのうちは、ただ彼女は忙しくて電話を返してこないんだと思っていたんだ。」

→実は彼女には別の事情があった、ということを暗示。

復習問題

1. 「最盛期には、彼は月に２冊、本を出版した。」

(published two books, best, , he, his, a month, at).

2. 「彼女の話すフランス語は、お世辞にも良いとは言えない。」

(shaky, is, her, best, spoken French, at).

3. 「都合がいいときに電話くださいね。」

(call, convenience, at, me, your).

4. 「彼らはどんなに犠牲を払っても衝突を避けたかった。」

(to avoid, costs, conflict, they, wanted, at all).

5. 「始めのうちは、ただ彼女は忙しくて電話を返してこないんだと思っていたんだ。」

(just busy, at, thought, was, she, I, first) and couldn't call me back.

1.At his best, he published two books a month.
2.Her spoken French is shaky at best.
3.Call me at your convenience.
4.They wanted to avoid conflict at all costs.
5.At first I thought she was just busy and couldn't call me back.

Must
07
atを使った表現その2

▶自分が今いる位置

この項では「いろいろ移動していく中で、今はどこにいるのか」ということを指すatの感覚が使われた表現を紹介します。

●── at the mercy of A：Aのなすがままになって

mercyは「慈悲（じひ）」を意味し、神を想起させる言葉です。

Lord, have mercy on me.（神よ、何とぞ私にご慈悲を。）と言いますが、神の慈悲には「こいつは罪深い人間どもだけれど、今回は滅ぼさず、生かしてやろう」という感覚が潜んでいます。相手が神様なので「慈悲」と丁寧に言っていますが要するに「生殺与奪（せいさつよだつ）の権を握った、神様の気まぐれ」です。ころころと「移り変わり」、人間は振り回されます。atは「移動していく一点を指す」言葉で、ころころと変わり続ける神の御心を指します。at the mercy of AのAには「生殺与奪の権」を握るものが来ます。

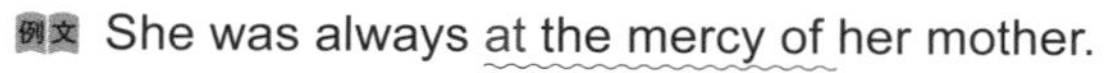

例文 She was always at the mercy of her mother.

「彼女はいつでも母親のなすがままだった。」

●── at will：思うがままに

willは名詞では「**意志**」です。助動詞のwillも名詞のwillも元々は「願望」を意味する言葉でした。そこから助動詞なら「未来において、こうしたい」という意味が来て、「～するつもりだ」という現代の助動詞willの意味につながってきました。一方で名詞のwillは「願望＝自分のやろうとすること＝意志」という意味を持つようになります。先程のat the mercy of Aと同じく、at willは、いろい

at the mercy of A：Aのなすがままになって
at will：思うがままに
at one time or another：過去には、かつては、これまでに
A is where it's at：Aこそが核心/最も重要/一番面白いところだ
keep A at bay：Aを寄せつけない・Aに影響されない

ろと移り変わる自分の意志を指し、「今は自分の気持ちはこう。でもまた変わっていく。」ということを表します。ですから、「心のままに」「意のままに」という意味が出ます。

例文 We can't buy and sell stocks at will.
「私たちは株を自由に売り買いすることはできない。」

●── at one time or another：過去には、かつては、いつだったか

oneとanotherはペアの関係にある言葉です。oneとa/anは同語源で「同じ種類のものがたくさん入った抽選箱から適当に1つ取り出す」という意味を持ちます。例えばペンがたくさん入った抽選箱からどれでもいいから1本取り出したペンがa penです。anotherはan+otherで、「さっき取り出した1個とは別に(other)、また適当に1個(an)取り出す」という「おかわり」の意味を持ちます。さっき取り出したペンとは別に、またもう1本適当に取り出したペンが、another penです。すると、one time or anotherは「適当に1つ取り出した時間か、もしくはまたもう1個適当に取り出した時間」というのが直訳です。

適当に取り出した「ある時」あるいは「また別のある時」

つまりat one time or another全体では「いつかはっきりしないけど、適当なときに」という意味が出てきます。これを「過去」の意味で使います。

例文 Everyone at one time or another has done something wrong which they later regret in life.
「誰だって一度や二度は、あとの人生で後悔するような過ちをおかしたことがあるさ。」

文脈により「これまで」「過去に」などいろいろな訳し方が出てきますが、「過去から適当に１つ、２つ、取り出した時の一点」という根っこの意味を理解しておけば、和訳に振り回されることも少なくなります。

●―― A is where it's at：A こそが核心 / 最も重要 / 一番面白いところだ 

仮主語や仮目的語、お天気や時間のitの正体は「状況」です。where it's atの直訳は、「その状況が存在する場所だ」です。それが「そいつがまさに存在するところだ」という意味で使われています。例えば、毎週火曜日に最高の楽しみを抱えている人はこんなふうに言います。

This is where it's at!

例文 No offence to Friday, Saturday, or Sunday, but for me, Tuesday is where it's at.

「金土日を悪く言うつもりはないけどね、私にとっては火曜こそが最高なの。」

→直訳 火曜こそがそれ（状況）がある場所なの

「それがある場所」を「一番重要」という意味でもよく使います。

例文 If a person has a kind and loving heart, that's where it's at. Everything else falls in line after that.

「人が優しさと愛情にあふれた心を持っているなら、それが一番大事さ。それ以外のことは全部、二の次だよ。」

→A fall in lineは「Aが列の中に(in line)落ちてハマる(fall)」ということ。上記の例文の後半を直訳すると「それ以外は全部、a kind and loving heartの後に一列に続くよ。」第9項参照）

●―― keep A at bay：A を寄せつけない・A に影響されない 

keepは「力を入れ続ける」イメージがある動詞です。「力を抜いたらその状態が崩れてしまうので、崩れないように力を入れ続ける」動きを表します。

at bayのbayは「湾」ではなく、「犬などのほえ声・うなり声」を意味します（犬の遠吠えを擬音化したのが語源です）。狩猟犬に追い詰められて、一歩も動けない「狩られる立場の獣」がkeep A at bayのAにあたります。直訳すると「（獣）を狩猟犬の唸り声のところ

に維持しておく」です。

例文 Jack tried his best to keep his enemies at bay.

保つ　敵　犬の唸り声のところ　どこに敵を保つ？

「ジャックは敵を寄せつけないよう、できる限りのことをした。」

例文 The hotel offers plenty of things to keep boredom at bay.

「そのホテルでは退屈をしのげるように、たくさんのものを提供しています。」

復習問題

1.「彼女はいつでも母親のなすがままだった。」
(her mother, she, the mercy, at, of, was always).

2.「私たちは株を自由に売り買いすることはできない。」
(stocks, we, buy and sell, will, can't, at).

3.「誰だって一度や二度は、あとの人生で後悔するような過ちをおかしたことがあるさ。」
(has done, everyone at, or, another, something wrong, one time) which they later regret in life.

4.「金土日を悪く言うつもりはないけどね、私にとっては火曜こそが最高なの。」
No offence to Friday, Saturday, or Sunday, but for me, (it's, Tuesday, is, at, where).

5.「ジャックは敵を寄せつけないよう、できる限りのことをした。」
(at, his best, to keep, bay, Jack, enemies, tried).

1.She was always at the mercy of her mother.
2.We can't buy and sell stocks at will.
3.Everyone at one time or another has done something wrong which they later regret in life.
4.No offence to Friday, Saturday, or Sunday, but for me, Tuesday is where it's at.
5.Jack tried his best to keep enemies at bay.

Must

08

atを使った表現その3

▶パッと照準を合わせる

●── **be surprised at A：Aに驚いている**
/ be delighted at A：Aにとても喜んでいる

このような「感情表現＋at」では、あるところにパッと感情が向かうことを表しています。標的に照準をパッと合わせるように、そこにパッと感情が向かうわけです。言語学者リンドストロムバーグによれば、このときの対象に向かう驚きや喜びの感情の広がりは、フラッシュライトや花火のように、瞬間的に広がるような感じだそうです。ちなみにこうした感情を表す言葉がbe動詞＋過去分詞という受動の形になるのは、「感情は原因によって『引き起こされる』もの」だからです。

例文 I was surprised at how bad the car looked.
驚かされた　どれほど車がひどく見えたか
どこに驚きの照準がパッと当てられた？
「私はその車の見た目のひどさに驚いた。」

例文 We are delighted at our sister's house.
「私たちは姉の家を見て、とても喜んでいる。」

上記の表現が、「対象に対して『どういう感情がパッと広がったか』に焦点を当てているのに対し、be surprised byやbe delighted byという言い方では、byが「動作の原因」を表すので、「何が原因でそのような感情が引き起こされたのか」ということにやや重点が置かれます。

be surprised/delighted at A：Aに驚いている・とても喜んでいる
jump at A：チャンスに飛びつく、talk at A：一方的にAに話す
What are you getting/driving at?：何が言いたいの？
be good/bad/poor at A：Aが得意・不得意である
chip away at A：Aを徐々に削り取っていく

●――jump at A：A（チャンスなど）に飛びつく、喜んで応じる 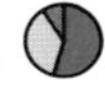
talk at A：一方的にAに話す

照準のatは「的めがけて飛びかかる」というイメージにも利用されます。jump atの後ろにはchanceやopportunity（機会）が来て「チャンスに飛びつく」「好機を逃さず利用する」という意味でよく使われます。

例文 I jumped at the chance to have an exclusive interview with the actor.

飛びついた　偶然のチャンス　その俳優に独占インタビューする
何めがけて？　何することに向かうチャンス？

「私はその俳優に独占インタビューができるというチャンスに飛びついた。」

気をつけるべきは、jump at Aに「Aに驚いて飛び上がる」という使い方もあることです。これはbe surprised atと同じ使い方で、Aには「驚かせる原因」、例えば大きな音などが来ます。

She jumped at the sound of a crash in the kitchen.

飛び上がった　台所でのガチャンという音
何に驚きの照準をパッと合わせて？

「彼女は台所でのガチャンという音で飛び上がって驚いた。」

→聴覚の注意（照準が）音の方にパッと向き、それが原因で飛び上がって驚くことを表す。

talk with Aなら「Aと話す」（「共にいる」withの対面感）、talk to Aなら「Aに話しかける」（会話のための自分の言葉をAに到達（to）させる）ですが、talk at Aでは「**相手に耳を貸さず、一方的に話す**」という意味になります。Aとい

う標的めがけて自分の言葉をひたすら投げつける感じ、つまりthrow a stone at A（Aめがけて石を投げつける）の延長にある感じです。

例文 On twitter, people are just talking at each other and not talking with each other.

「ツイッター上では、みんなただお互いに言い合っているだけで、ちゃんと会話をしていない。」

●—— What are you getting /driving at?：何が言いたいの？

このatも「ターゲット」を表します。getは「ある状況を手に入れる」で、get atなら「めがける状態・照準を合わせる状態を手に入れる＝～を目指す」です。

driveは元々は「何かをある方向へ追いやる」という意味の言葉です。例えばShe drives me mad.も「彼女が〔me = mad〕の状態へと導く」＝「彼女は私を怒らせる」という「誘導」の意味です。そしてatは「誘導先の標的となる点」ですね。ちなみにwhatは疑問詞として文頭に出ていますが、本来はatの目的語です。目的語には名詞が来るので、名詞のwhatは使えても、副詞のwhereは使えません。Where are you driving at?とはしないよう気をつけましょう。

例文 That's what I was trying to get at.

「それが、私が言おうとしていたことです。」

●—— be good/bad/poor at A：Aが得意・不得意である

このatも「照準・ターゲット」で、ある分野に意識の照準を合わせたとき、それに対して自分は「良い」のか「悪い」のかを述べています。atは「移動する最中の一点」で一ヶ所に留まらないので「こういう点では良いが、この点ではそうでもない」→「その人の色々な得意不得意を眺めている」感じがします。

ここでのpoorは、「貧しい」というより「乏しい」であり、「その分野に対する技量・知見が乏しい＝不得意」ということです。greatは= very goodです。転じて、「すごくうまい」という意味でも使います。

例文 But please don't assume every Asian child is great at math.

「でもアジアの子供が、みんな数学がすごくできるなんて思わないでね。」

chip away at A：A を徐々に崩していく・少しずつ削り取る

chip away（チップ状に削って、剥いでいく）＋ at（標的）です。目の前に大木があったとして、その大木の芯の部分に照準を合わせ、何度も斧を振るっていき、芯に向かって少しずつ削り取っていくイメージです。

例文 This new way of thinking is chipping away at our traditional values.

この新しい考え方 / 削って剥ぎ取って行く / 我々の伝統的価値観 / どこめがけて削っていく？

「この新しい考え方が我々の伝統的な価値観を蝕みつつある。」

復習問題

1.「私たちは姉の家を見て、とても喜んでいる。」
(are, our sister's house, we, at, delighted).

2.「ツイッター上では、みんなただお互いに言い合っているだけで、ちゃんと会話をしていない。」
On twitter, (just talking, other, are, at, people, each) and not talking with each other.

3.「それが、私が言おうとしていたことです。」
(trying to, that's, I, what, was, at, get).

4.「でもアジアの子供がみんな数学がすごくできるなんて思わないでね。」
But please don't assume (at, is, Asian child, math, every, great).

5.「この新しい考え方が我々の伝統的な価値観を蝕みつつある。」
This new way of (our traditional values, thinking, at, away, is chipping).

1.We are delighted at our sister's house.
2.On twitter, people are just talking at each other and not talking with each other.
3.That's what I was trying to get at.
4.But please don't assume every Asian child is great at math.
5.This new way of thinking is chipping away at our traditional values.

Must

09

inの世界

▶包まれる世界

inは、三次元的に言えば「ある空間の中に包まれている状態」であり、二次元的に言えば「枠の中にいる状態」です。どちらにしても、境界線に囲まれて、その内側にいる状態だと言えます。atは世界を上空から見渡すことで、場所を「点」としてとらえる前置詞でしたが、inは地上に降りて、その場所の中に入っていき、内側からその世界を見る感覚だとも言えます。

●── at の時間、in の時間

atは「ずっと移動していく最中のとある一点を指す」というところから、「一時的にその場所にいる」という感覚を出し、それが時刻表現に応用されて、例えばat seven（7時に）という表現を作ります。「ずっと動き続ける時刻の一点が7時という場所に来るところで」という感覚です。

一方でinは枠の中にあるので、逆に言えば「枠から出ない」「移動しない」という意味でatと対照的です。定住を意味する「live in＋場所」のinがその典型ですね。in March（3月に）、in 2020（2020年に）など、inで時間を表すときは、ある程度幅のある時間の枠、つまり「期間」を意味しています。in Marchなら「3月1日から3月31日までの枠内のどこかであって、その外には出ない」という感じです。

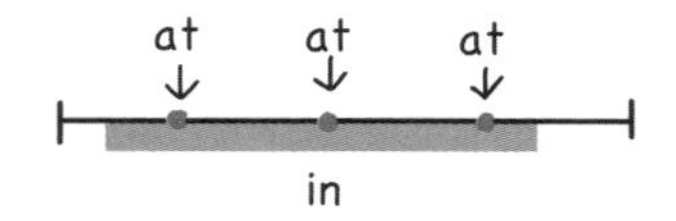

●──「今から～後」のin

ちょっと不思議な表現があります。それは、in two days（今から2日後）、in three weeks（今から3週間後）のように、inを使って「今から～後」という意味を表す表現です。inは「枠内」なのだから、in two daysは「2日以内に」という意味にならないのか？と思ってしまうのですが、それを言いたいならinではなくwithinを使い、within two daysとします。

この「**今から～後**」のinというのは、「今自分がいる空間を未来方向へ膨らませている」という表現だと考えられます。

例えば、自分たちがいる「今ここ」の空間を、「自分たちが関わっている現実」を表す世界だとすると、in two days（今から２日後）という表現は、その現実空間を2日先まで膨らませ、そこまでを自分たちの関わる現実世界だとすることで、「今から2日後に、こういうことが起きる」ということを表すのだと考えられるのです。

inは「今から」というのが大事です。「ある時点から～後」なら「時間＋later」を使います。例：two days later（その時から２日後）

例文 We should have the results in two days.
「(今から) ２日後に結果はわかるだろう。」

ただし、このinの空間は過去方向には伸びません。「今から～前」はinではなくagoで表されます。

He came to Japan two weeks ago.「彼は(今から) ２週間前に日本に来た。」

ちなみにwithinですが、withはもともとagainst（反対・対立）の意味を持つ言葉でした。例えばI play tennis with John.（ジョンとテニスをする。）で、ジョンは「一緒にテニスをする」相手であると同時に、「対戦」相手でもあります。この

「対立」のイメージはagainstにおいて、against the wall（壁を背にして・壁に向かって）という表現に現れます。この感覚がwithinに「壁の内側で」（against + in）という意味を与え、「以内に」という締め切りのイメージを強く持たせる結果に至ったのだと考えられます。

We'll let you know within two days.
「2日以内にお知らせいたします。」

「in＋時間」では「今から〜後」ですが、そのほかの慣用表現では、もっとザックリと「枠の中」というイメージが出てきます。

例文 He will get well in no time. 「彼はまもなく良くなるだろう。」
→ in no time：「時間ゼロの枠内で」→「まもなく・すぐに」

例文 Take this train and you'll be in time for the meeting.
「この電車に乗れば（君は）会議に間に合うよ。」
→ be in time for 〜：「目標に対し（for）、決められた時間の枠内（in）の状態である（be動詞）」
→「〜に間に合う」

●——行列の in から方向の in へ

例文 People are waiting in line. 「人々が一列に並んで待っている。」

「行列」にinが使われるのは、「チューブのような空間の中に並んで入っている」というとらえ方のせいです。日本語でも、「列から『はみ出す』」とか、「列内に留まる」いう表現があるのを見ると、列というものが枠で囲まれた空間とし

てとらえられるものだとわかります。

応用表現として、fall in line with A「Aと歩調を合わせる」があります。直訳は「列の中に降りていって、Aと一緒に」です。Aと同じ列の中に入り、歩調を合わせて動くということです。

例文 You don't have to fall in line with others.
「他人に合わせなくたっていいんですよ。」

この「列」のような、「一方向に長い」inの空間が、「方向を表すin」へと応用されていったのだと考えられます。

例文 They see this as a step in the right direction.
「彼らはこれを、正しい(方向に向かっている)一歩だと見ている。」

例文 The sun rises in the east.
「太陽は東から昇る。」

方向を表すdirectionだけでなく、「やり方」を表すwayもinと一緒に使われます。wayは「道」というよりは「ゴールへ到達するためのルート」という意味の言葉であり、ルートとは、「はずれたり、それてはいけないもの」、つまり「枠」のイメージを持つからです。courseがinと共に使われるのも同じ感覚です。

例文 It wasn't in the way that you would imagine.
「それは君がおそらく想像するようなやりかたじゃなかったんだよ。」

例文 In the course of the experiment, that chimp had a baby.
「実験の過程で、そのチンパンジーは子供を産んだんです。」

Must
10
inを使った表現その1

▶「収まる」in

●── in the first place：そもそも

at first「最初のうちは」と比較してみましょう。at firstは裏に「後で話が違ってくる」という意味が込められています（第6項参照）。atの「移動する点」のイメージのおかげで、話が動き続けるので、後に展開が変わっていくという含意が生まれるわけです。

> At first I thought she was just kidding.
> 「最初のうちは彼女がからかっているのだと思っていた。」

一方でin the first placeですが、inは「他の空間との対比」という意味があります。例えばThis letter is written in English. なら「他の言語ではなく、英語という言語の枠内で書かれている」という対比のイメージがあります。in the first placeの「そもそも」は「原点に立ち返ること」の強調ですが、これは「他の位置ではなく、最初の位置」という**他の位置との対比**のイメージを持っていると考えられます。

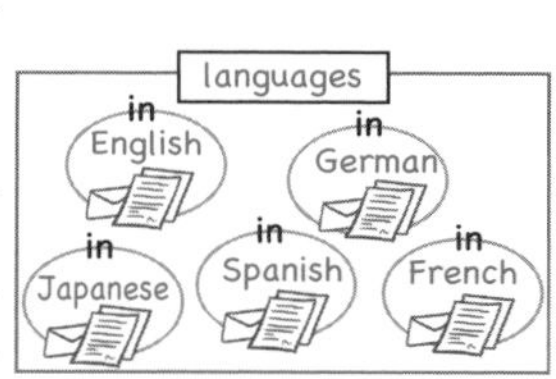

例文 Why did you go to a place like that in the first place?
「そもそも君は何でそんな場所に行ったのさ？」

●── in order / in order to (do ～)：秩序が保たれている・(何とかして)～するために

「命令」とか「注文」という和訳の方が有名なorderですが、根っこの意味は「秩

in the first place：そもそも
in order/ in order to (do)：きちんと整列している・（なんとかして）～するために
get/keep in touch with A：Aと連絡を取る・保つ
A result in B：AがBという結果になる
persist in A：Aに固執する、Aを貫く

序・規律」です。ですから alphabetical order（アルファベット順）のように「順序」という意味や、秩序を守らせるために発する「命令」という意味、命令の延長で「注文」という意味などを持ちます。「秩序」とは「枠からはみ出さないよう、押さえ込む・詰め込む」ということです。したがってorderには「枠の外に出ない」ことを意味するinが、相性が良いわけです。

例文 Everything should be in order.
「すべて順調のはずです。」

→秩序の枠にはまっている＝思惑通り＝順調

またこの延長線上にin order to (do ~)という不定詞句があります。訳すと「～するために」となってしまい、不定詞の副詞的用法の「目的用法」と意味の違いがないように思えますが、実際には使い分けがあります。

不定詞
I went to the library to read some books.　「本を読みに、図書館へ行った。」

→ 図書館へ行けば、努力しなくても当たり前に本は読める。当たり前にかなう「目的」を表すときに使うのが不定詞の副詞的用法の、「目的用法」

例文 I ran to the station in order to catch the last train.
「（なんとか）終電を逃さないよう、駅まで走った。」

→ 努力しないと、その目的は達成できない。だからそのために頑張って～する。そういうときに使われるのがin order to

「放っておいたら枠からはみ出てしまう。だからそうならないように一生懸命枠の中に押し込めようとする」というのが「秩序を守らせようと頑張る」in orderの感覚です。ですから「目的」を表すin order to(do)は「どうにか～できるように」頑張るイメージがついてまわります。

●── get /keep in touch with A：A と連絡を取る・保つ

直訳すると「A と touch できる枠内にいる」状態を手に入れたり（get）、保ったり（keep）するということで、「touch ＝触れる＝連絡」です。

例文 Keep in touch! 「連絡途切れないようにな。」（別れ際に）

保とう　触れることができる範囲　何の枠内にいることを？

例文 I've been trying to get in touch with Simon, but I can't.

手に入れる　触れる範囲　サイモン　何の枠内にいることを？　誰と？

「ずっとサイモンと連絡を取ろうとしているんだけど、連絡がつかないんだ。」

●── A result in B：A が B という結果になる

直訳すると「A が B の枠内に存在する（in B）、という結果になる（result）」ということです。result は「跳ね返ってくる」が語源の自動詞です。

例文 The surgery could result in death.

その手術　結果になる可能性がある　死　どんな結果の枠内にいる？

「その手術は死という結果に終わる可能性を秘めていた。」

the surgery
could result
in
death

result のもう１つの使い方 A result from B は、直訳すると「A は B から出て来た結果である」で「A は B の結果である」という意味になります。

These reduced costs resulted from the use of recent technologies.

これら減らされたコスト　結果起きた　近年の技術の使用　どんな原因からの結果？

「これらのコスト削減は、近年の技術を使った結果起きたものだった。」

resulted from

●── persist in A：A に固執する、A を貫く

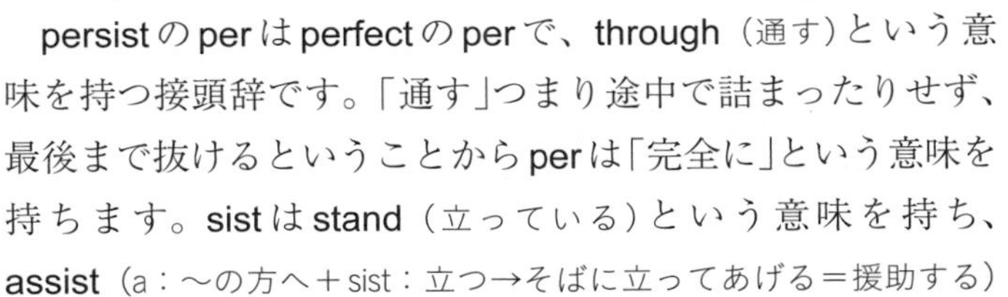

persistのperはperfectのperで、through（通す）という意味を持つ接頭辞です。「通す」つまり途中で詰まったりせず、最後まで抜けるということからperは「完全に」という意味を持ちます。sistはstand（立っている）という意味を持ち、assist（a：〜の方へ＋sist：立つ→そばに立ってあげる＝援助する）や、resist（re：再び・戻る＋sist：立つ→跳ね返して立つ＝我慢する・抵抗する）といった言葉に使われています。persistは語源的には「完全に立つ、ずっと通して立つ」ということなので、「ずっとそこに立ち続ける、どかない」という意味を起源とします。inと共に使われるのは、persist in Aで「Aという場所の枠内から退かずに立ち続ける」という、inの「枠の外に出ない」という感覚がpersistの「どかない」感覚と相性が良いからでしょう。

例文 She persisted in making changes.　「彼女は修正することにこだわった。」

固執した　修正すること
どの枠内にいることを？

復習問題

1. 「最初のうちは彼女がからかっているのだと思っていた。」
   (I, she, at, kidding, first, was just, thought).
2. 「（なんとか）終電を逃さないよう、駅まで走った。」
   (the station, to catch, I, order, ran to, the last, in, train).
3. 「ずっとサイモンと連絡を取ろうとしているんだけど、連絡がつかないんだ。」
   (been trying, get, I've, to, in, with, touch) Simon, but I can't.
4. 「その手術は死という結果に終わる可能性を秘めていた。」
   (in, could, death, the surgery, result).
5. 「彼女は修正することにこだわった。」
   (making, persisted, changes, in, she).

1. At first I thought she was just kidding.
2. I ran to the station in order to catch the last train.
3. I've been trying to get in touch with Simon, but I can't.
4. The surgery could result in death.
5. She persisted in making changes.

Must

11

inを使った表現その2

▶話題の枠内

「in＋A」で「Aという話の枠内で（〜をする）」という表現ができあがります。「話の内容」を「領域」「空間」というイメージでとらえていることがわかります。「その話の内容が通用する空間内においては」という気持ちです。

●── in doing so：そうすることで

「そうするという枠内で（話をすると…）」というのが直訳です。前置詞の後ろには名詞が来るので、動詞は名詞化されて動名詞（〜ing）になっています。エッセイライティングなど論理的な文章展開をするのに役立つ表現です。

例文 In doing so, you can improve your language skills in a short period of time.

「そうすることで、短期間で語学のスキルを上達させることができます。」

●── in advance：前もって

「（時間的な）前進という枠内で」というのが直訳です。

例文 Make sure to chill the wine in advance.

「必ず前もってワインを冷やしておいてちょうだい。」

●── in that S＋V 〜：SがVするという点で

主に堅い書き言葉で使われる表現で、日本語では「SがVするという点で」と訳されますが、英語の感覚では「SがVするという話の枠内において」というイメージです。thatは接続詞ですが、元々「あれ、それ」という「指す機能」の言

in doing so：そうすることで、その結果
in advance：前もって
in that S +V ～：SがVするという点において
in the end：最後には、ついに
at the end of the day：最後には、結局のところ

葉なので、ここでも「今からこういうS+Vの話が来ますよ」という「指差しマーク」だと考えてください。よく「評価の表現＋in that＋どういう点でそういう評価になるのか」という構成をとります。

例文 The results are important in that they have many parallels with each other.

評価の表現　どういう枠内で重要？　それらが互いに多くの共通点を持っている

「それらが互いに多くの共通点を持っているという点で、その結果は重要である。」

→parallelsは「並行するものたち」で、「対応・相当するもの ＝ 共通点」

●── in the end：最後には、ついに
at the end of the day：最後には、結局のところ

似ている表現ですが、ちょっとしたイメージの違いがあります。atは「鳥の視点」で上空の離れたところから場所を「点」としてとらえ、inは地上に降りてその地点に入り込み、中から「空間」としてその場所を見渡す感覚です。

物語の序盤で「始めのうちは～だったんだけど…」と述べるat firstは、序盤をただの「通過点」としてとらえる表現で、「後で話が違ってくる」という含意を持つものでした。それに対して、in the endは、流れていく水流が最後にたどり着く「沼」のようなものです。今まで移動していた水流は沼に入り込み、止まり、空間の中に「とどまる」のです。in the endのinが表しているのは、そんなイメージです。ネガティブな文にもポジティブな文にも使います。

例文 Bad guys will always lose in the end.

「悪は最後にはいつも負けるものさ。」

ちなみにat lastは「ついに、とうとう」で、長いプロセスを経て、待ち望んでいたことがついにやって来たという感覚です。in the endのように、ドボンと沼に入り込むような感じはありません。

at the end of the day（結局のところ、最後には）は、直訳すると「１日の終わりの時点で」です。人間は時間を場所にたとえて理解しますから、例えば、車に乗って「朝」という地点を出発し、ずーっと移動して「１日の終わり」という終着地点に到達した。すると、こんな景色が広がっていた、という感じです。そして、１日の終わりは「締めくくり」や「結論」の比喩でもあります。

例文 At the end of the day, he'll still have to make his own decision.

「結局、彼が自分で決断を下さないといけないという状況は、変わらないだろう。」

→いろいろあったけど、一番言いたいことは、それでも彼が自分で自分の決断を下さないといけない、ということ。（オックスフォード現代英英辞典より）

傾向として（あくまで傾向です）、at the end of the dayは現在形か、未来を表す文と一緒に使われることが多いのです。「結局いつもこうなんだよ」という「変わらない真実」を導入しようとする表現なので、「いつもそうだよ」形である現在形と共に使われることが非常に多いものと思われます。また、「これまでの状況を色々考えた結果、一番重要な情報として、これからの展望を語る」という使い方もされるので、やはりwillやbe going toの文と一緒に使われます。

例文 But at the end of the day, he always has his way.（現在形）

「でも結局は、彼は自分のやり方を押し通してしまう。」

一方で、in the endは過去形の文と一緒に使われることが非常に多いです（これもあくまで傾向です）。

例文 He tried various jobs and in the end became an accountant.（became：過去形）

「彼はいろいろな職業に就いてみたが、結局、会計士になった。」

（オックスフォード現代英英辞典より）

これはおそらくin the endが「物語の最後の結末」であるからでしょう。物語は過去形で語られることがふつうで、in the endは「この話はこういう結末になりましたとさ。終わり。」という感覚で語られているとわかります。Bad guys will always lose in the end.（悪は最後にはいつも負けるものさ。）の例ではwillを使っていますが、「物語」的な話だからin the endが使われているのです。物語型式という意味ではat firstも過去形の文で使われることがとても多いです。

復習問題

1. 「そうすることで、短期間で語学のスキルを上達させることができます。」
   (you, your language, doing, can improve, so,, in, skills) in a short period of time.
2. 「必ず前もってワインを冷やしておいてちょうだい。」
   (to, the wine, in, make, chill, sure, advance).
3. 「それらが互いに多くの共通点を持っているという点で、その結果は重要である。」
   The results (in, many parallels, that, are important, have, they) with each other.
4. 「でも結局は、彼は自分のやり方を押し通してしまう。」
   But (the, the, of, at, end, day), he always has his way.
5. 「彼はいろいろな職業に就いてみたが、結局、会計士になった。」
   He tried various jobs and (became, in, an, end, the) accountant.

1.In doing so, you can improve your language skills in a short period of time.
2.Make sure to chill the wine in advance.
3.The results are important in that they have many parallels with each other.
4.But at the end of the day, he always has his way.
5.He tried various jobs and in the end became an accountant.

Must
12

inを使った表現その3

▶中の方にくずれる、中に包まれる、枠にスポッとはまる…さまざまなin

●── give in to A:Aに屈する

giveは「相手に与える＝相手に許してしまう」という意味につながります。下の例文では、「押して来る相手を許す＝へこむ」という意味でgiveが使われています。自動詞になるとgiveはこんな意味を出すのですね。

A ripe fruit gives a little when you press it.
熟した果物 へこむ 少し あなたがその果物を押すとき
「熟した果物は押すと少しへこみます。」

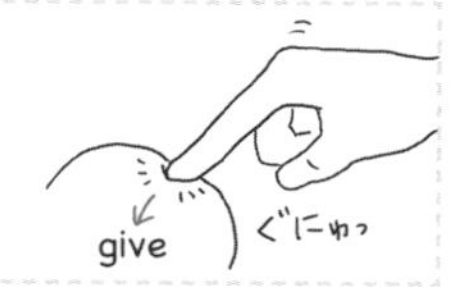

give inのinは「中の方にくずれる＝陥没」を意味しています。例えばcave inという表現は「洞穴＋内側」→「空洞の内側へ」→「陥没する」という意味です。

The roof of the house caved in from the weight of the snow.
その家の屋根 陥没した 雪の重み
何の原因から陥没した？
「その家の屋根は雪の重みで陥没した。」

というわけでgive inは「押してきた相手に優勢を許し、内側に崩れる」→「屈する」意味になりました。誰に対して屈するのかを表すために、toがつきます。

例文 I gave in to temptation and ate another slice of pizza.
へこみ、崩落 誘惑
何に対して？
「私は誘惑に負けて、もう一切れピザを食べてしまった。」

give in to A：Aに屈する
take part in A / participate in A：Aに参加する
for the first time in＋期間：～ぶりに
be lost in thought：もの思いにふける
fall in with A：Aと偶然出会う・好ましくないAと交わる

●── take part in A / participate in A ：Aに参加する

takeは「取る」、partは「全体の中での自分の担当する部分＝役割」で、合わせて「自分の役割を取る＝参加する」。participateはラテン語起源のフランス語が英語に入って来たもので、語源はpart（役割）+cipate（取る）で、take partと全く同じ意味になります。日本語でも同じ意味ならひらがな言葉よりも漢字言葉の方が堅く聞こえるのと同様に、英語でもラテン語起源のparticipateの方が、フォーマルな学術記事でとてもよく使われます。inは「何の分野の範囲内」で参加するのかを表します。

例文　I will take part in the meeting online.
取るつもりだ　役割　その会議　オンラインで
どんな催し物の枠内で？

例文　I will participate in the meeting online.
参加するつもりだ　その会議　オンラインで
どんな催し物の枠内で？

「オンラインで会議に参加する予定です。」

●── for the first time in ＋期間：～ぶりに 

for the first timeは「初めて」という意味です。

> I met him for the first time last September.
> 「去年の９月に私は初めて彼に会った。」

for the first timeに「in ＋期間」を加えると、「～の期間内で、初めて」という意味になります。

例文 He visited his grandparents for the first time in two years.

初めて　2年
どれだけの期間の枠内で初めて？

「彼は２年ぶりに祖父母のもとを訪ねた。」

直訳すると「２年の枠内では初めて」ということですから、それより前には会っていることがわかります。ここから「２年ぶり」という意味が出ます。

では、「久しぶり」はどうでしょう。会話の「うわ～久しぶりだね！」は "Long time no see!" がありますが、「私たちは久しぶりにロンドンを訪れた。」と言いたい場合は、We visited London for the first time in a while. となります。a while は「ひとかたまりの期間＝しばらくの間」です。

●── be lost in thought：もの思いにふける

言語学者のライスは、感情やもの思い、思索に関係する句動詞（動詞＋前置詞の表現）には in がよく使われる傾向がある、なぜなら我々は感情や思いの中に包まれ、とらわれていく感覚があるからだろうと語っています。

be lost in thought もその一種です。思いの中に包まれて、迷子になるということです。ちなみに be lost の直訳は「失われる」ですが、「地図上にいる自分を外から眺めていたら、その自分が地図上から失われた」という感覚が、「迷子になる」という意味に使われています。地図アプリ上にあった、自分を表す点が突然消えてしまう感じですね。

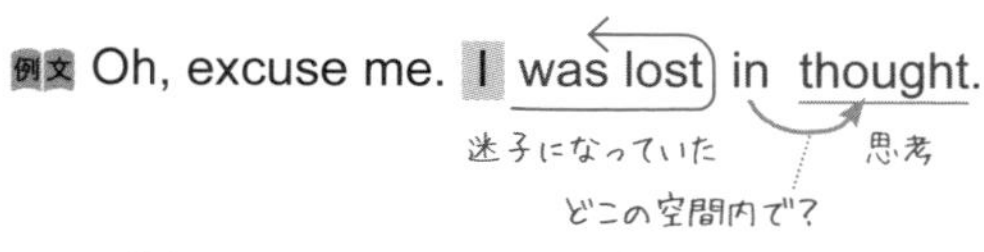

例文 Oh, excuse me. I was lost in thought.
迷子になっていた
思考
どこの空間内で？

「ああ、すみません。考え事をしていました。」

●── fall in with A：A と偶然出会う・好ましくない A と交わる

すでに fall in line with A（A と歩調を合わせる）という表現をご紹介しました（第9項参照）。ヒューと落下して、同じ列の枠内にスポッとはまっていく感覚です。同様に、fall in with A では、ヒューと穴の中に落下したら、たまたま同じように落ちてきた A と一緒になったという感じが表されています。そこから「A と

偶然出会う」という意味でも使われますが、「好ましくない連中とつるむ」という意味でもよく使われます。「穴の中＝掃き溜め」という感覚があるのかもしれません。ただし、ポジティブなイメージでもふつうに使われるので、注意が必要です。

例文 My son fell in with a bad crowd.

同じ穴に落ちた　悪い集団

誰と同じ？

「うちの息子は悪い連中とつるみだした。」

例文 There he fell in with more skilled and sophisticated writers.

「そこで彼は、より熟達し、洗練された作家たちと知り合うようになった。」

復習問題

1.「私は誘惑に負けて、もう一切れピザを食べてしまった。」

(to, in, I, temptation, gave) and ate another slice of pizza.

2.「オンラインで会議に参加する予定です。」

(the meeting online, part, will, in, I, take).

3.「彼は２年ぶりに祖父母のもとを訪ねた。」

He visited his grandparents (in, for, years, first, two, the, time).

4.「ああ、すみません。考え事をしていました。」

Oh, excuse me. (in, I, lost, thought, was).

5.「うちの息子は悪い連中とつるみだした。」

(a bad, in, my son, crowd, fell, with).

1.I gave in to temptation and ate another slice of pizza.
2.I will take part in the meeting online.
3.He visited his grandparents for the first time in two years.
4.Oh, excuse me. I was lost in thought.
5.My son fell in with a bad crowd.

Must
13

onの世界

▶「接している」ことから出る色々な意味

onの根っこの意味は「接していること」です。表だろうが裏だろうが側面だろうが、接していれば、onです。

例文 There is a vase on the table. 「テーブルの上に花瓶がある。」
(テーブルの表面の上側)

例文 There are some lights on the ceiling. 「ライトがいくつか、天井にある。」
(天井の表面の下側)

例文 There is a painting hanging on the wall. 「壁に絵がかかっている。」
(壁の表面、側面)

このように、上下側面に関係なく、接していればonなのですが、それでもonは「上」という意味で使われるのが多数派です。なぜかと言えば、我々が重力の中に暮らしているからで、例えばボールを天井や壁に投げつけても、接着剤でもなければ重力のせいで落ちてきます。ところが床やテーブルの上なら、何もしなくても「接している」状態を保つことができます。重力があるからですね。これが我々の目にする一番自然な風景ですので、「on＝上に」という意味が多数派になるのです。

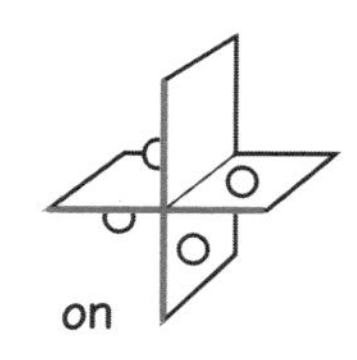

●――圧力のon

「上に乗っている」ということは「下へ圧力をかける」ということでもあり、onは「圧力」のイメージで使われることがよくあります。

例文 Let's focus/concentrate on this issue and forget about the others.

何の上に集中の圧力をかける？

「この問題に集中して、他は全部忘れよう。」

focusは一点に焦点を絞り、concentrateはcon（共に・皆・完全に）＋centrat (=center)→「すべてを中心に持って来る＝集中する」ことです。どちらも一点に力を集中させるので、圧力がかかるイメージを生みます。

例文 They spent a lot of money on the project.

費やした　たくさんのお金　そのプロジェクト

何の上にお金を投下？

「彼らは多くのお金をそのプロジェクトに費やした。」

spendは、語源的に「大金を支払う」イメージを持っていて、お金や時間をあること「の上に」ドカっと乗せていく、投下していく感じの動作です。ですから圧力のonを使います。

その反対に「お金をかけない」という意味でもonを使います。正確に言えば「〜にかけるお金を節約する」です。

例文 I must save money on video games.

「テレビゲームに、お金をかけないようにしなきゃ。」

→ゲームの上に積むお金を省く、が直訳。

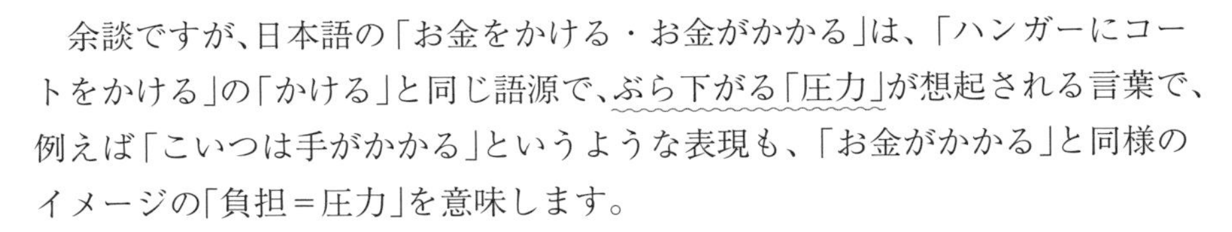

余談ですが、日本語の「お金をかける・お金がかかる」は、「ハンガーにコートをかける」の「かける」と同じ語源で、ぶら下がる「圧力」が想起される言葉で、例えば「こいつは手がかかる」というような表現も、「お金がかかる」と同様のイメージの「負担＝圧力」を意味します。

支払いを自分が持つ、というときの「私が出しますよ。」もonです。

例文 It's on me.　「私が出しますよ。」

これは支払いという負担が「私の上に」のしかかっている感じです。

●──支える on

「頼る」を意味するdependもrelyも、使う前置詞はonです。これは、「頼る」＝「誰かの上に乗り掛かって支えてもらう」ということだからです。

例文 Japan depends/relies on the Middle East for its oil imports.

依存している　中東諸国　その石油の輸入
何の上に乗っている？支えられている？　何のための依存？

「日本は石油の輸入を中東に依存している。」

rely：強く結びついて それなしにはいられない状態

dependはde（離れる→差し引く→マイナス→下に）＋pend（ぶら下がる：例 pendantペンダント）で、「誰かにぶら下がる」イメージで「頼る」ことを表す動詞で、relyはre（再び→強く）＋ly（縛る・結ぶ）で、「強く結びついて、それなしではいられない」というイメージで「依存する」ことを意味する動詞です。

live on Aは「Aを主食にする」という訳がよく紹介されていますが、根本的には「Aに乗っかって生きる＝Aに依存して生きる」ということです。

例文 Asian people live on rice.　「アジア人は米を主食とする。」→米に依存して生きる。

暮らしている　コメ
何の上に乗って暮らしている？支えられて暮らしている？

例文 We live on our father's income.　「私たちは父の収入を頼りにして生きている。」

同じ感覚で、こういうことも言えます。

例文 Most cars run on gasoline.　「ほとんどの車はガソリンで走っている。」

→ガソリンに支えてもらって走っている。依存・頼る感覚。

ちなみに「親のスネをかじる」は、live off one's parentsと言います。offは「くっついていたものがポロリと取れる」感覚から、「引き出す、引っ張り出す」という意味を出すときがあります。この表現には親を「資源」として、そこから「生活費を引き出す」感覚が感じられます。

Now that you are a grown-up, you shouldn't live off your parents.

生きるべきではない　自分の親

何から生きる糧を引き出して？

「もう大人なんだから、親のスネをかじるのはやめた方がいい。」

now that S + V ～：今や～なので

●――時間的な「接触」

時間的に接していることで、onはこのような表現にも使われます。

例文 On leaving the hospital, he went into a restaurant and ate steak.

「退院するなり、彼はレストランに入ってステーキを食べた。」

→ on ～ing；～するという動作に接して＝～してすぐに

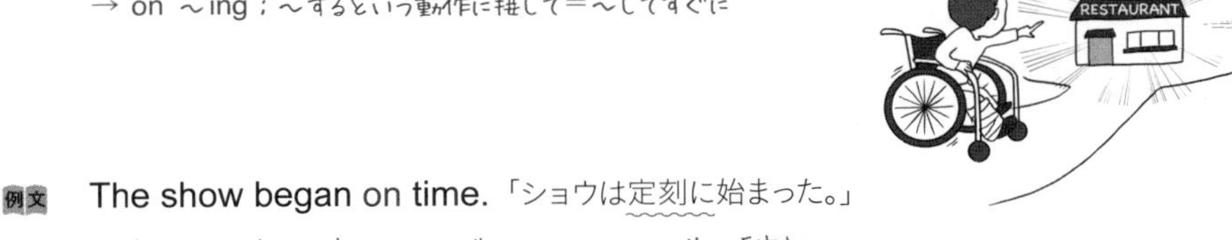

例文 The show began on time.「ショウは定刻に始まった。」

→決められた時間に接している＝ずれていない＝on time「定刻に」

●――副詞の on：「動作の継続」

動詞の様子を説明する（＝動詞を修飾する）言葉のことを副詞と言います。動詞の直後にくっついて、「その動作に接している＝動作から離れない＝動作の継続」を意味する副詞のonという使い方があります。多くの場合、keep, go, carry, driveなど、「進行」をイメージする動詞でよく起きます。

例文 She kept on talking as if I weren't there.

「彼女はまるで私がそこにいないかのように、話し続けた。」

例文 I can hardly go on living without them.

「彼らなしじゃ、とても生き続けることはできません。」

例文 My business carried on growing in that way.

「そうやって私の事業は成長を続けたんです。」

carry「運ぶ」＝「物を持って移動する」＝「移動し続ける＝継続する」

Must
14

onを使った表現その1

▶上からのしかかる圧力

●── give up on A:Aに見切りをつける、見限る

ただのgive up A(Aをあきらめる)に比べて「見捨てる、見放す」というプレッシャー満載の表現です。なぜならAの上には「圧力」がかかるからです。

例文 Please don't give up on me.
「お願いですから私のことを見捨てないでください。」
→ meの上にgive upの圧力がかかっている

このような「対人プレッシャー」を表す言葉にはonがつくことが多く、例えば The politician put pressure on the company.(その政治家はその会社に圧力を加えた。)のようにpressureは文字通りonと一緒に使えます。非難・責任を意味するblameも「人の上に乗せる」ものであり、She put the blame on others.(彼女は他の人たちに責任をなすりつけた。)という使い方ができます。「恥を知れ！」のShame on you!のonもyouにかかる「圧力」ですね。

●── on one's mind と in one's mind

どちらも心に何か考えがあることを表していますが、使われ方は異なります。on one's mindは「気がかり、悩みごとがある」ことを、in one's mindは「心の中に記憶や考えが存在している」ことを表すのがほとんどです。onはmindの上に重荷がのしかかっている圧力を表すので、on one's mindは心にプレッシャーがかかっている状態を表し、inはmindを「容器」に見立て、その中に情報が存在していることを表している、ということです。

give up on A：Aに見切りをつける
on one's mindとin one's mind
：気がかり、悩み事がある/心の中に記憶や考えが存在している
get down on 人：人を責める
pick on 人：人をいじめる・いびる
look down on A：Aを軽蔑する

例文 I wasn't thinking about the future. The future wasn't on my mind.
「先のことなんか考えていなかった。将来なんて気にもしていなかったんだ。」
→「将来」が自分の頭に「のしかかって」来ることがなかった。

例文 OK. With that in mind, we will continue the game.
「よし、そいつを頭に入れた上で、試合を続けよう。」
with A in mind（Aを考慮に入れた上で）。「mindという容器の中にAという考えが入っている状態を伴って」が直訳。with that in mindは、これで完成した表現なのでourは不要。

●── get down on 人：人を責める 

get down on自体は、元々身体動作を表す表現です。

Get down!

He got down on the floor.
「彼は床の上に伏せた・寝そべった。」
→床を支えとして、その上に自分の体をdownしていく状況をgetする（手に入れる）。

He got down on his knees and proposed to me.
「彼、ひざまずいて私にプロポーズしたの。」
→自分の膝を支えとして、その上に自分の体をdownしていく状況をgetする。＝膝の上に自分の体を乗せる＝ひざまずく。

この身体動作が比喩的に「非難」という意味に使われるようになりました。

例文 When you're not perfect, it's easy to get down on yourself.

「自分が完璧ではないとき、つい、自分を責めてしまう。」

→自分の上に自分の体をdownしていく状況をgetする。自分で自分の上にのしかかっていく感じ。

on Aは「Aの上にのしかかる圧力」。

この表現はonの後ろに～selfが来て、「自身を責める」という意味で使われる場合がよくあります。

pick on 人：人をいじめる、いびる

pickが動詞で使われるとき、くちばしを連想させる動きをします。

He picked up a pen on the floor. 「彼は床の上のペンを拾い上げた。」

→くちばしでペンをつまみ上げる感じ。

I'll pick out the best one for you. 「君のために一番いいものを選んであげよう。」

→くちばしでつまんで、1つだけ集団の外に出す＝「選び出す」

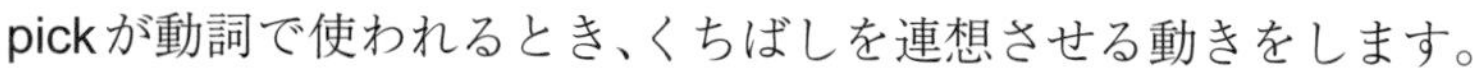

ここからpick on Aは「くちばしでAの上に圧力をかける」＝「Aをくちばしでつつく」＝「いじめる」を意味します。

pick on someone

例文 Stop picking on my child.

「うちの子をいじめるのはやめてちょうだい。」

look down on A：Aを軽蔑する

look downは文字通り「目線を下に向ける」です。on Aは「Aの上にのしかかる圧力」。つまり、軽蔑を「圧力」「のしかかって来るもの」として理解していることがわかる表現です。

例文 They look down on Jeff even though he's rich.

「ジェフが金持ちであっても、彼らはジェフのことを見下している。」

ちなみに反対語はlook up to Aという表現です。look upは「見上げる」、to Aは「見上げる視線がAに到達する」ことを意味します。toをつけ忘れないようにしましょう。

He knows he is looked up to by others.

「彼は自分が人から尊敬されていることをわかっている。」

復習問題

1.「お願いですから私のことを見捨てないでください。」
(up, don't, me, please, give, on).

2.「先のことなんか考えていなかった。将来なんて気にもしていなかったんだ。」
I wasn't thinking about the future. (my, future, mind, on, the, wasn't).

3.「自分が完璧ではないとき、つい、自分を責めてしまう。」
When you're not perfect, (to, yourself, easy, on, it's, get, down).

4.「うちの子をいじめるのはやめてちょうだい。」
(picking, child, stop, on, my).

5.「ジェフが金持ちであっても、彼らはジェフのことを見下している。」
(down, they, even, Jeff, look, on) though he's rich.

1.Please don't give up on me.
2.I wasn't thinking about the future. The future wasn't on my mind.
3.When you're not perfect, it's easy to get down on yourself.
4.Stop picking on my child.
5.They look down on Jeff even though he's rich.

Must
15

onを使った表現その2

▶土台となって支える

●── based on A:A に基づいて

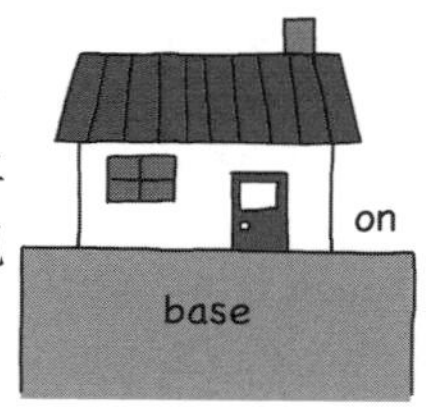

baseは「土台」です。be basedで「土台を作られている」という受動態です。on Aは「Aの上に」ですから、「Aの上に土台が作られている」が直訳です。建築のイメージを持つ表現です。

例文 The model of thought of the Japanese is based on group consciousness.

モデル　思考　日本人　土台が作られている　集団帰属意識
何の？　誰の？　何の上に？

「日本人の思考のモデルは、集団帰属意識に基づいている。」

●── on one's own:自身の力で、独力で

例えばmy carとmy own carの違いは何かわかりますか？ 実はmy carは「いろいろある車のうち、他の車じゃなくて、私の車だよ」というふうに「他の車と区別する」（認知言語学では参照点機能と呼びます）意味でmyという所有格が使われていて、my own carは「他の人が所有しているのでもないし、他の人と私が共有しているわけでもないよ。私が１人で所有しているんだよ」というふうに「誰が独占的に所有しているのか」に焦点を当てて話すことを意味します。

on one's ownの後ろには「能力」が省略されています。直訳すると「自分の所有する『能力』の上に乗って」ということなので「他の誰でもなく自身の力で」「他の誰でもなく自身の行動によって」という意味を生みます。

based on A：Aに基づいて
on one's own：自身の力で
on account of A：Aが理由で
on the verge of A：今にもAするところで
have it on good authority that S + V 〜
：信頼できる筋からSがVすると聞いている

例文 Listen, you can do it on your own.
「ねえ、それは君が自分の力でできることなんだよ。」

●── on account of A：A が理由で

堅い表現です。柔らかく言うならbecause ofです。accountは「数える」ことを意味するcountから来ていて、語源的には、「金の出入りを計算する」という意味です（第54項参照）。

さて、数えるとは、いくらあるのかを説明することですから「報告・記述」そしてどうしてこういう金額になったかという「事情の説明」でもあります。on account of Aのaccountは「考慮すべき事情」という意味で使われています。ですからon account of Aの直訳は「Aという事情の上に乗って＝Aという事情にもとづいて」ということになります。

例文 This law has protected the right of vote from being denied on account of race.

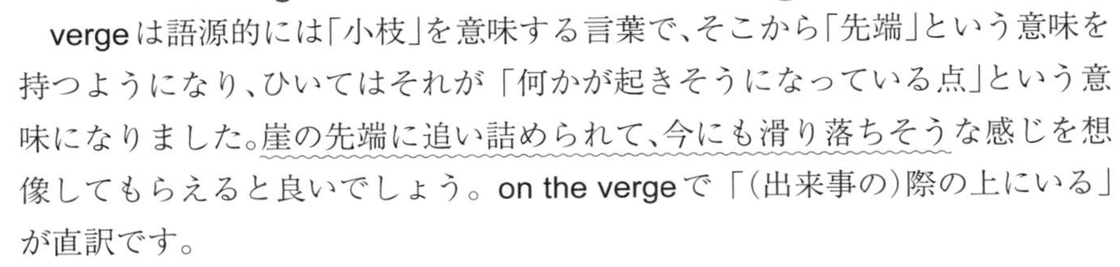

「この法律は、投票の権利が人種を理由に否定されることのないよう、保護してきた。」

●── on the verge of A：今にも A するところで

vergeは語源的には「小枝」を意味する言葉で、そこから「先端」という意味を持つようになり、ひいてはそれが「何かが起きそうになっている点」という意味になりました。崖の先端に追い詰められて、今にも滑り落ちそうな感じを想像してもらえると良いでしょう。on the vergeで「（出来事の）際の上にいる」が直訳です。

例文 He ended his closing statement on the verge of tears.

「彼は最終弁論を今にも泣き出さんばかりの調子で終えた。」

●── have it on good authority that S + V ～
:信頼できる筋からSがVすると聞いている

authorityという堅そうな言葉があるのですが、意外にもバリバリの話し言葉です。まずgood に注目してみましょう。goodは「良い」というより「**十分な**」というのが根っこの意味です。例えば日本語の「いいね」はポジティブに褒めているときに使いますが、一方で「もういい。やめて！」とネガティヴに使うこともあります。不思議に思えますが、日本語の「良い」の根っこの意味は「基準を満たす」ことです。基準を満たしているので「いいね」と褒めるし、我慢の基準を超えてしまえば「もういい。やめて」となるわけです。一方で英語のgoodは「基準を満たしている」が根っこの意味ですが、そこから「良い」という意味と、「十分な」という意味を出します。

She enjoys a good salary. 「彼女は十分な給料を享受している。」
We walked for a good hour. 「我々は、たっぷり1時間は歩いた。」

authorityは「威信、威厳、重々しさ」を意味する古フランス語から入って来た言葉で、「言い争いを鎮める文書」という意味が出ました。これが出て来ちゃ、もう何も言えないという「権威」ですね。

というわけで、have it on good authorityの直訳は、「十分な権威の上に、それ（という情報）を持っている」となり「信頼する筋から、それ（という情報）を得ている」という意味が出ます。that S + V ～がなくても、have it on good authorityだけで十分使えます。

例文 You must have it on good authority, or you wouldn't say such a thing.

「きっと十分な裏づけがあるんでしょ？でなきゃあなたはそんなこと言わないでしょうしね。」

しかし、itの詳しい内容を説明するために後ろにthat S + V ～をつけて「信頼できる筋から～だと聞いている」とする形は多用されます。英語は、軽い情報を先に話し、重い情報は後で話すので、抽象化・軽量化された「状況」を意味するitを先に話し、itの詳しい内容であるthat S + V ～という重い情報は文末に回されるのです。

例文 I have it on good authority that it was Mr. McNair who told him to do it.

持ってる　状況　十分な権威　何の上に乗せて？　itの詳しい内容はこちら　彼にそうするように言ったのはMcNair氏だった

「彼にそうするように言ったのはMcNair氏だということを、私は信頼できる筋から聞いているのです。」

復習問題

1.「日本人の思考のモデルは、集団帰属意識に基づいている。」
The model of thought of the Japanese (group, based, is, on, consciousness).

2.「ねえ、それは君が自分の力でできることなんだよ。」
Listen, (it, you, your, can, own, do, on).

3.「この法律は人種を理由に否定されることのないよう、投票の権利を保護してきた。」
This law has protected the right of vote from being denied (of, on, race, account).

4.「彼は最終弁論を今にも泣き出さんばかりの調子で終えた。」
He ended his closing statement (of, on, tears, verge, the).

5.「十分な裏づけがあるんでしょ？でなきゃ、あなたはそんなこと言わないでしょうしね。」
(on, authority, you, it, good, have, must), or you wouldn't say such a thing.

1.The model of thought of the Japanese is based on group consciousness.
2.Listen, you can do it on your own.
3.This law has protected the right of vote from being denied on account of race.
4.He ended his closing statement on the verge of tears.
5.You must have it on good authority, or you wouldn't say such a thing.

Must
16

onを使った表現その3

▶「とりつく」「〜の上に置く」「〜に乗っかる」…さまざまなon

●—— work on A:Aに取り組む 

workは「作業する」、on Aで「Aの上にとりつく」感じです。Aの上にworkの圧力をかけ、Aがだんだんでき上がっていく感じです。Aの上にとりついて作業をする感じでもあります。

例文 "What about the rest?" "I'm working on them. It takes time."

作業中だ
何に上からとりついて?

「残りは?」「今やっているところです。時間がかかるんですよ。」

●—— blame A on B:AをBのせいにする 

blame AのAには「問題となっている事柄」が、on BのBには「非難される人・事柄」が来ます。これはput A on Bと同じ思考回路の表現です。

He put the box on the desk. 「彼はその箱を机の上に置いた。」

彼 置いた その箱 机
何の上にその箱を置いた?

例文 You shouldn't blame everything on me.

非難するべきじゃない 全てのこと 私
誰の上に非難の圧力をかける?

「何でもかんでも私のせいにするもんじゃないよ。」

「すべてのことを非難して、それを私の上に置く」感じがわかります。そして

work on A：Aに取り組む
blame A on B：AをBのせいにする
on one's merits：真価・実績に応じて
draw on A：A（蓄積した経験・知識など）に頼る・を利用する
give A a pat on the back：Aを褒める

onは「上からのしかかる圧力」も表します。

●── on one's merits：真価・実績に応じて 

英語のmeritは日本語の「メリット」（利点・長所）だけでとらえてはいけません（もちろん、meritに「利点・長所」という意味はありますが）。日本語の「メリット」に近いのは、どちらかと言えばbenefitです。benefitは「それを採用することで受ける恩恵、得をする部分」といった感じの意味です。

Could you describe the benefits of contact lenses?
「コンタクトレンズの利点を詳しく説明してもらえますか？」

meritには「利点」の他に「価値・功績・賞罰・功罪」という意味があります。どのようなイメージから出てきているのかというと、meritには語源的に「霊的な評価」「霊的な報酬」といった、宗教的な「功徳」のイメージが存在します。そしてそこから「功徳を積んだから天国行き」「悪行を行なったので地獄行き」という意味で「評価」「実績」という意味が出てきます。on one's meritsは「その人の評価・実績・功罪の上に乗っけて、どうするかを考える」ということを表す熟語です。

例文 I want you to know I value you on your merits and not because you are a friend of mine.
「君の実績で君を認めているのであって、友人の１人だからではない、ということを君にはわかっておいてほしい。」

valuable information

ちなみに、ロングマン現代英英辞典には、「長所」という意味を表すときには「merit はフォーマルな文脈に使い、日常的な英語の中では人々は good points を使う」とあります。

The book does have its good points.

「その本には、実際に（いくつか）長所がある。」（ロングマン現代英英辞典より）

●—— draw on A：A（蓄積した経験・知識など）に頼る・を利用する 

drawは「手元に引っ張る」という意味の動詞です。例えば「引き出し」のことをa drawerというのは「手元に引いて開ける」のが引き出しだからです。線で絵を描くことをdrawが意味するのも「ペンを引いて線を描く」というところから来ています。

draw onのイメージは「手元に引き寄せ、その上に乗っかる」という感じです。この「乗っかる」は「Aの上に乗っかる＝Aに支えてもらう」という意味で「依存」を表すonです。水上を走るのに、ボートの上に乗れば、それはボートを「利用して」水上を走ることを意味しますが、このdraw on も、蓄積した経験や知識を手元に引き寄せ、その上に乗って、局面を乗り切る感じです。

例文 We should draw on expertise and experience to cope with the difficulties.

引き寄せてその上に乗っかる　専門知識と経験　困難を克服する　何することに向かって？

「我々はこの難局を乗り切るために、専門知識と経験を活用すべきです。」

●—— give A a pat on the back：A を褒める

a patは「（１回）ポンと叩く」ということですから、give A a pat on the backは「Aの背中をポンと叩いて、よくやったな、と褒めてやる」ということです。onは「上」のなかでも「**表面上**」という感覚を強く持ち、on the backでは「背中の表面上」ということを表しています。

例文 Jack gave Dave a pat on the back and the two smiled.

与えた　デイブに　ひと叩き　その背中

デイブのどこの表面上に？

「ジャックはデイブの背中をポンと叩き、2人は微笑んだ。」

→文字通り背中を叩くことで、相手を称賛している。

give oneself a pat on the back（自分を褒める）という形で使うこともよくあります。

例文 Eddie, give yourself a pat on the back for a job well done.

「エディ、うまくいったんだ。自分を褒めてやりな。」

→直訳 うまくいった仕事のために、自分に背中ポンを1回与えてあげなさい。

復習問題

1. 「残りは？」「今やっているところです。時間がかかるんですよ。」
   "What about the rest?" "(them, I'm, on, working). It takes time."
2. 「何でもかんでも私のせいにしないでよ。」
   (blame, me, you, shouldn't, on, everything).
3. 「君の実績で君を認めていることをわかってほしい。」
   I want you to know (on, value, I, your, you, merits).
4. 「我々はこの難局を乗り切るために、専門知識と経験を活用すべきです。」
   (expertise and experience, draw, should, on, we)
   to cope with the difficulties.
5. 「エディ、うまくいったんだ。自分を褒めてやりな。」
   Eddie, (on, yourself, the back, a pat, give) for a job well done.

1."What about the rest?" "I'm working on them. It takes time."
2.You shouldn't blame everything on me.
3.I want you to know I value you on your merits.
4.We should draw on expertise and experience to cope with the difficulties.
5.Eddie, give yourself a pat on the back for a job well done.

Must
17

ofの世界

▶全体から一部を取り出す

ofという前置詞はとても多くの用法があって、一言で説明することができません。しかし、「熟語で使用するof」として考えるときには、「取り出す」イメージがとても役に立ちます。

例えばa piece of cakeやa glass of beerは「ケーキ全体から一切れ分を取り出して見せる」「ビール全体からグラス一杯分を取り出して見せる」感覚で、「一切れのケーキ」「グラス一杯のビール」という意味が出てきます。the tallest of the threeなら「その3人のうちから、最も背が高い人を取り出して見せる」感覚で、「3人のうちで一番背が高い」という意味が出てきます。

●──感情を取り出す of

この発想が、「あることから、それに関する感情を取り出す」という形で表現されることがあります。「be動詞＋感情の形容詞＋of」の形です。

例文 I'm sure of his success.　「彼は絶対成功するよ。」

確信してる　彼の成功

何から「確信」が出て来る?

このようなパターンには、下記などがあります。

例文 She is proud of her son.　「彼女は息子を誇りに思っている。」

→「自分の息子」から出て来る誇らしい気持ち

例文 I'm sick of the whole thing.　「すべてのことが嫌になったんだ。」

→「すべてのこと」から出て来る「気分の悪さ」（sickは病気というよりは気分のわるさ・むかつき）

また「恐怖感」を表す形容詞も、この構文によく使われます。

例文 I'm afraid of seeing him.　「彼に顔を合わせるのがこわい。」

→「彼に会う」ことから出て来る怖い気持ち。

例文 She was very scared of her ex-boyfriend.

「彼女は元彼のことをとても怖がっていた。」

→「自分の元彼」から出て来る恐怖感。

例文 She didn't talk about it any more for fear of being labeled a troublemaker.

「厄介者扱いされるのを恐れて、彼女はそれ以上そのことについては話さなかった。」

for fear of Aで「Aを恐れて」。直訳は「Aから出て来る恐怖感を理由に」。

being labeledは「～というレッテルを貼られている状態」。

labelは日本語では「ラベル」と発音されるが、英語では「レイベル」。

●――全体の中の「一部」のof

取り出す、というところから、「全体ではなくて、あくまで一部だよ」ということにフォーカスするofもよくあります。

例えばthink of Aは「Aを思いつく」という意味です。「考えが『周辺(about)』をウロウロする」というところから「ああでもない、こうでもないと考え込む」think aboutに対して、「あるアイディアをポンと取り出す＝思いつく」がthink ofで、さらには「全体ではなく、部分的な印象を問う」場合にもthink ofは使われます（第70項参照）。

例文 What do you think of his plan?　「彼のプランについてどう思う？」

→彼のアイディアを聞いて、パッと出て来る印象を尋ねる。印象なので、熟考するイメージではなく、目立つところだけが部分的・断片的に出て来る感じ。

「（眠っていて）～のことを夢に見る」を意味するdream ofのofも同じです。

夢なので、断片的にちらほらイメージが出て来る感じです。もちろん「理想を思い描く」という意味の「夢見る」でも使えます。浮かんでは消える泡のように、断片的にイメージがプクプクと出て来る感じです。

例文 He has dreamed of being an astronaut since he was 10.
「彼は10歳のときから宇宙飛行士になることを夢見てきた。」

「部分」という意味が強調される表現に、know of A、hear of A、smell of A などがあります。例えば、I know him. なら「彼と知り合いだ。」という意味になります。これは、I から出た「知っている」という know の力が、直接、目的語にぶつかるから「直接的な知り合い」となるからです。しかし I know of him. なら、動詞と目的語の間に前置詞が入るので、「直接知っている」感じはなくなり、「彼のことを知っている。」つまり「名前や噂は知っているが、それだけだ」という「間接的（＝部分的）に知っている」ことを意味します。例えば I heard you. なら「君の言っていることはちゃんと聞こえたよ。」という、「直接音が耳に入る」ことを意味しますが、I heard of you. なら「君の噂は聞いた。」という「間接的に聞いた＝部分的な情報を耳にしている」という意味になります。

smell of A は smell like A とも言い換えられる表現で、「匂いを発する源」を主語にして、下のような使い方をします。

例文 His jacket smelled like/of detergent.
「彼の上着は洗剤のようなにおいがした。」

ふつう、smell の後ろには smell good/bad など、「香りの感想」を意味する形容詞が来ますが、「○○のような匂い」という意味で具体的な名詞を持って来る場合には like や of をつけないといけません。like なら「〜に似ている」から「〜のような（匂い）」、of なら「全体取り出した、部分」から「〜の印象を持つ匂い・〜から取り出したような匂い」という意味を出します。

●――結果を取り出す of

ofは「取り出して、何かの形にする」という意味でも使います。典型は中学で習う、be made of A（Aでできている）ですね。

of

例文 These containers are made of plastic.
「これらの容器はプラスチックでできている。」
（プラスチックから容器の形を取り出す感じ）
→素材から直接取り出して製品ができる感じがするので、ぱっと見てその製品が何でできているのかがわかるときに使う表現。

他に、come ofという表現があります。comeは「やって来る＝近づく＝自分の現実世界に入って来る＝実現する」という意味でよく使われます。come of Aで「Aから取り出して、現実に、何かの形になる」という直訳を持ちます。

例文 I'm confident that something will come of it.
「それがなんとかなる自信はありますよ。」
→「itから、何らかの形をもったもの（something）が出て来るだろう」＝「なんらかの形にはなる」。

この応用編で A come of age.「Aが成年に達する。」があります。「年齢を経ることから出て来て実現するもの＝大人という状態」ということですね。

例文 He came of age during the Second World War.
「彼は第二次世界大戦中に成人を迎えた。」

Must
18

ofを使った表現その1

▶全体から取り出す of

●── none of your business：人の話に首を突っ込まないでくれ 

ピシャリと相手をはねのける場合に使うきつい表現で、圧倒的に話し言葉で使われます。

businessという言葉で注意してほしいのは、「商売・ビジネス」だけを意味するわけではないことです。「忙しい」を意味するbusyの名詞形なので、「自分を忙しくすること＝やるべきこと」という感覚が元にあると考えてください。ofは「取り出すこと」ですから、none of your businessの「アナタがするべきことから、何も出て来るものはない」という直訳から、「アナタが首を突っ込むことではない」という意味が出てきます。That's none of your business. もしくは It's none of your business. という言い方でよく使います。固定表現として覚えましょう。

None of your business!
NO

例文 My income is none of your business!

ゼロ　あなたのするべきこと
何からゼロが出て来る？

「私の収入はアナタには関係ない話でしょう！」

●── get ahead of oneself：先走る 

get aheadで「先行する状態（ahead）を手に入れる（get）」です。ahead of ～は、「～に先立って」という意味で使われる表現です。例えば、ahead of the opening ceremony「開会式に先立って」「開会式を前にして」という感じです。よくある表現に ahead of time「決められた時間より前に」「前もって」（= in advance）

none of your business：人の話に首を突っ込まないでくれ
get ahead of oneself：先走る
have a chance of ~ing：～する可能性がある
have a mind of one's own：自分なりの考えがある
in a matter of 時間：ほんの（時間以内）で

などがあります。するとget ahead of oneselfは「自分が自分自身よりも先立った状態を手に入れる」という直訳になります。

例文 Let's not get ahead of ourselves. 「先走らないようにしましょう。」
手に入れる　先　私達自身
何から出て来る「先」？

「let's not ＋動詞原形」は「～しないようにしましょう」

myselfだと、進行形がよく使われます。

例文 I'm getting ahead of myself.
「私、ちょっと先走っちゃってるね。」
→進行形なので「先走っている最中の自分」に、ハッと気づいたときに出て来るセリフ。

have a chance of ~ing：～する可能性がある 

英語のchanceは日本語話者にとって注意を要する言葉で、日本語の「チャンス」＝「絶好の機会」の意味はもちろんあるのですが、本来の意味は「**確率・偶然**」です。

確率と偶然ですが、「偶然」に起きるパーセンテージが「確率」なので、両者はほぼ同じイメージを持つ言葉です。例えばchance of rainは「降水確率」ですし、take a chanceは「偶然を選択する」が直訳ですから「一か八かやってみる」という意味になります。日本語で言う「チャンス（機会）」は、英語ではopportunityの方がよりフィットします。英語のchanceが「絶好の機会」を意味するとき、それは「『偶然やって来た』機会」というイメージが強くなります。

chance of rain
降水確率

have a chanceの後ろがto不定詞になるのか、of ～ingになるのかでもa chanceの意味が変わるので注意が必要です。to不定詞だと「機会」、of ～ingだと「可能性」です。

例文 We have a chance of curing cancer.

私たち 持ってる 確率 ガンが治る

何の確率？

「ガンを治せる可能性がある。」

例文 Did you have a chance to talk with the famous actress you like?

「あなたが好きなその有名女優と話す機会があったの？」

→talkすることに「たどり着く(to)」、「偶然やって来た1つの機会」(a chance)。

have a mind of one's own：自分なりの考えがある

ownは「所有する」という意味なので、「所有格＋own」となる場合、「他の人のじゃなくて、自分自身のだよ」ということを強調します（第15項参照）。

mindはheartと対をなす言葉で、heartが「感情」「気持ち（の温かみ）」を意味するのに対し、mindは「（冷静な）思考」という部分を司ります。したがって、have a mindは「ある思考（法）、考え方を持っている」ということになります。

例文 I can't stop talking! It's like my mouth has a mind of its own!

状況 自分の口 持ってる 思考 それ自身

まるで何のよう？ 何から出て来る思考？

「話が止まらないの！まるで、自分の口が別の生き物になったみたい。」

→直訳 自分の口が自分自身の考えを持っているみたい

例文 Unlike George, I have a mind of my own.

「ジョージと違って、僕には自分の考えがある。」

in a matter of 期間：ほんの（期間）で

名詞のmatterは、「原料・材料」を意味するmaterialと同じ語源で「**根源的**」というイメージを持ちます。「どこに一番注意が払われるべきなのか。この話題・問題の核心は何なのか」ということを表す言葉です。

例えばWhat's the matter?では「何が問題の核心なの？要するにどうすればいいの？」という意味で「どうしたの？」と尋ねています。a matter of timeだけなら「問題の核心が時間だけなので、しばらくすれば解決する」、つまり「時間の問題」です。ここでの「時間」が「わずかな期間」を意味することに注意してください。「a matter of 期間」では、timeの代わりに具体的な「期間の長さ」が示されているだけで、その期間が短く感じられることに変わりはありません。ですから「in a matter of 期間」は「ほんの（期間）で」という意味を出します。

例文 The bus will take you to Tokyo Tower in a matter of minutes.

「そのバスに乗れば、ほんの数分で東京タワーに着きますよ。」

直訳 そのバスがほんの数分でアナタを東京タワーに連れて行くだろう。

復習問題

1.「私の収入はアナタには関係ない話でしょう！」

(none, my, your, is, of, business, income)!

2.「先走らないようにしましょう。」

(get, not, of, let's, ourselves, ahead).

3.「ガンを治せる可能性がある。」

(have, curing, of, we, a chance) cancer.

4.「話が止まらないの！まるで、自分の口が別の生き物になったみたい。」

I can't stop talking! It's like (of, has, own, my mouth, a mind, its).

5.「そのバスに乗れば、ほんの数分で東京タワーに着きますよ。」

The bus will (Tokyo Tower, you, to, in, of, take, a matter, minutes).

1.My income is none of your business!
2.Let's not get ahead of ourselves.
3.We have a chance of curing cancer.
4.I can't stop talking! It's like my mouth has a mind of its own!
5.The bus will take you to Tokyo Tower in a matter of minutes.

Must
19

ofを使った表現その2

▶make of のいろいろ

●—— What do you make of A?：Aについてどう思いますか？ 

完全に話し言葉の表現です。ニュースキャスターがコメンテーターに質問するときに、よく使われます。ほぼ同じ意味を持つWhat do you think of A ？よりも軽い表現と言って良いでしょう。

直訳すると、what do you makeが「あなたは何を作りますか」、of Aが「Aから取り出す」で、合わせて「あなたはAから取り出して何を作りますか？」です。Aという状況から情報を取り出してあなたの考えを作るので、make of Aに「Aを（～だと）見なす、（～だと）理解する」という意味が出てきます。

例文 What do you make of what he said?

あなたは（考えを）作る　彼の言ったこと
何から取り出して（考えを）作る？

「彼が言ったことをどう思います？」

→直訳 彼が言ったことから、あなたは何（＝どのような考え）を取り出して作るのか

●—— make fun of A：A（人・物）をからかう・バカにする 

「人、あるいは物であるAから取り出して（of）、面白おかしい形を作る（make fun）」というのが直訳です。Aは人・物、両方入ることができますが、人であることが圧倒的多数です。物であったとしても、それは人の所属物（体の一部など）であることがふつうです。

What do you make of A?：Aについてどう思いますか？
make fun of A：Aをからかう・バカにする
make good use of A：Aをうまく利用する・活用する
make the best of A：Aを最大限生かす
make light of A：（実際は重要なのに）Aを軽視する

例文 I was always made fun of in school about my hair.
「私はいつも学校で髪のことをからかわれたの。」

理解しやすいように、能動態の文にすると…

例文 They always made fun of me in school about my hair.
彼らは　いつも作った　からかい　私　学校で　私の髪について
何から、からかいを取り出した？

直訳 彼らはいつも、学校で私の髪について、私のことをからかった

●── make good use of A：Aをうまく利用する・活用する 

新聞や学術系に多いので、わりと堅めの表現と言えます。useは名詞で、make good useで「良い利用を形作る」、of Aが「Aから取り出して」なので、合わせて「Aから（要素を）取り出して、それを良い利用の形に作る」というのが直訳です。goodの部分には他の形容詞も使われ、コーパスによれば、よく使われる順にgood（上手な）、better（より上手な）、full（十分な）、greater（より大きな）、effective（効果的な）などがあります。次に解説するmake the best of Aとは違い、ポジティブな言葉であることが特徴的です。

of　不動産　牧場　株

例文 We must think of a way to make good use of the money.
考えつかないといけない　やり方　形を作る　十分な使用　そのお金
何することに向かうやり方？　何から「十分な使用」を取り出す形を作る？

「何とかそのお金をうまく活用する方法を考えつかないといけない。」

●—— make the best of A：A を最大限生かす

make the bestで「最高の状態を作る」、of Aで「Aから取り出して」です。合わせて「Aから最高の状態を取り出すことを形作る」が直訳です。

the bestがもたらす感覚に注意が必要です。このthe bestは「窮地の中で、限られた資源を一番良い状態で活用する」というイメージで使われています。つまり「逆境」を表す表現です。

例文 They made the best of the short amount of time they had.

彼ら　最善の形を作った　彼らが持っていた短い時間の量

何から最善の形を取り出して作った？

「彼らは手持ちの、そのわずかな時間を最大限に活用したのだ。」

また、「(最大限に生かすことで)その場を何とかしのぐ」という意味でも使われます。

例文 He always told us to make the best of what we had.

「彼はいつも私たちに、ある分だけで何とかしろと言った。」

tell 人 to (do ～)：「人に～するように言う」(第76項参照)

一方、「十分に恵まれた環境を最大限活用する」のはmake the most of Aです。make the mostで、「最大の形を作る」ですね。

例文 Parents can make〔kids = study online〕by making the most of technology.

「科学技術を最大限活用することで、親は子供をオンラインで勉強させることができる。」

●—— make light of A：(実際は重要なのに) A を軽視する 

すでに説明したmake of Aで「Aのことを見なす」の応用です。light（軽い）を加えてmake light of Aで「Aのことを軽く見る」という意味が出来上がります。

例文 We should not make light of his struggles with drug dependency.

形を作るべきではない → 軽い　彼の奮闘　薬物依存

何から出て来た「軽い」(という判断)？　何との奮闘？

「彼の薬物依存との闘いを、我々は軽く見るべきではない。」

→ struggles with A で「A との闘い」。struggle は蟻地獄の中でもがくイメージの言葉。with は「対戦相手」を意味する。例えば I played tennis with Bob. では with Bob で対戦相手を表している。

以上、いろいろな「make ～ of A」の形を取り上げました。見た目は変わっても、結局は「A から取り出して、～の形を作る」ということだ、とおわかりいただけたと思います。

復習問題

1. 「彼が言ったことをどう思います？」
   (you, of, what do, what he, make, said)?
2. 「私はいつも学校で髪のことをからかわれたの。」
   (made, of, was always, fun, I) in school about my hair.
3. 「何とかそのお金をうまく活用する方法を考えつかないといけない。」
   We must think of the way (of, to, use, make, the money, good).
4. 「彼らは手持ちの、そのわずかな時間を最大限に活用したのだ。」
   (made, of, the best, the short, they) amount of time they had.
5. 「彼の薬物依存との闘いを、我々は軽く見るべきではない。」
   (light, we, his struggles, not, make, of, should) with drug dependency.

1.What do you make of what he said?
2.I was always made fun of in school about my hair.
3.We must think of the way to make good use of the money.
4.They made the best of the short amount of time they had.
5.We should not make light of his struggles with drug dependency.

Must

20

ofを使った表現その3

▶何から出てくるのかを感じ取る

●—— take care of A：Aの面倒を見る、Aを引き受ける

この表現、「面倒を見る」という意味で英語学習者にはおなじみです。

例文 Some people say that we can take better care of children if we work from home.

何て言ってる？　取れる　より良い面倒見　何の面倒を見る？　もしどうなら？　在宅勤務する

「自宅で仕事をすれば、子供の面倒をよく見ることができると言う人たちもいます。」

一方で、会話の中で「私がやっておくよ。」と言うときに、このtake care ofは一番自然に出て来る表現かもしれません。

例文 "But how …?"　"Don't worry. I'll take care of it."

「でもどうやって？」　「心配いらないよ。僕がやっておく。」

careは「世話」というよりは「注意」が根っこの意味です。carefulが「慎重な・気をつける」という意味になるのはそのせいです。take careで「注意（を払うという行動）をとる」という意味になり、「何から注意を取り出すのか」を表すのがof Aです。「Aに注意を払う」ということは、「Aが困ったり怪我をしたりしないように注意を払う」＝「Aの世話をする・面倒を見る」という意味にもなりますし、「Aがきちんと進むよう注意を払う」＝「Aを管理する・引き受ける」という意味にもなるわけです。

take care of A：Aの面倒を見る、Aを引き受ける
take advantage of A：Aにつけ込む、A（機会など）を最大限活用する
take the risk of 〜ing：〜することを覚悟する
die of A：Aが原因で死ぬ
let go of A：Aから手を放す

●── take advantage of A :Aにつけ込む、A（機会など）を最大限活用する 

take advantageで「有利な位置をとる」です。advantageはadvance（前進）と同じ語源で、「他者より前の位置にいる」という意味での「有利である」というイメージです。

advantage of Aは「Aから出て来る有利な位置」という意味で、そこから、「Aに何か隙があって、それにつけ込むことによって出て来る有利な位置」という意味が出ます。「Aから出て来る優位性をとる」＝「うまく活用する」というポジティブな意味で使うこともできます。

例文 I don't want to take advantage of her personal situation.
取る　優位　彼女の個人的状況
何から出て来る優位性？
「彼女のプライベートの状況につけ込みたくはないな。」

例文 He took advantage of the tax cuts. 「彼は減税をうまく活用した。」

●── take the risk of 〜 ing:〜することを覚悟する 

話し言葉でも書き言葉でも万遍なく使われる表現です。その意味は、文字通り「〜することから出て来るリスクをとる」です。

例文 Why did he take the risk of losing public support?
彼　取る　リスク　世論の支持を失う
何から出て来るリスク？
「なぜ彼は世論の支持を失うような危険を冒したのだろうか？」

●── die of A：A が原因で死ぬ

直訳すると「Aから死が出て来る」です。ofは「～から取り出す・～から出て来る」というところから、from（～から）と似た使い方をされる場合があり、「die from 死因」という言い方もよく使われます。コーパスによれば、die ofの方がdie fromよりも２倍多く使われている一方で、die fromの方が、話し言葉でよく使われます。die ofに比べて、die fromの方が新興で出て来た話し言葉、といった感じのようです。

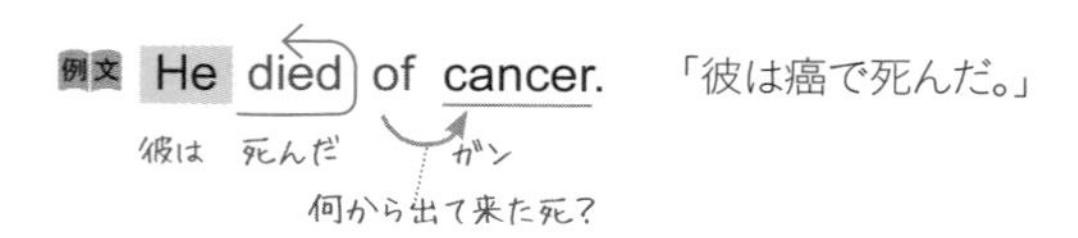
例文 He died of cancer. 「彼は癌で死んだ。」
彼は 死んだ ガン
何から出て来た死？

valuable information

「死ぬ」という表現ですが、病気以外の、事故や戦争などで死ぬ場合には be killed を使います。die は病気も含めて生物が自然に死ぬことを意味しますが、事故や戦争など「不自然」な死は be killed を使うようです。

They were killed in a plane crash. 「彼らは飛行機の墜落事故で死んだ。」
どういう出来事の枠内で死んだ？

日本語で考えると kill は「殺人」のイメージが出てきそうですが、「人が人を殺す」という「犯罪」の感覚を明確に出す場合には murder という動詞を使います。

A local woman was murdered by her boyfriend.
「地元のとある女性が、恋人に殺された。」 →動作の発生源は by で表す

●── let go of A：A から手を放す

letは「したいようにさせてやる」ということです。ここでは似た表現であるlet A goと比較して考えてみましょう。let A goは「Aを行かせてやる」というところから、「Aを自由にさせる」という意味が出ます。

Let〔me = go〕！ 「放してよ！」
させて ［私 ＝ 離れる］
→meの「行きたい・離れたい」気持ちを尊重しろ！という命令文。

let A go

Let it go. 「忘れてしまいなさい。」
→状況（it）をこの場から去らせてやる・離してやる。その状況を「過ぎてしまったこと」にしてやる。

let go of Aは「Aを掴んでいる、その手を放す」ということで「Aを自由にこの場から立ち去らせてやる」という感覚がベースにあります。

let go of AのAには「すでにぎゅっと掴んでいる、しがみついているもの」というイメージが備わっています。そのAから「行かせる」を意味するlet goが「出て来る(of)」ので、「ぎゅっと掴んでいるものを離す」、**執着を断ち切る**感じが出てきます。

例文 Don't let go of the rope!　「ロープから手を放すな！」

離さないで　ぎゅっと掴んでいるロープ

何から出て来る「離す」？

→「掴んで放すな」という、「しがみつく」感覚。

let go of A

例文 I couldn't let go of the idea.

離すことができなかった　ぎゅっと掴んでいるその考え

何から出て来る「離す」？

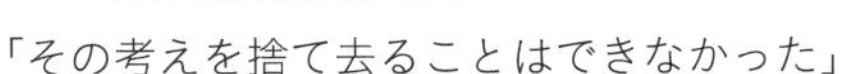

「その考えを捨て去ることはできなかった」

→その考えを「掴んで放したくない」という執着に勝てなかった、ということ。

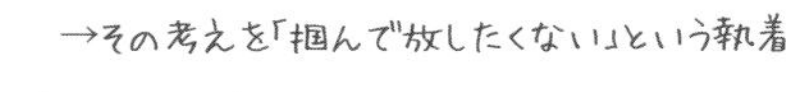

復習問題

1. 「心配いらないよ。僕がやっておく。」
   Don't worry. (I'll, it, care, take, of).
2. 「彼女のプライベートの状況につけ込みたくはないな。」
   (want, advantage, I, take, of, don't, to) her personal situation.
3. 「なぜ彼は世論の支持を失うような危険を冒したのだろうか？」
   (losing, why, the risk, did he, of, take) public support?
4. 「彼は癌で死んだ。」
   (of, he, cancer, died).
5. 「その考えを捨て去ることはできなかった。」
   (let, the idea, I, go, of, couldn't).

1.Don't worry. I'll take care of it.
2.I don't want to take advantage of her personal situation.
3.Why did he take the risk of losing public support?
4.He died of cancer.
5.I couldn't let go of the idea.

Must
21

overの世界

▶越える・超える・覆う・回転する・終わった

overを図で表すとこのようになります。

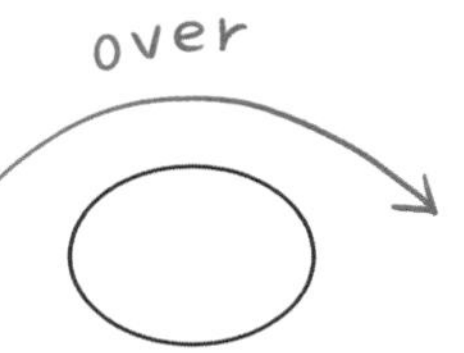

一見単純な図ですが、単純だからこそいろいろな解釈ができます。英語の前置詞研究においてoverは研究者の間で最も早くに取り上げられた言葉の１つです。それはその多義性（意味の多さ）によります。しかし、その多義の根っこには割と単純なイメージが横たわっています。それがこの図なのです。

●――超える・越える

図の矢印を見ていただくと、丸い図形の上を矢印が「**こえて**」いるのが見えますね。これは「超えて」いることでもあり、また、「越えて」いることでもあります。

例文 I saw〔 a cat = jump over the wall〕.

目にした　［一匹の猫 ＝ 壁を飛び越える］

「猫が一匹、壁を飛び越えるのを目にした。」

こえる

例文 The total number of the attendees was over 50.

合計数　何の？　出席者　は50人を超えていた

「出席者数の合計は50人を超えていた。」

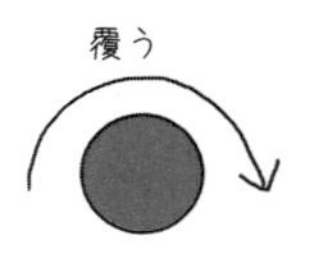

●――覆う

図の矢印は丸い図形を**覆っている**ことも表しています。

例文 Put the cloth over the table.

置け　何を覆うようにして?

「その布をテーブルの上にかぶせてください。」

次の文は「越える」ことも「覆う」ことも表しています。

例文 We walked over the bridge.

歩いた　橋

何を「覆う」軌道を通って、「越えて」歩いた?

「私たちは橋を歩いて越えた。」

この文では「私たち」は移動することによって橋を「越えて」いるし、なおかつその移動経路は橋の表面を覆っています。

また、この移動経路を「話者の目線の経路」ととらえると、次の文のような言い方もできます。

例文 He lives in the house over the river.

住んでいる　家　その川

何の中に?　何を越えたところにある家?

「彼は川を越えたところにある家に住んでいる。」

all overで「**全部覆う**」という意味が出ます。

例文 He is famous all over the world.　「彼は世界的に有名です。」

彼は有名だ　世界

何を全部覆う状態で?

例文 There were bruises all over her body.

「彼女の体はあざだらけだった。」（直訳 彼女の身体中にあざがあった）

●──**回転する**

「こえる」感覚を拡張したのが「**回転**」です。

例文 Choose a card and turn it over.

「カードを一枚選んだら、ひっくり返して。」

turnとoverがくっつくと、turnoverで１つの名詞となります。「回転」のイメージから、お店のお客の「回転率」のように「**入れ替わり**」を意味します。have a high/low staff turnover rateで「高い・低い離職率を持つ」です。

例文 "We have a very low staff turnover rate." "That sounds nice."

「うちの離職率はとても低いですよ。」「それはいいですね。」

また、turnoverは「総売上」や「出来高」も意味します。

これは例えばトランプやカルタをひっくり返すと図柄が変わるように、「商品がひっくり返ってお金に変わる」というイメージを表していると考えられます。「generate a turnover of 金額」で「（金額）を売り上げる」です。

例文 The company generated a turnover of 350 million yen last year.

生み出した　売り上げ

どれくらいの金額で構成される売り上げ？

「その会社は昨年３億5千万円を売り上げた。」

「回転・ひっくり返す」感覚は、「**グルグル回る**」感覚へと広がり、ここから「**繰り返す**」を意味するover and over againや、「回転＝元の位置へ戻る」→「**最初からやり直す**」start all over (again)という表現が生まれます。

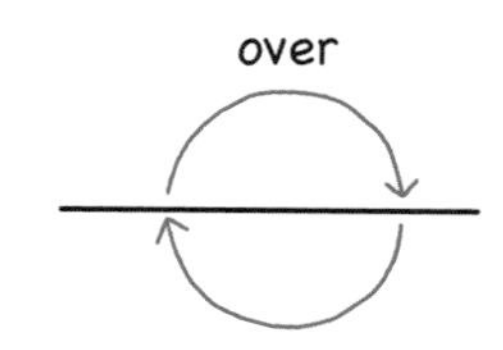

例文 She called my name over and over again.

グルグル再度

「彼女は私の名前を何度も呼んだ。」

例文 If I start all over again, what will I do?

全くグルリと再度

「もし最初からやり直すとしたら、これから何をすることになるんだろう。」

→ここでのallは「全く（最初から）」という強調でもあり、「ぐるりと『全部』回った（all over）」という意味で、振り出しに戻ることを意味しているとも考えられます。

●——終わった

いわゆる game over の over です。over の「こえる」という感覚は例えば「やまを越える」「峠を越える」のように「１つのプロセスを終了する」という意味を派生させます。「～という状態で存在する」を根っこの意味に持つ be 動詞と共に使い、be over で「越えてしまっている状態にある」＝「終わっている」という意味を出します。

例文 Our love is over. 「私たちの愛は終わったのよ。」

→「終わった」と言っても過去形ではないことに注意。「現在、終わってしまっている状態にある」ということ。

Must
22

overを使った表現その１

▶越える・超える

●—— Over my dead body!：絶対反対だ！

直訳すると、「私の死体を越えて（行け）！」ということです。「行くのなら、俺を倒してから行け！」というやつで、「私の目の黒いうちは絶対にさせない！」という意訳が使われるときもあります。表題のように、フレーズ単独で１つのセンテンスとして使われることも多いですし、以下のように文の中で使われることもよくあります。

例文 Hey, I'll never do it for you. I'll do it over my dead body.

「ねぇ、私絶対あなたのためにそんなことしないからね。どんなことがあってもよ。」

→直訳 自分が自分の屍をこえてそれをやるつもりだ（実際には不可能）＝ 絶対にやらない

文頭にover my dead bodyを使い、その後ろに疑問文の語順がついて、「～**なんて、絶対にしない**」という言い方も見られます。

例文 Over my dead body will I let 〔you = marry my daughter〕.

絶対に、ない　私がさせるだろう　お前 ＝ 私の娘と結婚する

「どんなことがあっても、お前を私の娘と結婚させたりしない。」

後ろに疑問文の語順が来るのは、いわゆる「否定の倒置」のためです（『英文法の鬼100則』第88項参照）。

I will let you marry my daughter over my dead body.

ここを強調したい

Over my dead body! ： 絶対反対だ!
A call B over ： AがBを呼び寄せる
A tide B over ： AがBに困難を乗り切らせる
be(get) in over one's head ：にっちもさっちも行かなくなる
pull over：車を脇に寄せて停める

Over my dead body I will let you marry my daughter .

「絶対反対」という気持ちを強調するために文頭へ

Over my dead body will I let you marry my daughter.

over my dead bodyによって否定されるwillも一緒に強調され主語の前に出て「疑問文語順」に

疑問文の語順の正体は「疑問」ではなく、「動詞の強調のため」なのです。

●—— A call B over：A が B を呼び寄せる

そもそも「人を呼ぶ」という行為は、人に何かを「してほしい」からおこなうことです。callに「**要求**」の意味が含まれることが多いのはそのせいです。ここでも「おーい、こっちに来てくれ」という感覚です。

overは「越える」イメージです。

Hey, come over here. 「ねえ、ちょっとこっちにおいで。」
おいで 越えて ここへ

over

このときのoverは「心の垣根,距離を越える」ことを意味しています。移動のために面倒くささを「乗り越えて」こっちに来てくれ、という心理を表しているのです。

つまりA call over B（AがBを呼び寄せる）では、AがBを「来いと呼ぶ（call）」＋Bに「乗り越えて来てもらう（over）」ということです。

例文 I gratefully joined them when they called me over.
喜んで参加した　どんなときに？　呼んだ　私を　越えて来るようにと
「彼らが私を呼び寄せたとき、私は喜んで彼らのもとに参加したんです。」

ちなみに「連れて来る」ときには**bring 人 over**です。どこへ連れて来るのかを表すために後ろにto ～や、hereなどを置くことがよくあります。

例文 Bring it over to me, and bring him over, too.
「それを私のところへ持って来て。それから、彼も連れて来て。」

●—— **A tide B over：AがBに困難を乗り切らせる** 

tideは「潮流」です。それを動詞として使っているので、動詞の力の流れのイメージは、A tide B（潮流に乗せる）といったところでしょうか。

そしてoverはover the crisis（危機を超える）という意味で使われていて、合わせてA tide B overで「AがBに困難を乗り切らせる」という意味で使われます。ほとんどの場合、「金銭的危機を乗り切る」という状況で使います。

例文 I didn't like the job, but I needed it to tide me over.
（好きじゃなかった／必要だった／何することに向かって？／潮に乗せ 私 危機を越えさせる）
「その仕事は好きじゃなかったけど、(金銭的に)乗り切るために、必要だったんです。」

例文 Here's some cash to tide you over. 「ほら、これでしのげ。」
（ここにいくらか現金がある／何することに向かう現金？／君が危機を乗り切る）

●—— **be(get) in over one's head：にっちもさっちも行かなくなる** 

be動詞は状態動詞の王様で、「～という状態で存在している」が根っこの意味です。例えばI'm in Osaka.（大阪の中という状態で存在している）は「大阪にいる」という**状態**を表します。getは「状況を手に入れる＝状況の**変化**」を表し、例えばHe got in the building.で「彼は『その建物の中という状況』を手に入れる」から「建物の中に入る」という変化を表します。

では、「どういう状況」の中にいたり、入ったりするのかと言えば、それを表すのがover one's headです。直訳すると「～の頭を超えている」で、つまり「～の頭では処理しきれない状況」ということを表します。ですから、「自分のキャパを超えた状態にいる・入る」という直訳が出てきます。

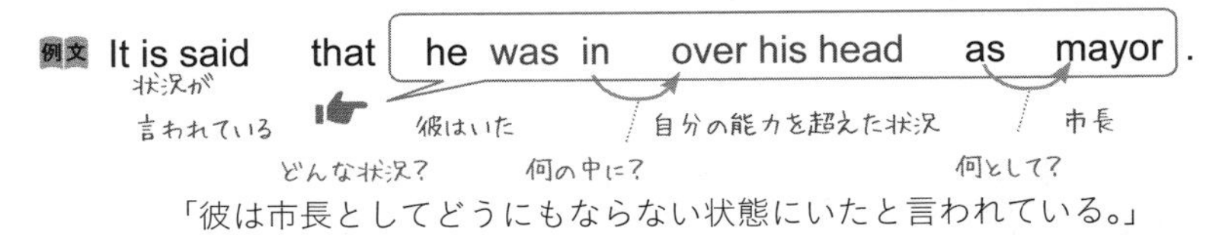

「彼は市長としてどうにもならない状態にいたと言われている。」

●—— pull over:車を脇に寄せて停める

もともとは、車ではなく、馬の操作を表す表現でした。馬を引っ張って、道の境界を越えたところに移動させることを意味していました。馬から馬車へ、そして自動車に使われるようになった表現です。車を道の脇に寄せてから停めることを意味します。

pull

over

例文 I pulled over my car to look at my phone.

脇へ寄せて停めた　何することに向かって？　電話に目を向ける

「電話を見ようと、私は車を停めた。」

復習問題

1.「どんなことがあっても、お前を私の娘と結婚させたりしない。」
(will, my dead, I, over, body) let you marry my daughter.

2.「彼らが私を呼び寄せたとき、私は喜んで彼らのもとに参加したんです。」
I gratefully joined them (me, they, over, when, called).

3.「ほら、これでしのげ。」
(some cash, you, over, here's, tide, to).

4.「彼は市長としてどうにもならない状態にあったと言われている。」
It is said that (as, his head, he, over, was, in) mayor.

5.「電話を見ようと、私は車を停めた。」
(car, to, pulled, I, over my) look at my phone.

1.Over my dead body will I let you marry my daughter.
2.I gratefully joined them when they called me over.
3.Here's some cash to tide you over.
4.It is said that he was in over his head as mayor.
5.I pulled over my car to look at my phone.

Must
23

overを使った表現その2

▶「越える」から「譲渡」へ

「譲渡」の over

overには「越える」という意味があり、それが拡張されて「譲渡する」という意味で使われることがあります。**人と人の間には「垣根」のようなものがあって、その垣根からこちらは私のもの、垣根から向こうは相手のもの**という感覚がついて回ります。具体的に言えば、土地の所有権や国の領土がそうですね。この「所有権」の境界線を越えると、「所有権を譲渡する」という意味が出ます。overはそれを表すために使われることがあるわけです。

●── hand A over：A を手渡す 

handは通常、「手」を意味する名詞なのですが、動詞で使えば、手がおこなう典型的な動作の1つである「持つ」という意味を表します。そこに譲渡のoverがつくことによって、hand A overで「手渡す」という意味を表します。自分（渡す側）と相手（受け取る側）の間の垣根を越えていくことをoverが表しているわけです。

使い方としてはAが代名詞の場合は、例えばhand it overのように、代名詞はhandとoverの間に置かれます。Aが普通名詞の場合には以下の例文のようにoverの後に置かれます。

例文 He handed over the notebook to me.
（handed over → 手渡した）

「彼女は私にそのノートを手渡した。」

hand A over ：Aを手渡す
be given over to A：Aに割り当てられる
over-the-counter 薬：市販の（薬）
be passed over for 仕事：（仕事）から外される
take over A：Aを引き継ぐ・Aを乗っ取る

●―― be given over to A：Aに割り当てられる 

A is assigned to Bで「AがBに割り当てられる」という意味の言葉があります。assignはsignから来ている動詞で、例えば港に陸揚げされた物資に印(sign)をつけて、「これはAに、これはBに……」というふうに割り当てることが語源です。「→」のtoはここでは「到達」という意味で使われ、割り当てられた物資がどこへ行き着くのかを表しています。

The detective was assigned to the case. 「その刑事はその事件の担当になった。」
割り当てられた　何に？

assignedをgiven overに入れ替えたのがbe given over to Aという表現です。giveは「与える」、overは「譲渡」ですから直訳すると「Aに対して明け渡す」で、そこから「Aに対して、使ってしまう」という意味になり、「割り当てる」という意味が出て来るわけです。

例文 Much of the book is given over to his biography.
明け渡されている　何に？
「その本の多くの部分が彼の自伝に費やされている。」

be assigned to Aもbe given over to Aも、書き言葉としてよく使われます。

●―― over-the-counter 薬：市販の（薬） 

over-the-counterは直訳すると「カウンター越しの」です。薬局の薬剤師が客に、カウンター越しに薬を「渡す」ことを意味しています。医者の処方箋を必要とせず、薬局のカウンター越しに買える、ということです。ですから「医者から処方された薬」と区別する意味で「市販の（薬）」という意味になります。

例文 I have some over-the-counter painkillers.

「市販の鎮痛剤なら少しあるけど。」

●—— be passed over for 仕事:(仕事)から外される 

新聞やニュースでよく使われる表現です。

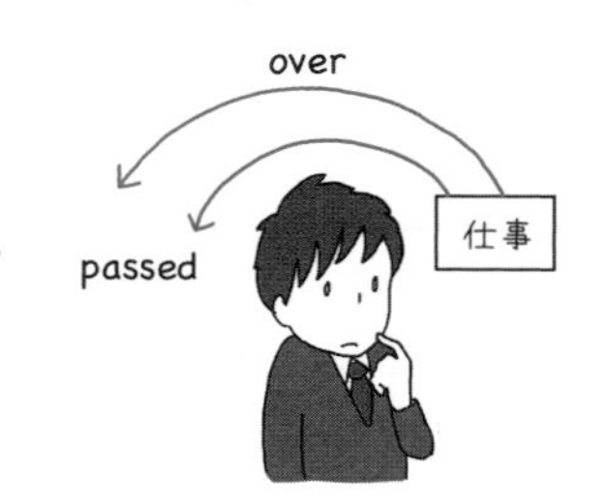

例文 He was passed over for a promotion twice.

越えて過ぎて行かれた　何のための機会？

「彼は二度も昇進を見送られた。」

be passed overは、「(仕事)から外される」という意味で使われます。「自分の頭を越えて(over)、機会が通り過ぎてしまう(pass)」ことを表しているわけです。受け身で使うのは、主語が機会に「立ち去られてしまう」立場だからです。手放してしまうという意味で、overには「**譲渡**」に近い感覚も入っていると言えるでしょう。「for + 仕事の内容」のところには、a promotion（1回の昇進の機会)がかなりの割合で入ります。

●—— take over A:A を引き継ぐ・A を乗っ取る 

新聞でよく使われる表現です。

ここに使われているoverに関して、『英文法の鬼100則』では「覆う」イメージ、つまり「Aを全てカバーする形で、取る」ので「Aを引き継ぐ、Aを乗っ取る」という意味が出ると説明しています。しかしそれだけでなく、「**譲渡**」のイメージでoverを考えても良いでしょう。

例文 I would like you to take over my job.

ほしい　あなた　引き継ぐ　私の仕事

「私の仕事を、君に引き継いでもらいたいのですよ。」

→構文would like 人 to doについては第76項参照

今までAさんの担当だった仕事が「管轄、縄張り」の境界線を「越えて(over)」Bさんの方へ移り、Bさんがそれを取る（take）……これが「引き継ぐ」ということだと考えると、take overのoverは仕事や地位の「譲渡」と考えることができます。
「乗っ取る」という意味に関しても、例えばBさんがAさんから無理やり取ってしまう(take)ことによって、垣根を越えて(over)会社の所有権がBさんへと移ってしまうわけです。

Aさんから Bさんへと
「垣根を越えて渡ってきたものを取る」
＝引き継ぐ

例文 He killed the king and took over the territory.
（killed：殺した　took over：乗っ取った）

「彼は王を殺し、領土を乗っ取った。」

もちろん、overを「覆う」意味でとらえて「ごっそり全部takeする」と考えてもらっても構いません。

復習問題

1.「彼女は私にそのノートを手渡した。」
(over the notebook, to, he, me, handed).
2.「その本の多くの部分が彼の自伝に費やされている。」
(over, the book, to, much of, is, given) his biography.
3.「市販の鎮痛剤なら少しあるよ。」
(have, over-the-counter, I, painkillers, some).
4.「彼は二度も昇進を見送られた。」
He (a promotion, over, for, was, passed) twice.
5.「私の仕事を、君に引き継いでもらいたいのですよ。」
I would like (over, to, my job, you, take).

1.He handed over the notebook to me.
2.Much of the book is given over to his biography.
3.I have some over-the-counter painkillers.
4.He was passed over for a promotion twice.
5.I would like you to take over my job.

Must

24

overを使った表現その3

▶「覆う」から「優位」へ

●――choose A over B：B よりも A を選ぶ

A over Bは「BよりもA（が優位・良い）」という意味でよく使われます。例えばレスリングなどでAがBの上に覆いかぶさるようにしていれば、AがBよりも優位だとみなされます。その感覚がそのまま使われている表現です。

例文 If asked, I would choose family over work.

選ぶだろうよ　家族　何より上位で？　仕事

「もし問われれば、私なら仕事より家族を選ぶでしょう。」

●――原因 give A an advantage over B

：原因のおかげで A が B より優位に立つ

直訳すると「原因 give A an advantage」で「原因がAにアドバンテージ（優位性）を与える」で、over Bは「Bの上に立って」つまり「Bよりも」です。

例文 The new rule may have given us an advantage over them.

その新ルールが　与えたのかもしれない　我々に　優位を　誰より上位で？　彼ら

「その新ルールのおかげで我々は彼らよりも優位に立てたのかもしれない。」

「原因」の代わりにAに注目して、Aを主語として話すときには、動詞getを使います。

The new rule may have given us an advantage over them.

We got an advantage over them. 「私たちは彼らより優位に立った。」

私達　手に入れた　優位　誰より上位？　彼ら

choose A over B ：BよりもAを選ぶ
原因 give A an advantage over B ： 原因のおかげでAがBより優位に立つ
talk over 人 ：人を説き伏せる
win over 人：人を説き伏せる・人の心を掴む
walk all over 人：人をいいようにこき使う

●── talk over 人：人を説き伏せる 

talkはsayやspeak、tellなどに比べて**「話し合い」に意味の重点が置かれる**言葉です。例えば「talk with 人」で「人と話をする」ですが、これも「解決しないといけない問題があって、それを人と話し合う」感じがする表現です。

このwithをoverに変えて「talk over 人」とすると、「over 人＝人の上に覆いかぶさる＝人より優位に立ち、人をコントロールする」という意味から、「話し合った結果、人の心をコントロール下に置く」ということで、「人を説き伏せる」という意味で使われます。

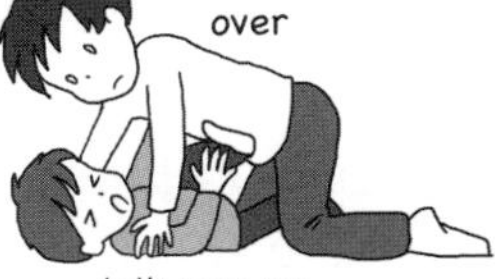

例文 Stop trying to talk over me.
「私を説得しようとするのは、やめて。」

●── win over 人：人を説き伏せる・人の心を掴む 

政治、特に選挙において「支持を勝ち取る」という意味でよく使われるので、新聞・ニュースで目にすることが多い表現です。

winという動詞の使い方には注意が必要です。winは自動詞で使うときには(つまり目的語がないときには)「勝つ」という意味です。

We won! 「私たちの勝ちだ！」
私たち 勝った

しかし、winを他動詞で使うときには(つまり目的語があるときには)、「勝つ」ではなく「勝ち取る」という意味になります。

We won the game.
私たち 勝ち取った 試合
「私たちは試合で勝った。」

She won the gold medal in the Olympics.
彼女 勝ち取った 金メダル
「彼女はオリンピックで金メダルを取った。」

したがって、「人」を目的語にして「私は彼に勝った」と言いたいとき、winは使えません。「彼に勝った」ではなく、「彼を勝ち取った」というイメージになってしまうからです。

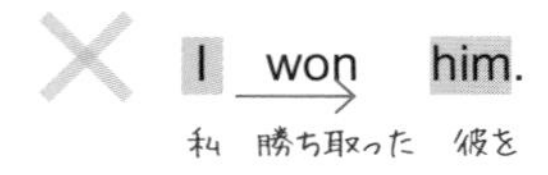

「彼に勝った」と言いたければ、「打ち負かす」を意味するbeatを使います。

○ I beat him. 「私は彼に勝った。」
私 打ち負かした 彼を

さて、win over 人は「人を説き伏せる・人の心を掴む」という意味です。**win overで1つの他動詞**、つまり S win over O（SがOを説き伏せる）という構文を取るのだと考えた方が良いでしょう。

とすると、他動詞winは「（人の心）を勝ち取る」、「over（人）」は「（人）をコントロール下に置く」という意味になります。「win over 人」を「人を精神的にコントロール下に置き、心を勝ち取る」という意味だと考えると、「人を説き伏せる」もしくは「人の心を掴む」という和訳が当てはまるのもうなずけると思います。

例文 He has already won over young readers.
すでに心を掴んでいる

「彼はすでに若い読者の心を掴んでいる。」

●── walk all over 人：人をいいようにこき使う 

例えば「世界中で」はall over the worldです。all over ～は「**～をすべて覆って**」という意味です。すると「walk all over 人」は「人の上の全体を歩き回る」という映像が出てきます。つまり、人のことをまるで絨毯か何かのようにあちこち踏みつけにするわけです。

He walks all over me.

また、泥や砂利の上を歩くのとは違い、絨毯の上を歩けば、歩く側の足は傷つくことも、汚れることもありま

せん。一方で踏まれた方はボロボロになります。この感覚が、「AがBをこき使う」という比喩的な意味をこの表現に生み出したと考えられます。

例文 You should learn how to say no to her.

You will let 〔 her = walk all over you〕 .

あなた させるだろう 〔 彼女＝あなたを踏みつけにする〕

「彼女に対してノーと言えるようになった方がいい。彼女にいいようにこき使われることになるよ。」(直訳 あなたは彼女に、踏みつけにすることをさせてしまうだろう)

復習問題

1.「もし問われれば、私なら仕事より家族を選ぶでしょう。」
   If asked, (choose, over, I, family, would, work).
2.「その新ルールのおかげで我々は彼らよりも優位に立てたのかもしれない。」
   (an advantage, may have given, us, the new rule, over them).
3.「私を説得しようとするのは、やめて。」
   (to talk, stop, over, trying, me).
4.「彼はすでに若い読者の心を掴んでいる。」
   (over, he, young readers, won, has already).
5.「彼女に対してノーと言えるようになった方がいい。彼女にいいようにこき使われることになるよ。」
   You should learn how to say no to her. (walk, you, you, her, all over, will let).

1. If asked, I would choose family over work.
2. The new rule may have given us an advantage over them.
3. Stop trying to talk over me.
4. He has already won over young readers.
5. You should learn how to say no to her. You will let her walk all over you.

Must

25

overを使った表現その4

▶万遍なく覆う

●—— have A hang over one's head
：Aがずっと気がかりである・ずっと気になる 

筆者も好んでよく使う表現です。やらなきゃいけないのはわかっているけれど、面倒臭くて手をつけていないこと……それが気になってずっと心に引っかかっていることを表す表現です。

hang over my headは、気にかかっていることが、ハンガー（a hanger）にかかった洋服やタオルのように自分の頭を「覆うようにして（over）ぶら下がっている（hang）」いることを表します。have A hang over my headなら、「A = hang over my head」の状態をhaveしている、ということです。第5文型、haveの使役構文ですね（『英文法の鬼100則』第42参照）。

例文 I don't want to have 〔 it = hang over my head 〕.
持っていたくない　それ = 頭の上にぶら下がっている(状況)

「いつまでもそれに煩わされるのは嫌なんだ。」
→ haveの使役構文なので、ここでのhangは動詞原形です。

●—— over time：時をかけて、時間と共に 

overが「時」を覆っているパターンです。例えば、over the next six monthsなら、「今後6ヶ月にわたって」という意味です。今後6ヶ月間を覆っている感じがわかるでしょう。覆っているので「わたって」という訳がつきます。

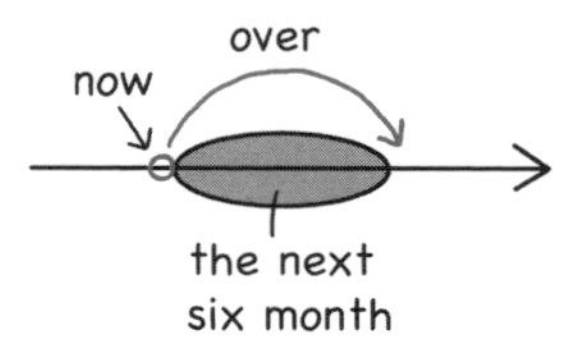

have A hang over one's head ： Aがずっと気がかりである・ずっと気になる
over time ： 時をかけて、時間と共に
check over ：念入りに調べる
gloss over A： Aをごまかす、Aを言い繕う
be written all over one's face：（感情が）ありありと顔に現れる

表題のover timeは「ある一定の期間を覆って」というイメージを根っこに持つ表現で、「時間と共に出来事が推移していく」という意味で使われます。overの「覆う矢印が『伸びて』いく」感じが、時間と出来事の「推移」と相性が良いのでしょう。

例文 The definition of beauty has changed over time.
「美の定義は、時と共に変わってきている。」

●――check over：念入りに調べる 

overの「覆う」イメージが「**万遍**（まんべん）**なく見渡す**」という意味に使われている表現です。このoverの使い方は他にもいろいろあり、think over（よく考える）、look over（ざっと目を通す、詳しく調べる）、go over（よく調べる、おさらいする）といった表現にも使われています。

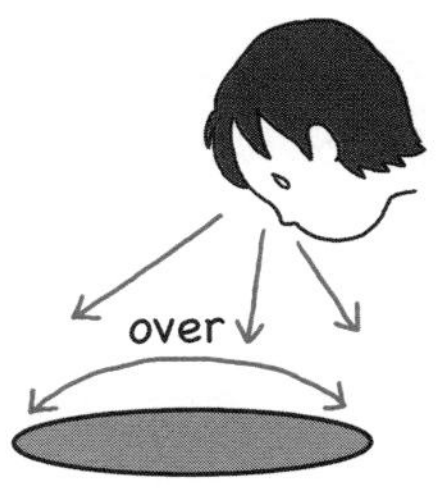

例文 Before you turn in your test, check over your answers.
「テストを提出する前に、解答をよく確認しなさい。」

●――gloss over A：Aをごまかす、Aを言い繕う 

glossは名詞だと、「つや、光沢」ということから「見せかけ、うわべだけの飾り」という意味で使われる言葉です。女性なら「グロスのリップ」を想像していただけるとわかりやすいですね。キラキラコーティングされた感じです。これを動詞で使うと、「光沢をつける」のほかに「**つくろう、ごまかす**」という意味も出てきます。

gloss over Aは「Aを覆うようにして(over)、ごまかす(gloss)」ということです。

例文 We tend to gloss over bad times.
誤魔化してしまう傾向がある 悪い時代を

「私たちは、悪かった時代を美化してしまう傾向がある。」

●—— **be written all over one's face:**(感情が)**ありありと顔に現れる**

all over Aは「Aをすべて覆って」ということですから、この表現を直訳すれば「**顔中に書かれてある**」です。

しかしこの表現は、日本語の「顔に書いてある」という意味とは、少し異なる使われ方もします。日本語の「顔に書いてある」の場合、「嘘がバレる」とか、「隠そうとしている感情が顔に出る」という意味でよく使われます。つまり、「隠そうとしている」前提で使われることが多いように思われます。しかし、英語のbe written all over one's faceは、「隠そうとする気持ち」には囚われず、単純に「顔にありありと表情が浮かぶ」という意味で使われている場合もあります。

以下に実際の小説での使用例を拾ってみます。

(自分たちの家が焼け落ちていくのを目の当たりにしながら)

例文 … and Jarred finally was able to turn to her. His sorrow was written all over his face, as she knew it was written on hers.

「そして、ジャレッドは何とか彼女の方へ顔を向けた。悲しみが彼の顔中に現れていた。と同時に自分の顔もそうであることを彼女はわかっていた。」(Better to Dieより)

例文 … and even though what he was saying was tacky and uncalled-for, the sincerity was truly written all over his face.

「そして、彼の物言いは下品でずけずけした感じではあったが、顔一面には心からの誠実さがたたえられていた。」(If I Could Turn Back Timeより)

もちろん、日本語と同じく、「隠そうとしてもダメ」という意味での「顔に書いてある」もあります。

例文 "I don't have to read your mind.
Your feelings are written all over your face."
「君の心なんて読む必要はない。気持ちが顔全部に出ているよ。」(Faithful to Lauraより)

復習問題

1.「いつまでもそれに煩わされるのは嫌なんだ。」
I don't want to (over, it, my head, have, hang).

2.「美の定義は、時と共に変わってきている。」
(of beauty, over, the definition, time, has changed).

3.「テストを提出する前に、解答をよく確認しなさい。」
Before you turn in your test, (over your, check, answers).

4.「私たちは、悪かった時代を美化してしまう傾向がある。」
(over, times, we, bad, tend to, gloss).

5.「気持ちが全部顔に出ているよ。」
(are, over, your face, your feelings, all, written).

1.I don't want to have it hang over my head.
2.The definition of beauty has changed over time.
3.Before you turn in your test, check over your answers.
4.We tend to gloss over bad times.
5.Your feelings are written all over your face.

Must
26

overを使った表現その5

▶乗り越えて変化する

●——A is left over / leftovers：A が残されている・食べ残し 

例文 I often put leftovers in the fridge and forget about them.

「残り物を冷蔵庫に入れて、忘れちゃうことがよくあるんだよ。」

leftoversで「残り物」「食べ残し」という意味です。ここになぜoverが使われているのかを探ってみましょう。

元になる表現として、A is left over（Aが残される）というものがあります。leaveは「その場を立ち去る」で、過去分詞leftにすると受け身の意味で「その場を立ち去られた＝置き去りにされた」になります。ですからleftだけでも「残された」という意味は出ます。では、そこにわざわざoverをつけることで、どのようなイメージが加わるのでしょうか。

例文 It depends on how much money is left over.

それ　かかってる　何の上に？　どれくらいのお金が　残されている

「それは、いくらお金が残っているかによる。」

「出来事が『終わった』結果、何かが残る」のだと考えると、game overのような、「（出来事の山場を）**越えた結果、終わる**」のoverがここで使われていると考えることができます。ただのleftだけでは「わざと残された、とっておかれた」という感じもするのですが、「終わってしまった」のoverがつくと、「**終わった**

A is left over / leftovers：Aが残されている・食べ残し
fall over each other (one another)：（～を求めて）我先にと争う
be falling over oneself：（～しようと）躍起になっている
turn over a new leaf：心機一転して行動する
over the hump：峠を越える・危機を越える

後に、結果として残ってしまった」という感じが強く出ます。

●—— fall over each other (one another)：(～を求めて)我先にと争う

まず大事なのがS fall over：「(Sが)**倒れる・転倒する**」です。なぜここにoverが使われるかと言うと、overの持つ「覆うイメージ」が、「人が倒れるときの、地面を覆うようにして倒れる動き」のイメージに使われるからです。ここにさらにover A：「Aの上に覆いかぶさる」が加わります。人々が我先にと争って１つの場所に殺到した結果、お互いがお互いに覆いかぶさるようにして、将棋倒しに倒れるという図です。（one anotherに関しての詳しい説明は第60項参照）

例文 He danced around defenders who fell over each other trying to tackle him.

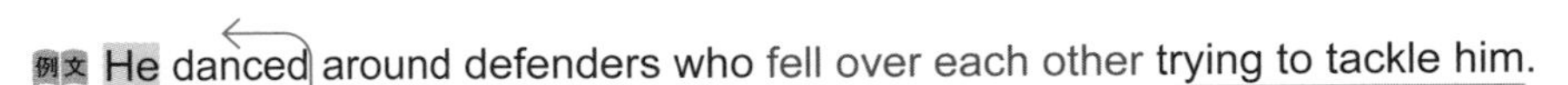

「彼は、タックルしようと殺到してきたディフェンダー達をひらりひらりとかわしていった。」

→ 殺到する「理由」の部分は分詞構文で表されるか、もしくはto不定詞で表されるパターンが多いです。trying to tackle himは分詞構文で、「彼にタックルしようとしている最中(trying)に(殺到する)」ですから、「タックルしようとしながら殺到」＝「タックルしようとして殺到」という訳が生まれます（分詞構文の詳しい説明は、拙著『英文法の鬼100則』27、28項を参照）。

●—— be falling over oneself：(～しようと)躍起になっている

直訳すれば、「自分が自分の上に、折り重なるようにして倒れる」ということです。これがなぜ「躍起になる」という意味になるのかというと、おそらく前述のfall over each otherの発展形だと考えることができます。つまり、「自分

が自分に殺到する」という感じです。

何かを必死でやっている自分がいて、そこにまた必死になっている自分がのしかかって来る。1つのことに必死になって、ワーワーともつれ合っている自分たち……。こんな映像が「躍起になっている」という意味を生んでいるのでしょう。ちなみに、この表現は進行形で使われることが多く、コーパスでヒットした用法のうち、約半分は進行形でした。

例文 Media outlets are falling over themselves trying to get interviews with him.

報道機関　殺到している　自身に　彼にインタビューをしようとして　何をしようとして？

「報道機関は彼にインタビューをしようと躍起になっている。」

→この表現でも「躍起になっている目的」は分詞構文かto不定詞で表されることがふつうです。

●── turn over a new leaf：心機一転して行動する 

a new leafのleafは本の「ページ」のことです。つまりturn over a new leafの直訳は「新しいページを1枚めくる」です。ここではturn（ひっくり返す）に加えて、「回転」の意味でのoverが使われ、turn overで「くるりとひっくり返す」=「めくる」ということを表しています。

例文 I have an announcement to make. I'm turning over a new leaf!

「皆さんにお知らせすることがあります。私、心機一転やり直します！」

→進行形を使っているのは、もうすでに「心機一転しつつある最中」で、言葉だけでなく、実行しつつあるところなのだ、ということを述べる気持ちがあるから。

●── over the hump：峠を越える・危機を越える 

humpは「こぶ」のイメージで、ラクダの背中のこぶもa humpです。そのこぶを「危機」「困難」にたとえ、それを「越える」（over）のがover the humpです。humpにtheがつくのは「今話題にしているその危機」という感覚からです。一緒に使われる動詞はgetが1位で「乗り越える」という「変化」を表し、

次がbe動詞で「(すでに)乗り越えたあとの状態にある」ということを表します。

例文 We had trouble getting over the hump for millions of reasons.

我々　持った　困難　危機を乗り越える　何百万もの理由

何してる最中に感じる困難？　何が理由で苦労した？

「私たちが危機を乗り越えるのに苦労したのには、数え切れないくらいの理由があった。」

→ have trouble ～ingで「～するのに苦労する」。～ingが来るのは、「～している最中に苦労を感じる」という感覚から。

復習問題

1. 「残り物を冷蔵庫に入れて、忘れちゃうことがよくあるんだよ。」
   (the fridge, leftovers, I, in, often put) and forget about them.
2. 「彼は、タックルしようと殺到してきたディフェンダー達をひらりひらりとかわしていった。」
   He danced around (who, each, fell, defenders, over, other) trying to tackle him.
3. 「報道機関は彼にインタビューをしようと躍起になっている。」
   (are, over, falling, media outlets, themselves) trying to get interviews with him.
4. 「皆さんにお知らせすることがあります。私、心機一転やり直します！」
   I have an announcement to make. (a, turning, leaf, I'm, new, over)!
5. 「私たちが危機を乗り越えるのに苦労したのには、数え切れないくらいの理由があった。」
   (the hump, getting, trouble, we, over, had) for millions of reasons.

1.I often put leftovers in the fridge and forget about them.
2.He danced around defenders who fell over each other trying to tackle him.
3.Media outlets are falling over themselves trying to get interviews with him.
4.I have an announcement to make. I'm turning over a new leaf!
5.We had trouble getting over the hump for millions of reasons.

Must
27

outとupの世界

▶両者はどう同じでどう違うのか

同じ意味

●——完全→終了

outとupは、どちらも「完全」という意味を出すことがあります。

例文 I'm worn (burned) out.　「ヘトヘトだよ。」

→「原因wear A out」だと「原因がAをヘトヘトにさせる」。身につけていた服や靴が完全に擦り切れるイメージ。「原因 burn A out」も同じく、直訳は「原因がAを完全に燃やし尽くす」。例文はこれらを受動態にしたもの。

例文 Clean up the room.　「部屋をきれいに片づけなさい。」

→完全にクリーンな状態にする。upがあることによって、ただのcleanよりも「(片づけ・掃除)を完成させる」感が強い。

outの「完全」は「**完成したものが外に出て来る**」感覚です。例えば、焼き上げた陶器が、完成して窯の外へ出て来るような感じです。あるいは、「完全に外に排除する」という感覚でも使われます。

upの「完全」は「**水位が容器いっぱいまで上がる**」、あるいは、茹で上がったものをお湯から引き上げたり、完成品を棚や台の上に上げたりという「完成品を上に上げる」感覚です。日本語の「(すごろくの)あがり」や「仕上げる」にもこれに近い感覚があります。

ちなみにclean upではなく、clean outだと、こんな意味が出ます。

例文 Paying for the plane ticket has cleaned me out.

「航空券の支払いをしたら、もうすっかりすっからかんだよ。」

→中身をきれいさっぱり外に出してしまって、中身が完全に空っぽ。

「完全」という感覚は「完成」という感覚と結びつくので、そこから、「終了」という意味で両者は使われることもあります。

例文 Time is up. 「終了です。」

→待ち時間、休憩の時間などが終わること。

これは、相撲で出て来る「時間いっぱい」の掛け声（立ち合い開始までの待ち時間が終わること）と同じ感覚で、やはり水位が上がり、容器がいっぱいになる感覚が反映されています。

例文 This is my daily routine. I try to go running before the day is out.

走りに行くようにしている　何の前に？　1日が終わる

「これは私の毎日の決め事で、１日の終わりに走りに行くようにしているんです。」

before the day is outで１つのセットフレーズ。「１日が終わる前に」。

上記では日本語の「日中」と同じように、英語でも１日を１つの「時間の枠」としてとらえ、その枠から出ることを「１日が終わる」と考えています。

●――出現→発生

また両者はどちらも、「出現する」という意味を出すことがあります。

例文 Coming up next is … 「次にお届けするのは…」

→ニュースなどでCMの前に入れる、次の話題の予告。

例文 My first book will come out in April. 「私の初の著書が、4月に出る予定です。」

→be published をcome outで言い換えることができる。

upは水面下にあったものが水面上に浮かび上がって来るイメージでの出現、outは中に隠れていたものが、外に出て来るイメージでの出現を表します。「出現」のイメージから、「発生」「起きる」意味でもupやoutは使われます。

例文 What's up?　　「どうしたの?」「最近どう?」

→直訳「何が発生している?」

例文 The disease broke out early last year and rapidly spread throughout the world.

その病気は　発生した　昨年の初頭　そして　素早く広がった　世界

どこを全部通して?

「その病気は昨年初頭に発生し、世界中に素早く拡散した。」

break outは「殻が毀れ、中から悪いものが一斉に飛び出して来る」イメージ。戦争の勃発や、疫病の発生に使う。

outにあってupにないもの

●——明らかにする

outは「外に出す」というところから、「隠れていたものが外に出て、明らかになる、はっきりする」という意味があります。

例文 Can you find out what time the movie starts?

「何時に映画が始まるか、調べてくれる?」

find outは「調べたり質問した結果、情報を手に入れること」を意味します。直訳すると「見つけて、外に出す」で、隠れていたものを発見し、取り出して明らかにするイメージです。findだけだと「気がつく」という意味での「見つける」という意味が強く、「探し出す」find outに比べるとより受動的です。

●——選び出す・選り分ける

必要なものだけを外に取り出すという感覚から、outは識別したり、選別したりすることを意味する場合があります。

例文 See if you can pick her out in this photo.「この写真から彼女を見つけてごらん。」

→ see if you canで「～してごらん」。このifは「かどうか」という意味で、「あなたができるかどうか、見てみなさい」が直訳。

pick outは「識別する」「突き止める」という意味です。pickは「くちばしの動き」をイメージする言葉で、pick outは「くちばしでつまんで、選んだものを外に出す＝選び出す(select)」というイメージです。

対してpick upは純粋に「拾い上げる」ことを意味の中心に持ち、「選別・より分け」の意味は持ちません。これに関しては次の項で詳しく説明します。

●——消える・なくなる

outには「外に出ていく＝中のものがなくなる」という意味があります。

例文 The lights went out.「あかりが消えた。」

→「あかりが出て行ってしまう」＝「この世界からは消えてしまう」

例文 The tickets are sold out.「そのチケットは売り切れです。」

upにあってoutにないもの

●——まとめ上げる・合計する

上へ上へと積み重なる感覚が、「まとめ上げる・合計する」という意味を生み出します。回転寿司のお皿を積み重ねてお勘定をする、あの感覚です。

例文 To sum up, there are two reasons why we should give up this plan.

「要するに、我々がこの計画をあきらめるべき理由が２つある、ということです。」

文頭に置くto sum upは、「要するに」「まとめると」。sumの語源は「頂上」で、summitと同源。不定詞のtoは「まとめる『ことに向かって』」ということで、「今から言うことは、話をまとめるために言うのだ」という「目的」の意味合いを表します。

Must

28

upを使った表現その1

▶pick up のさまざまな意味

●—— pick up：拾い上げる、車で拾う、たまたま安く買う、スピードを上げる、商売や生活などが上向く

pick upはpick outと違い、「選別する、選り分ける」という意味がありません。また、たくさんの意味を持つ表現でもあります。代表的なものを紹介します。

拾い上げる

まずpickは基本的に「くちばしの動き」ですから、pick upは「くちばしでつまんで、上へ持ち上げる」、つまり「拾い上げる」が根っこのイメージです。

例文 Pick up the phone and dial the number.

「受話器をとって、電話番号をダイアルしてください。」

例文 I'll pick you up at the station tomorrow morning at seven.

「明日朝7時、車で駅に迎えに行くからね。」→ 直訳（車で）あなたを拾う

たまたま、何の努力もなしに何かができるようになることを表したりもします。これも「道に落ちていた知識や技術を拾う」という「偶然拾う」イメージが底流としてありそうです。

例文 While I was visiting Korea on vacation, I picked up some Korean words.

「韓国に休暇で旅行中、いくつか韓国語を覚えた。」

たまたま安く買う

「pick up ＋商品」で、「～をたまたま安く買う」という意味で使われます。日本語で言う「拾い物」の感覚に近いですね。そこに「拾い上げる」のpick upが使われるのは興味深いです。

pick up：拾い上げる、車で拾う、たまたま安く買う、スピードを上げる、商売や生活などが上向く
end up ～ing：結局～する
live up to A：Aの期待に沿うように生きる
show(turn) up for ～：～に顔を出す
draw up A：A（文書・リスト・計画）などを作成する

例文 We happened to pick up some bargains at an antique market.
私たちは 偶然起きた 何することに向かって？ 格安で買う いくつか掘り出し物 どこで？ とある骨董市

「私たちはとある骨董市で、たまたま掘り出し物をいくつか買った。」

S happen to (do ～)は「Sがたまたま～する」。bargainは名詞で「格安品、掘り出し物」。

スピードを上げる

何かを拾い集めると、量が増加します。その感覚がpick upに、「力を集めて何かを増す」という意味を与えています。そこから「(エネルギーを集めてスピードを上げる)」という意味が出ます。

例文 Why don't you pick up the pace a little bit?

「もう少しスピードを上げたらどうだい？」

商売や生活が上向く

これも先ほどの「拾い集めて量が増す」という感覚から来ていると考えられます。この用法では「売り上げ」や「経済」が主語となり、「上げる」という他動詞ではなく「上がる」という自動詞で使います。

例文 The economy is picking up, and unemployment is falling.

「経済は上向きつつあります。そして、失業者数は減りつつあります。」

●―― end up ～ ing：結局～する

endは「終わる」、upは「完全」、つまり**すごろくでいう「あがり」の感覚**です。後ろの～ingは常に「動作の最中・途中」という意味を持ち、ここでは、「上がってみたら、～している最中の状態だった」という感じで使われています。結末にたどり着いてみたら、～している最中の自分にハッと気づく、そんな感じを表した表現です。しばしば自分の意思や予想に反した結果を表します。

例文 After all, he always ends up eating a hamburger.

「結局、彼はいつもハンバーガーを食べるのだ。」

→「最後になってみると、ハンバーガーを食べている最中の彼がいつもいる」というのが直訳的イメージ。after allは「結局」。

●── live up to A：Aの期待に沿うように生きる 

live upのupは「水位が上昇して上限まで達する」。後に続くtoは「届く」ことを意味する「→」で、up to Aで「上限まで達した結果Aに届く」ことを意味します。live up to Aは「頑張って背伸びをして、上へ上へと体を伸ばしてAに届くように生きる」というのが文字通りの意味です。少し油断したら、すぐに下にさがってしまう。だから頑張り続ける。そんなイメージがあります。

例文 I have tried to live up to their trust.

頑張って伸び上がって生きようとしてきた　何に届くように？　彼らの信頼

「私はこれまで、彼らの信頼に応えられるよう頑張って生きてきました。」

●── show(turn) up for ～：～に顔を出す 

showは「見せる」、upが「出現する」という意味で使われています。水面下にいたものが、浮かび上がって出現するというイメージです。forは「何のためにこの場に現れたのか」を表します。

例文 They didn't show up for the press conference.

「彼らは記者会見には姿を見せなかった。」

showの代わりにturnを使っても良いです。turnは「くるりとひっくり返ることで、状況が変わる」という意味で使うことがよくあり、ここでは、忍者屋敷の床のように、くるりと床がひっくり返って、床下から忍者が姿を現す様子をイメージすると良いですね。

例文 They refused to turn up for their trials.

「彼らは自分たちの公判に出席することを拒んだ。」

●—— draw up A：A（文書・リスト・計画）などを作成する

drawは「線を引いて絵を描く」ことを意味します。元々「引き寄せる」意味の動詞で、そこから「ペンを持って手元に引く＝線が引ける」という意味が出ました。ちなみにwriteは「字を書く」で、paintは「色を塗る」ことに焦点が置かれる表現です。

さて、draw up AのAには文書やリストが入るのですが、drawを使うことで「字」ではなく「図面」が描かれるイメージが出てきます。つまり、文書が描く「設計図」「目的」「プラン」のようなものを表そうとする表現なのです。upは「描き上げる」という「完成」のイメージですね。

例文　I will have〔my lawyer = draw up a contract〕.

持つつもりだ　［うちの弁護士＝契約書の内容を作る］

「うちの弁護士に、契約書を作らせておきますね。」

→直訳「うちの弁護士＝契約書を作る」という状況を持つつもりだ。

1.「経済は上向きつつあります。そして、失業者数は減りつつあります。」
(up, the economy, picking, is) , and unemployment is falling.

2.「結局最後には彼はいつもハンバーガーを食べるのだ。」
After all, (always ends, a hamburger, he, eating, up).

3.「私はこれまで、彼らの信頼に応えられるよう頑張って生きてきました。」
(have tried, to their, to live, I, up, trust).

4.「彼らは記者会見には姿を見せなかった。」
(for the press, show, they, conference, didn't, up).

5.「うちの弁護士に、契約書を作らせておきますね。」
(draw, a contract, my lawyer, have, up, I will).

1.The economy is picking up, and unemployment is falling.
2.After all, he always ends up eating a hamburger.
3.I have tried to live up to their trust.
4.They didn't show up for the press conference.
5.I will have my lawyer draw up a contract.

Must

29

upを使った表現その2

▶keep up と catch up

●── keep up A：A を高いレベルで続ける、A を維持する 

live up to A：「Aの期待に沿うように生きる」で出て来たupと同じく、このupも「レベルを維持するために頑張る」、つまり「**背伸びのup**」とでも言えるupです。keepはこの「背伸びのup」と相性が良い動詞です。keepの「保つ」という意味は、「力を抜いたらすぐに崩れてしまうから、崩れないように『力を入れ続ける』」というイメージだからです。

例文 Well done. Keep up the good work!

「いいですね。その調子で頑張って！」

→頑張っている相手を褒めるフレーズ。丸暗記をお勧めします。

例文 We need to keep up our vitamin supply.

「ビタミンの補給も維持する必要があります。」

→ビタミンの補給を高いレベルで保つ。気を抜いたらすぐに下がる。

keep up with Aで、「A**に遅れずについていく**」、「がんばってAを続けていく」という意味を出します。これも「背伸びを維持する」イメージです。

例文 I must work harder to keep up with the others.

私はもっと頑張らないと　何することに向かって？　フル状態を維持　維持して誰と一緒にいる　残りの全員

「他の人たちについていけるよう、もっと頑張らなきゃ。」

→with the othersで「残りの全員と一緒にいる」。Keep up with othersで「残りの全員と一緒にいるために背伸びを続ける(keep up)」。

keep up：Ａを高いレベルで続ける、Ａを維持する
keep up appearances：（無理をして）体面を保つ、見栄を張る
beef up A：Ａを増強する
ramp up A：Ａを増加させる
bring up A：Ａ（子供）を育てる

例文 We can't keep up with the payments any longer.
「これ以上支払いを続けることができない。」
→「頑張って続ける」ということだが、「遅れずについていく」感覚が潜んでいる。ここでは支払いには毎月期日があり、それに遅れないよう背伸びを続けないといけないのだが、それができない、ということ。

「遅れずについていく」keep upとペアで覚えてほしいのは、「先を行く相手に**追いつく**」というcatch upです。

例文 I'll catch you up later.　「じゃあ、あとで。」
→直訳すると、「あとであなたに追いつくつもりだ」。「下にいるものが、上に登って目標をキャッチする＝追いつく」。

例文 Let's take a taxi to catch up with them.
「彼らに追いつくためにタクシーに乗ろう。」

●—— **keep up appearances：**（無理をして）**体面を保つ、見栄を張る**

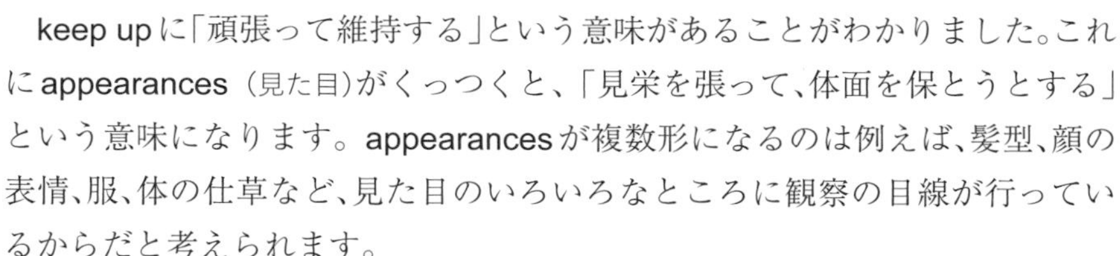

keep upに「頑張って維持する」という意味があることがわかりました。これにappearances（見た目）がくっつくと、「見栄を張って、体面を保とうとする」という意味になります。appearancesが複数形になるのは例えば、髪型、顔の表情、服、体の仕草など、見た目のいろいろなところに観察の目線が行っているからだと考えられます。

例文 Think about it. We need to keep up appearances.
背伸びして保つ　見た目

「考えてよ。私たちにだって、体面というものがあるのよ。」
→直訳「体面を保つ必要がある」

●—— beef up A：A を増強する
ramp up A：A を増加させる

どちらもよく新聞やテレビニュースで見かけます。両者の意味は似ているのですが、少し違いがあるので解説します。beef up の beef は文字通り「牛肉」から来ているのですが、19 世紀の半ばから、この beef に「筋力」という意味が加わるようになりました。ですから beef up は「**力**(ちから)**コブが大きくなるイメージ**」での「増強する」で、「筋力 up」ですから、武力や戦力の増強という文脈で使われます。1940 年代から使われだした表現です。

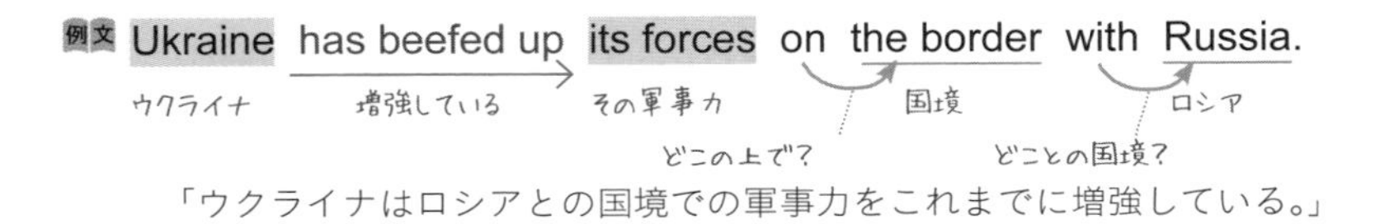

「ウクライナはロシアとの国境での軍事力をこれまでに増強している。」

一方で ramp up の ramp は語源的に「登る」を意味する動詞です。そこから名詞では「段差を解消するスロープ」「飛行機のタラップ」など「傾き」を意味する言葉となりました。高速道路でいう「出口ランプ（an exit ramp）」も「一般道へ降りる坂道」を意味しています。というわけで、ramp up は**折れ線グラフが上昇していくイメージ**を表します。beef up の「力の増大」とは違い、ramp up は純粋に「数や量の増大」を表すのがふつうです。

例文 Middle East countries have decided to ramp up their oil production.

中東諸国は　決定した　増大させる　自国の石油生産

何することに向かって？

「中東諸国は石油の増産を決めた。」

●—— bring up A：A（子供）を育てる

直訳すると「A を上に持って来る（いく）」です。A が「話題・議題」だと「（話題・議題）を持ち出す」という意味で使われたりもします。比喩的には、**テーブルの下に隠していた話題をテーブル上に持って来て出す**というイメージです。

例文 Are you going to bring up the subject again?

「その話をまた持ち出そうというの？」

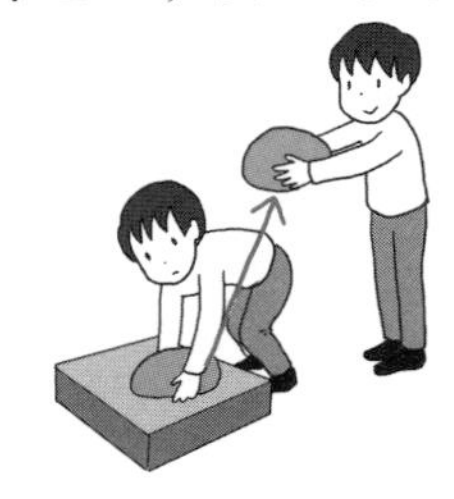

なぜこのbring upが「(子供)を育てる」という意味になるのかというと、これまた比喩的に「下から上へ持って来る＝下から上へと人を成熟させていく」という意味でとらえられているからです。bring upを一語で言うとraiseです。これも「引き上げる」が「育てる」という意味で使われています。

例文 My mother died when I was four, so my grandmother brought me up (raised me). 「私が４つのときに母が亡くなったので、祖母が私を育ててくれました。」

→目的語が代名詞の場合、bring up meではなくbring me upとします。代名詞は「既に一度出て来た情報」を指すので「わかりやすい情報」です。英語はわかりやすい情報から先に話す性質があります。

ちなみに、これらの表現は「人材を育成する」という意味の「育てる」では使えません。その場合はA train B（AがBを訓練する）か、あるいはdevelop human resources（人材を育成する・開発する）という言い方がふさわしいです。

例文 The government is investing in developing human resources for the animation industry.

「政府はアニメ業界の人材育成にお金をかけている。」

復習問題

1.「これ以上支払いを続けることができない。」
(can't, the payments, we, up, keep, with) any longer.

2.「考えてよ。私たちにだって、体面というものがあるのよ。」
Think about it. (up, need to, appearances, keep, we).

3.「ウクライナはロシアとの国境での軍事力をこれまでに増強している。」
(its forces, has, Ukraine, up, beefed) on the border with Russia.

4.「中東諸国は石油の増産を決めた。」
(their oil production, Middle East countries, to, up, have decided, ramp).

5.「私が４つのときに母が亡くなったので、祖母が私を育ててくれました。」
My mother died when I was four, so (brought, my, me, up, grandmother).

1.We can't keep up with the payments any longer.
2.Think about it. We need to keep up appearances.
3.Ukraine has beefed up its forces on the border with Russia.
4.Middle East countries have decided to ramp up their oil production.
5.My mother died when I was four, so my grandmother brought me up.

Must
30

upを使った表現その３

▶構成する、でっち上げる、埋め合わせる、化粧する make up

「構成」も「でっち上げ」も「埋め合わせ」も、実際に見たり触ったりすることができない、抽象的な概念です。人間はこうした抽象的な概念を「見たり触ったりすることができる具体的な概念」にたとえて理解していきます。これを**メタファー**（隠喩）と呼びます。make upの　「積み上げる（up）形を作る（make）」という具体的な動作の概念を使って、英語話者は「構成」「でっち上げ」「埋め合わせ」といった抽象的概念を理解していることがわかります。

●——「構成する」A is made up of B と A consist of B

A is made up of Bには「積み上げて、全体を構成する」というイメージがあります。ofは「全体の中から、構成要素を取り出す」というのが根っこの意味です。例えばa student of the school（その学校の生徒）なら、「学校から、それを構成する１人の生徒を取り出す」という感覚です。

例文 Japan is made up of 47 prefectures.

作り上げられている　47の都道府県

何から出て来るまとまり？

「日本は47の都道府県から成り立っている。」

→47の都道府県から日本が出て来るイメージ。

これを堅く言い換えるにはconsist ofという表現を使います。consistはcon（共に）+ sist（立つ）で、「柱が共に立つ」というイメージの語源を持ちます。柱が共に立って、建物という全体を構成するわけです。

make up：構成する、でっち上げる、埋め合わせる、化粧する、仲直りする
A consist of B ：AはBで成り立つ、AはBで構成される
cook up A：Aをでっち上げる
compensate for A ：Aを埋め合わせする
make peace with A：Aと仲直りする、和解する

例文 The committee consists of many experts.
委員会(建物)　集まり成り立つ　多くの専門家(柱)
どんな柱が集まって(建物が)出て来る？
「その委員会は多くの専門家が集まってできている。」
→多くの専門家の集まりから委員会が出て来るイメージ。

●──「でっち上げる」make up と cook up

make upは「へこんだところを、かさ上げして、埋める形を作る」というイメージでもあり、make up the storyなら「事実が欠けた、へこみ」を嘘でかさ上げして埋めていく作業から、「話を捏造する」という意味が生まれます。

例文 That's not true. He made up the story.
作り上げた
「それは嘘だ。彼が話をでっち上げたんだ。」

同じ意味で使われるのがcook upです。「即席で料理をさっと作り上げる、たくさん作る」という意味を持つ言葉ですが、この「**即席で作り上げる**」感覚、なおかつ「料理＝**こしらえる**もの」という感覚が、「即興で嘘をこしらえる」表現に転化されたものと考えられます。

例文 He cooked up some stories and posted them on social media.
「彼はいくつかの話をでっち上げ、それをSNSに投稿した。」

●──「埋め合わせる」make up for A  と compensate for A 

へこんだところを「損失」と考え、その「損失」を「埋める」形をつくるという意味でmake upを使うこともあります。make up for Aで「Aを埋め合わせる」です。forが使われるのは、forに「交換」という意味があるからです。Aという損失と交換する形で埋め合わせる、ということです。forになぜ「交換」という意味が出るのかですが、例えば「息子のためにおもちゃを買う（I buy some toys for my son.）」なら、「息子に代わってお金を出している」わけです。このように「ために」が「代わり」という意味に転化されていくのがforです。

例文 You must work twice as hard to make up for this.

2倍一生懸命働かないといけない　埋める形を作る　これ
何することに向かって？　何と引き換えで？

「この埋め合わせに、君には倍頑張ってもらわないといけない。」

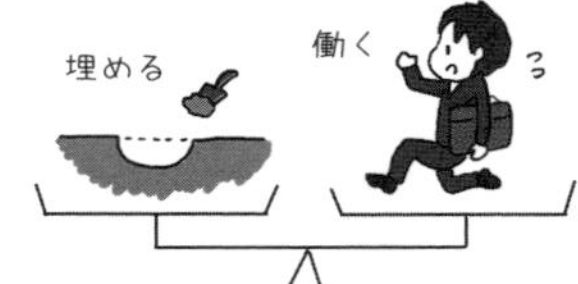

これを堅く言い換えたのがcompensate forです。compensateの語源はcom（共に）+ pensate（ぶら下げる→天秤にぶら下げる）→「共に天秤にぶら下げて釣り合いをとる」ということで、「釣り合いが取れている＝損失に見合った補償をする」ということです。pensateはpendant（ペンダント。首からぶら下げる飾り）と同じ語源です。やはりここでも交換を意味するforが使われます。

例文 What if you have to compensate for others' shortcomings?

「もし君が他人の欠点の埋め合わせをする羽目になったら、どうする？」

what if「もし～したらどうする」（第80項参照）

●——「仲直りする」make up with A と make peace with A

先ほどの「埋め合わせをする」make upの後ろに「with 人」がつくと、「（人）と仲直りする」という意味でも使われます。make upは「欠けた関係を埋める」=「仲直りする」。「with 人」は仲直りする相手を意味しています。

例文 I want to make up with Sarah, but she is still mad at me.

「サラと仲直りしたいんだけど、彼女まだ僕にカンカンなんだ。」

make peace with は直訳すると「～と平和を形作る」ですね。対立していた相手と折り合いをつける、和解する、という形でよく使います。ちなみにpeaceは不可算名詞なのでaはつきません。

例文 I want to make peace with the past.
「俺は、過去と折り合いをつけたいんだ。」

復習問題

1.「日本は４７の都道府県からできている。」
(up, 47, Japan, prefectures, is, of, made).

2.「その委員会は多くの専門家が集まってできている。」
(many, consists, experts, the committee, of).

3.「それは嘘だ。彼が話をでっち上げたんだ。」
That's not true. (the, made, up, he, story).

4.「彼はいくつかの話をでっち上げ、それをSNSに投稿した。」
(some, and, he, stories, up, cooked) posted them on social media.

5.「この埋め合わせに、君には倍頑張ってもらわないといけない。」
(twice as hard, to make, you, this, must work, up for).

6.「もし君が他人の欠点の埋め合わせをする羽目になったら、どうする？」
What if you (for, have, others' shortcomings, to, compensate)?

7.「サラと仲直りしたいんだけど、彼女まだ僕にカンカンなんだ。」
(with, want to, up, make, I) Sarah, but she is still mad at me.

8.「俺は、過去と折り合いをつけたいんだ。」
(with, want to, peace, I, make, the past).

1.Japan is made up of 47 prefectures.
2.The committee consists of many experts.
3.That's not true. He made up the story.
4.He cooked up some stories and posted them on social media.
5.You must work twice as hard to make up for this.
6.What if you have to compensate for others' shortcomings?
7.I want to make up with Sarah, but she is still mad at me.
8.I want to make peace with the past.

Must

31

outを使った表現その１

▶figure out, make out, work out

●—— figure A out：A を理解する、考え出す

figureという言葉は多義語の典型です。ラテン語からフランス語経由で英語に入って来た言葉で、根っこは「**輪郭（の線）**」のイメージです。語源的には「shape」の意味を持ちます。紙幅の関係で、名詞のfigureの意味の広がりはここでは説明しませんが、動詞のfigureは「**輪郭をはっきりさせる**」というのが根っこの感覚です。自動詞で「目立つ」「異彩を放つ」といった意味になるのは「輪郭が強調される」感じだからです。

This event always figures prominently in American history.
この出来事　常に　目立つ　顕著に　米国史
何の分野の枠内において？

「この事件は常にアメリカ史において重要な位置を占めている。」

prominently「顕著に」。pro（前に）＋minent（突き出す）
→前方に突き出すカブトムシの角のイメージ

他動詞で「結論づける」「だと考える」という意味になるのは、「考えの形・輪郭をはっきりさせる」というイメージから来ています。それまでぼんやりモヤモヤしていたものをはっきりさせるわけです。

We figured that the important thing is to act based on the result.
我々　結論づけた　重要なのは行動することだ　結果
何に基づいて？

「我々は、結果に基づいて行動するのが重要だという考えに至った。」

figure outは「ボンヤリしていた物の形をはっきりさせて外に取り出す」という

figure A out：Aを理解する、考え出す
make A out：Aを理解する
work out a way to (do〜)：〜するための方法を考えつく
work out the way S + V：SがVするようにことが運ぶ
work out for A：Aにとってうまくいく

イメージの動作で、そこから「考えをひねり出す」や「理解する」という意味が出てきます。目的語が代名詞の場合、figureとoutの間に代名詞が入ります。

例文 "What are we going to do?" "We need to figure it out."
「どうします？」「そいつを考え出さないといけない。」
→「考え出す」＝アイディアの形をはっきりしたものにして、取り出す。

make A out：A を理解する

figure outと同じ仕組みで「Aを外に出す形を作る」が直訳です。「内に隠れていたものを外に出す＝明らかにする＝理解する」という意味が出ます。

例文 Did you make out what he said?　「彼が言ったことの意味、わかった？」

work outの根っこの意味

work outは非常に多くの意味があり、文脈によってその意味の使い分けが結構複雑です。ここでは３つの代表的な表現を解説します。

workは「働く」ですが、働くことは「作業する」ことでもあります。work hardで「努力する」「頑張る」という意味が出るのは、「熱心に作業する」からです。

さて、work outの根っこの意味は「頑張って作業して、外に出す」ということです。これは「救出」に似た感じで「**トラブルの解決**」の意味を出します。また「隠れたものを外に出す」＝「理解する」「考えつく」という意味にもなります。

例文 It will take more time to work out a solution.
状況　取るだろう　もっと時間　解決策をひねり出す
(「状況」の詳しい中身)何することに向かうのは？
「解決策をひねり出すにはもっと時間がかかるだろう。」

ちなみに「トレーニング」のworkoutは「頑張って運動の結果を出す」という感覚です。

●── work out a way to (do ～): ～するための方法を考えつく 

上記の例文のwork out a solutionのa solutionの部分がa way to do ~に置き換わった表現です。まずwork out a wayで「頭の中で作業をして、やり方を１つひねり出す」です。そのあとto不定詞が「何をすることに向かう『やり方』なのか＝何のためのやり方なのか」を説明します。a wayはwork outの目的語で、「考え出す内容」を表します。

例文 We must work out a way to protect our future from natural disasters.

我々 考え出さねばならない やり方 守る 我々の未来 自然災害

何することに向かうやり方(目的)？ 何から守る？

「我々は、自分たちの未来を自然災害から守る方法を考えないといけない。」

●── work out the way S + V:S が V するようにことが運ぶ 

先ほどのwork out a wayとこのwork out the wayは単にaとtheが違うだけでなく、他動詞のwork outの目的語（つまり名詞）であるa wayと、自動詞のwork outの様子を説明する副詞のthe way S + Vという大きな違いを持ちます。

ここでのwork outは自動詞で、「いろいろやって(work)、結果が外に出て来る(out)」=「**ことが運ぶ**」という意味です。これにthat wayとかthis wayをつけると「そういうふうに（こういうふうに）ことが運ぶ」という意味になります。that wayやthis wayはどんなふうに「ことが運ぶ（work out）」のかを説明するので、動詞を修飾する副詞句です。work outの目的語ではありません。

例文 I didn't expect it to work out that way.

私 予期しなかった それ ことが運ぶ そんなふうに

何することに向かって「それ」を予期しなかった？

「私はそれがそんなことになってしまうなんて思っていなかったんです。」

このthis wayやthat wayを長く詳しくしたのがthe way S + Vです。work outの後ろに付いて「SがVするというやり方で、ことが運ぶ」意味で使われます。ここでもthe way S + Vは動詞work outを説明する副詞の働きをします。

例文 It worked out the way we wanted it to.

それ　ことが運んだ　我々が望むやり方で

「それに関しては、我々が望む通りにことが運んだ。」

●── work out for A：Aにとってうまくいく 

work outは「ことが運ぶ」、for Aは「Aのために」です。「Aのためにことが運ぶ」のですから、「Aにとってうまくいく」という意味が出てきます。

例文 I hope it will work out for you.

それ　ことが運ぶだろう　あなた

誰のために？

「うまくいくといいですね。」

→ 直訳 それが、あなたのためにことが運ぶであろうことを、私は望む。

復習問題

1.「どうします？」　「私たちはそいつを考え出さないといけない。」
"What are we going to do?" "(to, it, we, out, need, figure)."

2.「彼が言ったこと、理解できた？」
(he said, make, did, what, you, out)?

3.「我々は自分たちの未来を自然災害から守る方法を考え出さないといけない。」
(a way, work, protect, out, we must, to) our future from natural disasters.

4.「それに関しては、我々が望む通りにことが運んだ。」
(the way, out, we, it, worked) wanted it to.

5.「うまくいくといいですね。」
(it will, for, hope, work, I, out, you).

1."What are we going to do?" "We need to figure it out."
2.Did you make out what he said?
3.We must work out a way to protect our future from natural disasters.
4.It worked out the way we wanted it to.
5.I hope it will work out for you.

Must
32

outを使った表現その2

▶引っ張り出す out

●—— laugh out loud：声を出して笑う

いわゆるLOL、日本語で言うところの「超ウケる」「爆笑」です。loudは副詞では「大声で、大きな音で」ですのでout loudは「大声を外に出して」という意味になります。out loudの前にはcry, laugh, say, readなどがついて、「声に出して泣く・笑う・言う・読む」という意味になります。

似た表現にaloudがありますが、read aloud（音読する）、read out loud（声に出して読む）というふうに、out loudだと若干くだけた響きになるのと、out loudの方が「**声を大きくして**」という感じが加わります。

laugh out loudは、「Aを指さして笑う」「Aに照準を合わせて笑う」イメージのlaugh at Aと組み合わさって、laugh out loud at Aで「Aのことを大声で笑う」となります。

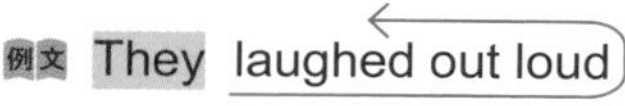

例文 They laughed out loud at her jokes.

彼ら　大声で笑った　何に照準を合わせて？　彼女のジョーク

「彼女のジョークに、彼らは笑い転げた。」

●—— rule out A：A を可能性から排除する 

ruleは動詞だと「支配する」という意味が出ます。支配者とは、ルールを決める側だからですね。そして、「裁定する」という意味も出ます。これはルールに沿って「裁定」するということですね。rule outは「裁定する」という意味のruleから来ています。「排除（out）」の「裁定を下す（rule）」ということですね。

laugh out loud：声を出して笑う
rule out A：Aを可能性から排除する
carry out A：Aを実行する
put/carry/ bring　A into practice：Aを実行する
run out　：尽きる・使い果たす

例文 I will not rule out any of these possibilities.
私　排除するつもりはない　これらの可能性のどの1つとっても

「これらの可能性のどれも排除するつもりはない。」

●—— carry out A：Aを実行する 

carryは「運ぶ」ですから、carry outは文字通り「運び出す」という意味です。倉庫の中にしまっていた車や飛行機、大砲…… それらを外に運び出せばそれは「実際に使用する・動かす」ことを意味します。このような経験上の概念が「実行する」という抽象的な概念に応用されています。

例文 The Prime Minister carried out what he promised on the campaign trail.
首相　実行した　自分が約束したこと　選挙の遊説(の経路上)
何の途上で約束したこと？

「首相は選挙遊説中に約束したことを実行した。」

●—— put/carry/bring A into practice：A を実行する

同じく「実行する」を意味する表現にput/carry/bring　A into practiceがあります。「Aをpracticeの中に入れる/運び入れる/持って来て入れる」ということです。

intoは熟語の中で使われると、ほとんどの場合「**状況の変化**」を表します。「Aという空間からBという別の空間の中に入っていく」＝「世界が変わる・状況が変化する」ということです。practiceの語源的意味、そして根っこの意味は「**実際におこなう**」です。ここから「実践」「商売などの慣習（＝いつも実際におこなっていること）」「現実（＝実際にどのようにことが運ぶか）」「医者・弁護士などの業務（＝業務行為の実践）」といった意味が出てきます。英語学習者にとってポピュラーな「練習する」という意味は「何度も実践し、習得する」というところから、後に派生したものです。

長く重い情報なので後回しに

例文 You need to put into practice what you have learned so far to improve your skills.

貴方　置く必要がある　何の中へと？　実践　あなたがこれまで学んだこと　何することに向かって？　向上させる　スキル

「スキルを上げるためにはこれまで学んだことを実際に使っていく必要があります。」

→ put/carry/bringの目的語であるAがitなどの代名詞のときはputの直後に置かれますが、この例文のように長くて重い情報になると、後ろに回されるのがふつうです。

●—— run out：尽きる・使い果たす

runは「走る」というより「一定のスピードで進行する」というのが根っこの意味です。The Tamagawa river runs between Tokyo and Kanagawa.（多摩川は東京と神奈川の間を流れる。）のrunがそれです。「水が流れる＝水が一定のスピードで進行し続ける」ということです。

ここでのoutは、「**消失**」という意味です。外に出てしまうということは、その場からいなくなることだからです。run outは「流れて消える」ということです。

run outには「Aが尽きる」という用法と、「（人などが）Aを使い果たす」という用法があります。前者では主語である時間やお金が液体にたとえて理解され、外に全部流れ出て消えてしまうイメージを表します。樽からワインが勢いよく流れ出て、尽きてしまう。そういうイメージですね。

例文 Both time and money are running out.

時間もお金も両方とも　流れ出る最中にある

「時間もお金も両方とも、なくなりつつある。」

後者にはベースになる表現として be out of A というのがあります。be動詞は「～という状態で存在している」というのが根っこの意味ですから、be out of Aは「Aの外側、という状態で存在している＝Aの外にいる」です。例えばお金のある部屋から締め出されれば、お金は手元にないわけで、そういうイメージで「～が尽きてしまっている」という意味が出ます。

例文 We are out of time.

我々　状態で存在　　　時間

どこの外にいる状態で存在？

「私たちにはもう残された時間がなくなってしまった。」

→ 直訳 私たちは時間の外側にいる＝時間のないところにいる

時間はたっぷりある
run out of
A
time
時間のない世界！

run out of A だと「Aの外へ走って出て行く」という直訳になります。そこから「Aのない世界へ出て行く」＝「Aが尽きる」という意味が出てきます。

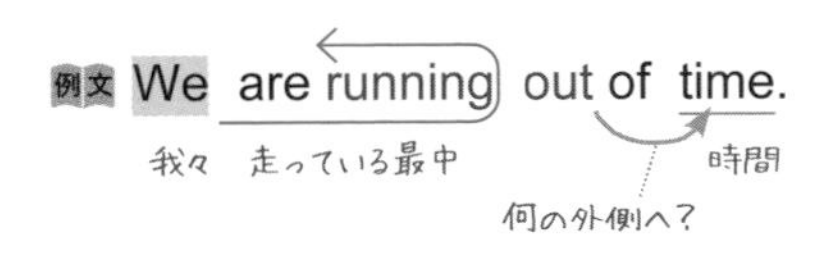
例文 We are running out of time.
我々　走っている最中　時間
何の外側へ？

「そろそろ時間がなくなりつつあります。」

Time is running out. と違い、「我々がどういう状況なのか」に焦点を当てる表現です。

復習問題

1.「彼らは彼女のジョークに笑い転げた。」
　(out, at, they, her jokes, laughed, loud).
2.「私はこれらの可能性のうちのどれも排除するつもりはない。」
　(rule, these, I, any of, will not, out, possibilities) .
3.「首相は選挙遊説中に約束したことを実行した。」
　The Prime Minister (what, out, promised, carried, he) on the campaign trail.
4.「スキルを上げるためにはこれまで学んだことを実際に使っていく必要があります。」
　You need to (what, into, have learned, put, you, practice) so far to improve your skills.
5.「そろそろ時間がなくなりつつありますよ。」
　(out, time, we, running, are, of).

1.They laughed out loud at her jokes.
2.I will not rule out any of these possibilities.
3.The Prime Minister carried out what he promised on the campaign trail.
4.You need to put into practice what you have learned so far to improve your skills.
5.We are running out of time.

Must

33

outを使った表現その3

▶外に広げて、外にやる、外に抜ける…さまざまなout

●——動詞＋flat out：全力で、一生懸命に〜する

このflatは、動詞の後ろについて動詞の様子を強調する副詞の働きです。flat outのoutについて考えてみましょう。例えばspread outはバターなどを塗って「外に広げていく」ことを表します。stretch outは伸ばして外部へと伸ばしたり広げたりすることを意味します。（flatではなく）flatten outは平らにして伸ばす、ぺしゃんこにして外側へと広げるという動作です。この"のしイカ"のようにぺしゃんこにして広がった状態というのが副詞flat outのイメージです。この「徹底的にまっ平ら」な感じが「全力」という意味につながっているようです。ひょっとすると、戦場で伏せて戦っているイメージかもしれません。弾に当たってしまうので、立ち上がったり歩いたりする余裕などありません。**最大限の力を尽くして戦っている**イメージです。

例文 I want to thank everyone who is working flat out to beat the virus.

私 感謝したい 皆 全力で働いている(皆) 打ち負かす ウイルス

どんな「皆」？ 何することに向かって働いている？

「ウイルスに打ち勝つために全力で働いているすべての人々に感謝を捧げたい。」

ボリス・ジョンソン英国首相による国民向けのテレビ演説（Mar. 25. 2020）より

また、形容詞の前につけて「全く」という強調の意味で使われます。これは「ぺしゃんこ」のイメージが強調で使われているからです。

例文 That's flat out wrong.　「それは全くの間違いだよ。」

動詞＋flat out：全力で、一生懸命に～する
be not cut out for A：Aには向いていない
out of the blue：だしぬけに
be drummed out：追放される
dry outとdry up：「カサカサになる」と「消えてなくなる」

●―― be not cut out for A：Aには向いていない 

主に否定文と疑問文で使い、肯定文ではふつう使わない表現です。直訳すると、「Aのために切り出されてはいない」です。ここでの「切り出す」は「サイズや形をピッタリ合わせて切り出す」ということで、そこから「～にピッタリと合っている」という意味がbe cut out forに出てきます。

例文 I am not cut out for working here.　「私はここで働くのには向いてないんだ。」

私　切り出されてはいない　ここで働くこと　何のために？

●―― out of the blue：だしぬけに 

これはout of the clear blue skyとか、out of a clear skyなどと表現される言い回しの短縮形です。日本語の「晴天の霹靂（へきれき）」に近く、真っ青な空にいきなり稲妻が走る様子をそのまま使ったものです。

例文 I'm sorry for texting you out of the blue, but I didn't know who else I could turn to.

だしぬけにあなたにメールすること　何を理由に「ごめん」？　私　わからなかった　他の誰に　私が頼れるか

「いきなりメールしてごめん。でも他に誰を頼って良いかわからなかったの。」

「turn to 人」は「人に頼る」「救いを求めて人のところへ行く」。（第47項参照）

●―― be drummed out：追放される 

drumは「ドラムを叩く」です。drum A outの直訳は「ドラムのようにガンガン叩いてAを外にやる」。「出てけー、わーわー！」と大声で非難されながら追い出される感じがdrumという動詞で表されている表現です。受動態で使われ

ることが一般的です。どこから追い出されるのかを表すときにはbe drummed out of Aというふうに、out ofを使います。

例文 No one should be drummed out of the community just because they have a different point of view.

誰もない (～の外へ)追放されるべき 共同体
何の外へ叩き出される? 単に何だからといって?
彼ら 持ってる 異なる物の見方

「単に物の見方が違うからというだけで、共同体から追い出されて良い人など1人もいない。」

valuable information

『否定文の後に続く because』に注意

because の前にカンマがあるかどうかで意味が変わります。

例： She didn't [marry him because he was rich].

「彼女は、[彼がお金持ちだからという理由で結婚した]わけではない。」

→didn'tは[marry him because he was rich]全体を否定。

例： She didn't [marry him], because he was rich.

「彼女は[彼とは結婚し]なかった。なぜなら彼は金持ちだったからだ。」

→カンマのせいでnotの否定の範囲はhimで終わるので、didn'tは[marry him]だけを否定。

●—— dry out と dry up:「カサカサになる」と「消えてなくなる」

dry outは「水分が抜けた後の**カラカラになった物体**」、つまり「物がカサカサである」ことに焦点があります。

例文 This soap dries out my skin.

乾燥させる

「この石鹸を使うと肌がカサカサになる。」

→水が外に抜ける(out)。カサカサの状態を描写することに焦点。

一方でdry upは、「そこにあった水が蒸発して**なくなる**」ことに焦点が置かれます。

例文 The river has dried up.

干上がった後の状態を今持っている

「川は干上がってしまっている。」

→「川の中にあった水が蒸発してなくなってしまった」、つまり「以前あったものがなくなってしまう」ことに焦点。

「カサカサの状態」に焦点があるdry outは「(アルコール中毒の人が)禁酒に成功する」という意味で使われます。体から酒を抜くことを表すわけですね。

例文 He decided to go to a clinic to dry out.

「彼はアルコールを断つために、クリニックに通うことにした。」

あったものが消えてなくなることに焦点があるdry upは、芝居やプレゼンで「セリフが飛んでしまう」ことを表すときにも使えます。そこにあった水が蒸発して消えてしまうように、セリフが消えてなくなることを表しています。

例文 I was so nervous that I dried up.　「私はとても緊張して、セリフが飛んでしまった。」

また、ここから、くだけた表現で「だまれ！」と命令するときにも使うことがあります。「話すべき言葉が消えてなくなることを望む」感覚から生まれる表現です。

例文 Dry up!　「だまれ！」

復習問題

1.「ウイルスに打ち勝つために全力で働いているすべての人々に感謝を捧げたい。」
I want to thank (who, flat, everyone, is working, out) to beat the virus.

2.「私はここで働くのには向いてないんだ。」
(not cut, working here, for, I, am, out).

3.「いきなりメールしてごめん。」
(for texting you, of, I, sorry, the blue, am, out).

4.「誰1人として共同体から追い出されるべきではない。」
(out of, should be, the community, drummed, no one).

5.「とても緊張して、セリフが飛んでしまった。」
I was (up, that, nervous, dried, so, I).

1.I want to thank everyone who is working flat out to beat the virus.
2.I am not cut out for working here.
3.I am sorry for texting you out of the blue.
4.No one should be drummed out of the community.
5.I was so nervous that I dried up.

英熟の鬼10

第2章
基本動詞を使いこなす

Must
34

get①「手に入れる」

▶モノも手に入れるし、状況も手に入れる

「get ＋副詞」＝「『副詞』の状態を手に入れる」

get up：体を起こす、立ち上がる

「よし、ゲットしたぜ！」という言い方はgetの根っこの意味をうまく表していて、この「手に入れて自分のものにする」という感覚からgetは様々な意味を派生させます。例えば中学英語で「起きる」と習うget upですが、「立ち上がる」という意味もあります。「体が上方向へ行く状態（up）を手に入れる（get）」というのが文字通りの意味だからです。

up

例文 She got up and walked away.　「彼女は立ち上がって、立ち去った。」

例文 Wake up and get up.　「目を覚まして、起き上がりなさい。」

→wake upは「寝てる状態から目を覚ます」。get upはそのあと「体を起こす」。

get away from A：A から離れる・逃れる

今度はawayという言葉をgetにくっつけてみましょう。awayは「その場から離れていく状態にあって」という意味の副詞ですが、そうするとget awayは基本的には「離れていく状態を手に入れる」という意味になります。どこから「離れる状態を手に入れる」のか、という意味を加えたければ、さらに後ろにfromをつけてget away from Aで「Aから離れる・逃れる」です。

get up：体を起こす、立ち上がる
get away from A：Aから離れる・逃れる
get away with A：A（悪事）を働いても捕まらない
A get on B's nerve：AがBをイラっとさせる
A get by：Aがなんとかやっていく

例文　I just want to get away from everything.

「ただ全てのことから逃げてしまいたい。」

例文　Get away from me!　「あっちに行ってよ！」

（直訳 私から離れて！）

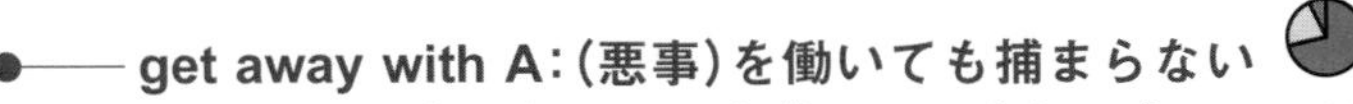

●—— get away with A：（悪事）を働いても捕まらない

こんどはfromの代わりにwithを使ってみましょう。withは「一緒にいる」というところから、have（持っている、抱えている）に近い意味へと広がっていく前置詞です。a woman with a babyなら「赤ん坊を連れた（＝一緒にいる）女性」ですが、a man with a big black bagなら、「カバンを連れた」ではおかしいので、「大きな黒いカバンを持った男性」となりますね。「持って」いたり、「抱えて」いる状態で「一緒にいる」わけです。

get away with Aは「A（悪事）をはたらいても捕まらない・罰を受けない」という意味の熟語です。なぜこんな意味になるのでしょう？ with Aを「A（悪事）を抱えて」と考えるのがヒントです。「悪事を抱えて、（その場から）離れる（away）状態を手に入れる（get）」、つまり「悪事を抱えたまま、逃げ切る」という意味だからです。

with

例文 I'll call the police! You won't get away with this.

逃れることはないだろう　これ

何を抱えたまま？

「警察を呼ぶからな！こんなことをして、アンタ、ただじゃ済まないからな。」

→ won'tはwill notの短縮形。ここでのwillは予想（～だろう）を表す。

●── A get on B's nerves：AがBをイラっとさせる

get on Aだと「Aに乗る」です。on A（Aの上に・上で）という状態を「手に入れる（get）」わけです。He got on the bus.「彼はバスに乗った。」という感じですね。the busの代わりに「人の神経」の上に乗ってみましょう。

例文 She gets on my nerves.「彼女って、イラっとさせるんだよね。」

彼女　～に乗っかる　私の神経

（直訳 彼女は私の神経の上に乗っかる）

A get on B's nerves で「AがBの癇（かん）に障（さわ）る、AがBをイラつかせる」です。生物学的な神経細胞の話なら、a nerveですが、「いらだち」「心配」「緊張」という意味での「神経」のとき、nervesと複数形にするのがふつうです。「人の神経に乗る」わけですから、「イラっとさせる」「癇に障る」という意味になります。

●── A get by：Aがなんとかやっていく

byは「そばに」です。ということは、「そのものではなく、そのそば」＝「完全ではないが、それに近い状態」という「近似値」を表せる言葉でもあります。そこでget byは「満足できる状態ではないが、それに近い状態を手に入れる」＝「なんとかやっていく」という意味があります。このbyは前置詞はなく、getの様子を詳しく説明する副詞ですから、byの後ろに目的語の名詞は不要です。

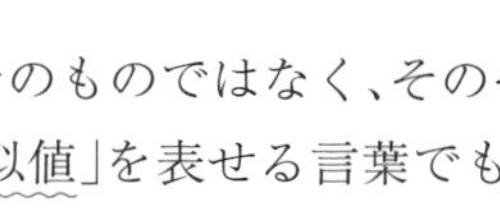

例文 We'll have to get by without the subsidies.

「私たちは補助金なしでなんとかやっていかなければならないだろう。」

復習問題

（　）内の語を使って英文を作りましょう。

1.「彼女は起き上がって、立ち去った。」
（up，walked，she，and，got，away）.

2.「ただ全てのことから逃げてしまいたい。」
(just want，from，I，away，everything，to，get).

3.「警察を呼ぶからな！こんなことをして、アンタ、ただじゃ済まないからな。」
I'll call the police! (this，won't，with，you，away，get).

4.「彼女って、イラっとさせられるんだよね。」（一語不要）
(my，she，nerve，nerves，gets，on).

5.「私たちは補助金なしでなんとかやっていかなければならないだろう。」
(without，to，the subsidies，get，have，by，we'll).

1.She got up and walked away.
2.I just want to get away from everything.
3.I'll call the police! You won't get away with this.
4.She gets on my nerves.
5.We'll have to get by without the subsidies.

Must

35

get②「手に入れる」

▶乗ったり、越えたり

●── get on (well): うまくやっている

get on Aでは「Aに乗る」でしたが、get on単独だと、「うまくいっている」という意味になります。目的語のAが消えることで、何に乗っているのかはどうでもよくて、とにかく「乗ることができている」という意味になり、だから「うまくいっている」という意味で使われるようになりました。

例文 How are you getting on?　「調子はどう?」
(直訳 どんなふうにうまくやってる?)

例文 We get on very well.　「私たちはとてもうまくやってるよ。」

How are you getting on? はこれで1つの定型表現ですから、成り立ちを理解した上で丸暗記することをお勧めします。ちなみにこの表現はイギリス、及びオーストラリアで優勢な表現です。アメリカではHow are you getting along.の方が優勢。alongは「同じ軌道上に沿って」ということからtogetherと同じ意味で使われており、get along = 「一緒にいる」→get along very well =「とてもうまくやっている」となります。

get on：うまくやっている
get on with A's life：Aが（くよくよせずに）前に進む
Let's get on with it.：そいつに取り掛かろう。
get over A：乗り越える・吹っ切る
get A over with：Aにけりをつける

●── get on with A's life：Aが（くよくよせずに）前に進む

このget onに、with Aをくっつけてみましょう。そうすると、直訳は「Aと共に、うまくやっていく」ですから、get on with Aは「Aとうまくやる」という意味になります。

I did not get on with my boss.　「上司とはうまくいかなかったんです。」
（did not get on：うまく乗れなかった／with：誰とは？）

この形を応用して慣用表現となったものがA get on with A's lifeです。「Aが（嫌なことは忘れて、くよくよせずに）前に進んでいく」という意味です。「自分の人生と折り合いをつけてうまく乗り切っていく」というのが元のイメージですね。

例文 "I'm going to get on with my life," he said.
（I'm going to get on：上手く乗っていくよ／with：何と共に？／my life：自分の人生）

「『前に進んでいくよ。』と彼は言った。」

●── Let's get on with it.：そいつに取り掛かろう。

ついでにもう１つ、今度は丸ごと覚えるべき慣用表現を。Let's get on with it.で「そいつにすぐ取り掛かろう。」です。itは仕事や課題を指すことがふつうです。get onで「乗る」ですから、「行動に乗る」＝「開始する」。そして、仕事や課題を表すこのitと共に、行動を開始することを意味します。

●—— get over：乗り越える・吹っ切る

overはイラストにある通り、「こえる（超える・越える）」という意味であり、「覆う」という意味でもあります。game overは「ゲーム終了」、Our love is over. なら「私たちの愛は終わった。」という意味ですが、それは、「ゲーム・愛という『山』を越えた状態」ということです。遊びや愛の「盛り上がり」を越えたところに「終了が」あるわけです。

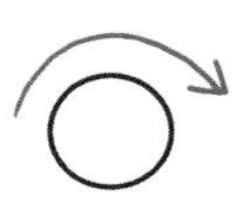

この「乗り越えて終える」というoverが、「状態を手に入れる」のgetと結びつけてget over Aとなると、「Aのことを吹っ切る・忘れる」という意味になります。「Aを乗り越えた状態を手に入れる」ということです。

例文 I can't get over her.
乗り越えることができない

「彼女のことがまだ忘れられないんだ。」

●—— get A over with：Aにけりをつける

最後に、get A over withという表現を紹介します。「Aを済ます・Aにけりをつける」という意味になります。get overで「乗り越える」、withには「一緒に」の意味の他に、「対戦相手」という意味があります。例えば「トムと一緒にテニスをする」ではトムは「対戦相手」でもあります。「けりをつける相手」という意味でwithが使われています。

Aに入るのはitが圧倒的に多く、その他thisやthis＋名詞、the＋名詞などがよく使われます。コーパスで検索すると、Aにふつうの名詞が入ることもありますが、それでもitやthisが入る割合に比べると、千分の一程度です。語順に関して言うと、get it over withとget over with itでは前者が圧倒的に多く、後者のパターンもないわけではないですが、これもコーパスの出現頻度は前者に比べてわずか千分の一程度です。

例文 They wanted to get it over with.

「彼らはそれにけりをつけたがっていた。」

復習問題

1.「調子はどうですか？」

(you, on, how, getting, are) ?

2.「（もう忘れて）前に進んでいくよ。」

(on, life, I'm, my, going to, with, get).

3.「そいつに取り掛かろう。」

(with, get, it, let's, on).

4.「彼女のことがまだ忘れられないんだ。」

(still can't, her, get, I, over).

5.「彼らはそれにけりをつけたがっていた。」

(get, wanted, with, they, to, over, it).

1. How are you getting on?
2. I'm going to get on with my life.
3. Let's get on with it.
4. I still can't get over her.
5. They wanted to get it over with.

Must
36

getを使った自動詞表現と他動詞表現

▶構造が変わると意味が変わる

例えば、I get up.（私は起きる。）なら、getは「自分が自分でやる」行為、つまり自動詞です。一方で、I got him up at seven.（私は彼を７時に起こした。）なら、「自分が他者に働きかける」行為、つまり他動詞です。よく知っているはずのgetの熟語。自動詞だけでなく他動詞も使いこなせると、かなり便利です。本項では「ポケモン、ゲットだぜ！」感覚の、カタカナ表記の「ゲットする」のイメージでgetをとらえてみてください。

●—— get to 場所と get 人 / 物 to 場所

toという言葉は「→」の意味ですが、この「→」を２つの別の角度から見ると、「これから向かう」と、「到達する」という２つの解釈が生まれます。前置詞のto、つまり「to＋名詞」「to＋動名詞」の場合はほとんどの場合「到達」を意味します。「get to場所」で「（場所）に到着する」という意味になるのは「場所に到達する（to場所）」状態を「ゲットする」ということだからです。

例文 We got to the hospital ten minutes later.
「私たちは10分後に病院に到着した。」

これが他動詞になると、こうなります。

例文 They got me to the hospital. 「彼らは私を病院に連れて行った。」
彼ら ゲットした 私 病院
ゲットして私をどこに到着させた？

get to 場所とget 人/物 to 場所
get into troubleとget 人 into trouble
get backとget 人/物 back
get out of 場所とget 人/物 out of 場所
get 形容詞とget 人/物＋形容詞

ここでの「they get me」は「彼らが私をゲットすることで、私をコントロール下に置く」＝「私を思い通りの形に動かせる」ということです。そして「to 場所」で「場所に到達する」ですから「S get O to 場所」は「SがOを（場所）に連れていく（Oが物なら「持っていく」）」という、takeに近い意味になります。

S get O to 場所

●── get into trouble と get 人 into trouble

be in troubleという表現があります。「～という状態で存在している」が根っこの意味であるbe動詞も、「～の中にいる」イメージのinもどちらも静的なイメージで、We're in trouble.（私たち、かなりまずい状態だよ。）のように、「そこにいる状態が変わらず続いている」イメージを持ちます。これが「トラブルの状態に入り込む」という「変化」を表す場合にはgetを使います。前置詞には、「外から中へ」という変化を表すintoが好まれます。get into 場所（中へ入っていく状況をゲットする＝場所に入る）を応用したものです。

S is in trouble

例文 I think we've got into trouble.　「私たち、まずいことになったと思う。」

これを他動詞として使うと、「Sが～に入る」の自動詞に対して「SがOを～に入れる」となります。

例文 You got me into trouble.
あなた　ゲットした　私　困ったこと
私をゲットして何の中へ？

「あなたのせいで私、困ったことになっているのよ。」

→「あなたが私をトラブルの中に入れる」ということ

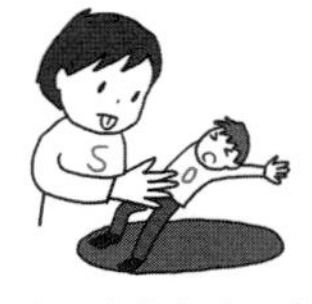

S get O in trouble

●—— get back と get 人 / 物 back

get backが自動詞だと、「backの状態をゲットする」わけですから「戻る」という意味が出ます。

例文 He got back from Tokyo yesterday. 「彼は昨日、東京から戻ってきた。」

これを他動詞で使うと「取り戻す」という意味になります。

例文 We are going to do everything to get him back.

私達はあらゆることをやるつもりだ　ゲットする　彼　戻る
何することに向かって？　彼をゲットしてどうする？

「私達は彼を取り戻すためにあらゆることをやるつもりだ。」

●—— get out of 場所と get 人 / 物 out of 場所

「out of 場所」は場所の外へ何かを取り出すイメージ。自動詞の「S get out of 場所」は「Sが（場所）の外へ出る」という「自分が自分でやる動き」になります。

例文 We managed to get out of the jungle.

「我々はどうにかジャングルから抜け出した。」

S get out of 場所

他動詞の「S get O out of 場所」は、「Oを場所の外へとゲットする」＝「SがOを場所から取り出す」という意味になります。

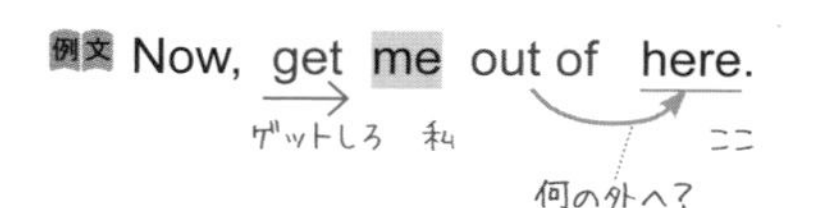

例文 Now, get me out of here. 「さあ、俺をここから出してくれ。」

S get O out of 場所

応用編として「get a rise out of 人」で「人を怒らせる」という表現があります。a riseは「１回の（感情の）上昇」、つまり「１回の怒り」を表します。「１回の怒りを人の外へ取り出す」＝「その人の表に怒りが出るようにする」＝「人を怒らせる」です。

例文 He is trying to get a rise out of you. 「彼は君を怒らせようとしているんだよ。」

ゲットする　怒り　あなた
怒りをゲットして何の外へ出す？

●── get 形容詞と get 人／物＋形容詞

get readyは「準備する」、つまり「準備できていない→準備できている」という「変化」を意味し、be readyは「準備ができている」という「状態」を意味する表現です。今回はget readyの自動詞と他動詞を見ていきます。

自動詞は「Sが準備をする」、他動詞は「SがOの支度をさせる」です。

S get ready

自動詞のS get ready：「Sがreadyの状態をgetする」

例文 “Hey, Paul is waiting for you outside.” “OK! I’m getting ready.”

「おーい、ポールが外で待ってるぞ！」「はーい！今準備してるとこ！」

→進行形は「動作の途中であり、まだ完成していない」ことを意味するので、be getting readyは「準備の途中」。

他動詞のS get O ready：「SがO＝readyの状態をgetする」（一種の第５文型）

例文 It’s almost impossible to get〔my kid = ready〕 within 10 minutes.

状況はほぼ不可能だ　ゲットする　我が子＝準備できてる状態　10分

何をすることに向かう状況が？　何以内で？

S get O ready

「10分で子供に支度をさせるなんてほぼ不可能だわ。」

復　習　問　題

1.「私たちは１０分後に病院に到着した。」

(the hospital, we, 10 minutes, to, later, got).

2.「あなたのせいで私、困ったことになっているのよ。」

(trouble, you, into, got, me).

3.「私達は彼を取り戻すためにあらゆることをやるつもりだ。」

(going to, him back, do, we, to get, are, everything).

4.「彼は君を怒らせようとしているんだよ。」

(a rise, of you, he is, to get, out, trying).

5.「10分で子供に支度をさせるなんてほぼ不可能だわ。」

It’s almost impossible to (within, my kid, 10 minutes, get, ready).

1.We got to the hospital 10 minutes later.
2.You got me into trouble.
3.We are going to do everything to get him back.
4.He is trying to get a rise out of you.
5.It’s almost impossible to get my kid ready within 10 minutes.

Must
37

make①「好きな形にする」

▶こねて、こねて

makeの語源は「パン生地をこねる」です。こねて、こねて、望む形を作る、ということです。ここから「作る」という意味が生まれました。
「創造する・作り出す」という訳がつくことが多いcreateと比べてみましょう。createは「無から有を作り出す」イメージを持ち、そんなことができるのはキリスト教世界では「神」がその典型です。ですから、「神が作り出した、生きとし生けるもの」という意味でcreature(s)（生き物）という言葉があります。一方、makeは語源の「パン生地をこねて好きな形を作る」ということから、「形を変える」という意味で「作る」という意味になることが基本です。

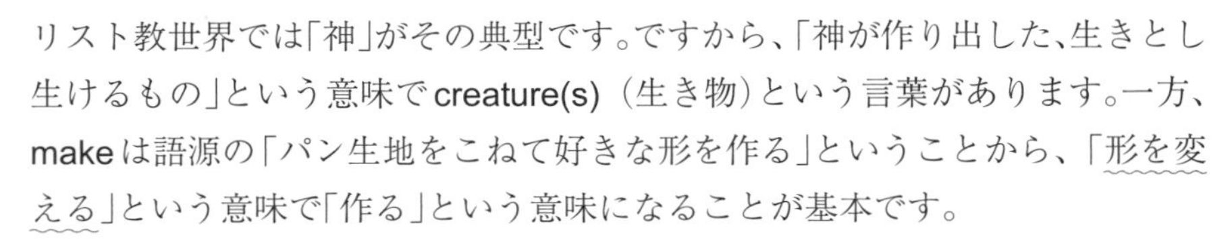

例文 I made a sandwich.　「私はサンドイッチを作った。」
→ パンや、卵や、レタスやハムを、「サンドイッチという形にした」。

createの「無から有」とは違い、makeは「すでにある材料の形を変化させることで、『作る』という意味になる」ことがわかります。

使役構文で「原因」も触れよう

日本語の感覚だと、何かの気持ちになったときに「原因」に触れることが少ないものです。例えば誰かに何か嬉しくなるような素敵なことを言われて、「嬉しいです。」と言うとき、「誰かに何かを言われた」から嬉しくなるのに、その**原因をいちいち言葉にして述べないのが日本語**です。「嬉しい」んだけど、

S make 人　感情：Sのおかげで人が〜な気持ちになる
make oneself heard：自分の声を聞こえるようにする
make oneself understood in 言語：〜語で自分が言っていることを通じさせる
make oneself known to 人：人に自分のことを知ってもらう
S be known by 〜：〜を通してSの人柄・性質がわかる

なぜ嬉しいのかは言葉にせず「察してくれ」という言語なのです。

英語では「あなたが私を嬉しくさせるの。」というふうに、嬉しくなる原因にも触れます。

●——原因＋ make ＋人＋感情：〜のせいで人が〜な気持ちになる 

例文 You make〔me = happy〕.

→you が「me ＝ happy」という形を作る（make）

→「あなたのおかげで私は嬉しい。」

これなら、自分の感情と、相手への感謝の気持ちを、両方とも一度に表すことができるわけです。この「原因 make〔人＝感情〕」という構文はとても便利で、自分の感情を「英語らしく」述べるときに、ものすごくよく使う表現です。「あなたのおかげで私は嬉しい」という日本語に引っ張られて、I'm happy because of you. というのは間違いではないかもしれませんが、「いや、ふつう、You make me happy. でいいじゃん」というのが英語を話す人の感覚です。

こうした構文や文型は「単語の集まり」と考えず、「単語を差し込む穴があいた、英文キット」だと思ってください。構文や文型それ自体が単語と同じように「意味」を持つユニットです。構文や文型といったキット先行で考えれば「単語をどうつないで文にしよう」と考える必要はなくなり、より反射的に英文が作れるようになるのです。

●—— make oneself done：自身を～という状態にする

「**自身＝～される**」形を作る、という構文です。

例文 I raised my voice to make〔myself = heard〕.

「声が聞こえるよう、私は声（の音量）を上げた。」

→「自分自身＝（人によって）聞かれる」という形を作る

例文 She made〔herself = understood in Chinese〕.

「彼女は中国語で用を足した。」

→「自分自身＝（中国語で周りの人に）理解される」という形を作る

例文 The candidates need to make〔themselves = known to voters〕.

「候補者たちは、有権者に自分たちのことを知ってもらう必要がある。」

→「自分自身＝（候補者たちに）知られる」という形を作る

これらはすべて、oneselfの部分が「される」立場であることが特徴です。自分の声が人に聞こえるということは、「自分自身＝人に聞かれる」ということですし、自分の話す外国語が周りの人に通じる、ということは「自分自身＝周りの人たちに理解される」ということです。そして、自分のことを知ってもらう、ということは「自分自身＝人に知られる」ということですね。「受け身」だから動詞の部分はすべて過去分詞が使われています。

be known to 人

「be known to 人」で「人に知られる」です。受動態なのになぜtoなのか？ byではだめなのか？と疑問に思う学習者が多いところです。toは前置詞の場合「到達」を意味する「→」です。「to 人」は「人に情報が到達する」ことを意味しているのでbe known to人で、「人に知られる」となります。一方byは「経由」という意味が重要で、be known by ～で「～を『通して』人柄・性質が知れる」という意味を出します。

例文 A man is only truly known by his friends.

「人はその友達でのみ真に人柄がわかる。」

復習問題

1.「あなたのおかげで私は嬉しい。」
(me, you, happy, make) .

2.「聞こえるよう、私は大声を上げた。」
(my voice, make, I, heard, to, raised, myself) .

3.「彼女は中国語で用を足した。」
(Chinese, she, herself, made, in, understood) .

4.「候補者たちは、有権者に自分たちのことを知ってもらう必要がある。」
(need to, to voters, make, the candidates, themselves, known).

5.「人はその友達で人柄がわかる。」
(friends, known, a man, by, is, his, only truly) .

1.You make me happy.
2.I raised my voice to make myself heard.
3.She made herself understood in Chinese.
4.The candidates need to make themselves known to voters.
5.A man is only truly known by his friends.

Must
38

make②「儲かる」と「損する」

▶earn money でも良いのだけど……

「お金を稼ぐ」

ライティングを指導していると、「お金を稼ぐ」「お金が儲かる」では、かなり多くの英語学習者が gain money という表現を使います。日本語英語っぽい、少し不自然な表現です。より自然な表現はearn moneyか、make moneyです。ためしにアメリカ英語の使用例をコーパスで調べると、earn moneyの使用例が695件、make moneyは6297件と、make moneyの方がかなり優勢です。また、「利益を上げる」「儲かる」などの表現においても、全部ひっくるめてmake moneyが幅広く使われます。ざっくりとした意味で「稼ぐ」を表します。

moneyの代わりに具体的な金額を入れることもよくあります。

例文 He makes a lot of money. 「彼はすごく稼いでいる。」

例文 She makes a million dollars a year. 「彼女は年に100万ドル稼いでいる。」

make money off of A：A でお金儲けをする

make moneyの後ろにoff ofをつけると、make money off of A で「Aでお金儲けをする」という意味になります。

例文 Some people make money off of fake news on social media.

一部の人々は　儲ける　お金　フェイクニュース　SNS

何からお金を取り出し、摘み取る？　どこの上で？

「SNS上でフェイクニュースを投稿して金儲けをしている人間もいる。」

make money off of A：Aでお金を稼ぐ
lose money on A：Aで損をする
make a 形容詞 profit off of A：Aで（形容詞）な利益を上げる
make a fortune 〜ing：〜してひと財産を儲ける
make a living 〜ing：〜して生計を立てる

ofは「全体から一部を取り出す」という意味で（第17項参照）、offは「くっついていたものがポロリと取れる・離れる」という意味です（第01項参照）。つまりmake money off of Aの直訳は「Aからmoneyを作って取り出し（of）て、摘み取る(off)」といった感じになります。

valuable information

ちなみにこのoff ofが使われている有名な歌に、Can't Take My Eyes off You（邦題：君の瞳に恋してる）がありますね。直訳すると「君から目を離すことができない」、つまり「僕の瞳は君に釘づけ」です。タイトルや歌詞カードではoff of youではなく、off youとなっていますが、Boys Town Gangが歌っているのを聞いてみると、off of youがはっきり発音されています。off ofという言葉の評価は英語話者の間では分かれていて、「ちゃんとした英語ではない」という人もいれば、「別にふつう」と言う人もいます。一応正式にはoff ofではなくoffだけで良い、ということになっていますが、off ofは古くはシェークスピアの「ヘンリー８世」に見られ、現代でもトルーマン大統領が使い、作家ウィリアム・フォークナーが使ってきた表現です。

●—— lose money on A:A でお金を損する

反対に「お金を損する」は、lose moneyです。日本語の「損」は「不利益を被る」ニュアンスがあり、ダイレクトに「お金を失う」イメージはピンと来ないかもしれませんね。
「何で損をしたのか」という「損の原因」に使う前置詞はonです。このonは上からのしかかる圧力の意味で、例文では「彼の投資」の上にお金の損失がのしかかっています。

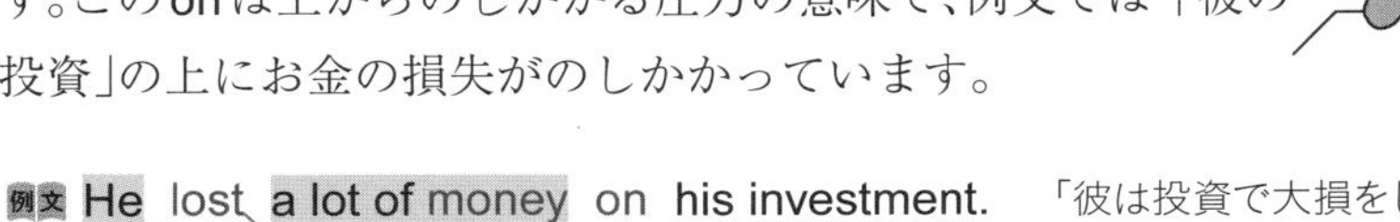
例文 He lost a lot of money on his investment.　「彼は投資で大損をした。」

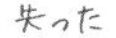

儲ける系はmakeとともに

make a 形容詞 profit：〜な利益を上げる 
make a fortune：一儲けする 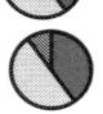
make a living：生計を立てる

「make money」はざっくりとした表現です。より具体的にmake a **形容詞** profit（〜な利益を上げる）、make a fortune（一儲けする）、make a living（生計を立てる）という表現もあります。

どれも「a＋名詞」となっていますね。profitにaがつくときは、とある１回の具体的な商取引で出した利益のことを表します。そして、具体的にどれくらいの利益なのかを表すために形容詞がつくことがよくあります。

例文 The publishing company made a big profit off of the book.

儲けた　大きな利益　その本
何から利益を取り出し、摘み取った？

「出版社はその本で大きな利益を上げた。」

fortuneは元々「幸運」を意味する言葉でしたが、後に「大金、ひと財産」という意味を持つようになりました。「幸運によりもたらされるもの＝大金」という感覚なのでしょう。そして、オックスフォード現代英英辞典には、a fortune = a large amount of moneyと書かれています。amountにaがつくのは、「ひとまとまりの量」という感覚があるからです。a fortuneのaも同様に、１つのまとまった額のお金をイメージしています。make a fortune 〜ingで、「〜して大金を稼ぐ」という意味です。〜ingの根っこの意味は「〜している最中」ですが、ここでは「〜している最中に大金を稼ぐ→〜して大金を稼ぐ」ということを表す分詞構文です。

例文 He made a fortune selling hair care products.

儲けた　ひと財産　ヘアケア商品を売って
何をして儲けた？

「彼はヘアケア商品を売ってひと財産を築いた。」

「生計」を意味するa livingのaですが、収入源が１つであろうと複数あろうと、そこから得たお金で人は「１つのまとまった生活」を成立させます。ですから、a livingというふうにaがつきます。これも後ろに～ingをつけて、「～して生計を立てる」となります。

例文 I once made a living playing guitar in a rock band.

かつて作った　生活費　ロックバンドでギターを弾いて
何をして生活費を稼いだ？

「私は昔、ロックバンドでギターを弾いて生活をしていたことがある。」

復習問題

1. 「中にはSNS上にフェイクニュースを投稿してお金を儲けている人たちもいる。」
   (on, off, fake news, money, some people, social media, make, of).
2. 「彼は投資で大損をした。」
   (money, he, lost, his investment, a lot of, on).
3. 「出版社はその本で大きな利益を上げた。」
   (a big, the book, the publishing company, profit, of, made, off).
4. 「彼はヘアケア商品を売ってひと財産築いた。」
   (hair care, a, made, selling, he, products, fortune).
5. 「私は昔、ロックバンドでギターを弾いて生活をしていたことがある。」
   (in, playing, living, a rock band, once made, I, a, guitar).

1.Some people make money off of fake news on social media.
2.He lost a lot of money on his investment.
3.The publishing company made a big profit off of the book.
4.He made a fortune selling hair care products.
5.I once made a living playing guitar in a rock band.

Must
39

make③「成し遂げる」

▶「make a 名詞」＝まるごと１つの形の完成

●── make a difference：効果がある、状況をよくする 

「違いを１つ、形作る」が直訳です。それをおこなう前とおこなった後で、良い意味で世界を少し違うものにするということです。日本語で言う「変えていく」に近い感覚です。日本語で「世界を変える」「社会を変える」という場合、暗黙のうちに「良い方向に変える」という意味が込められていますここでのa differenceも「良い意味での違い」です。aは可算名詞の基本概念である、「１つの形が丸ごとそろっている」という感覚を出しています。完成した違いという意味ですね。make a differenceは英語母語話者の精神文化の鍵となるような重要なフレーズと言えます。

I ate a fish.

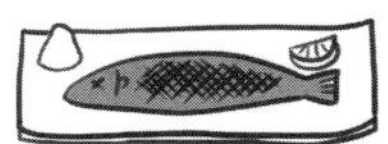

I ate some fish.

「魚１匹丸ごと」ならa fish（可算名詞）だが、切り身にして「まとまりが崩れる」とaは使えず不可算名詞扱いになる。『英文法の鬼100則』第62、63項を参照。

例文 Do our part and make a difference.

「自分の役割を果たし、社会を変えて行こう。」

→ 直訳 我々の役割を果たし、違いを生み出していこう。

例文 Do you think the plan will make a difference?

「その計画をやって、意味がある（効果がある）とあなたは思っているのですか？」

→ 直訳 その計画が違いを生み出すとあなたは思っているのですか？

●── make it：成し遂げる 

英語の母語話者が１日のうちでこの表現を一度も使わないという日は、おそらくないぐらいポピュラーなフレーズです。

make a difference：効果がある、状況をよくする
make it：成し遂げる
make a big thing out of A：Aに関してことを大袈裟にする
make one's name / a name as A：Aとして名を馳せる
make ends meet：帳尻を合わせる

makeはパン生地をこねるという語源のイメージから、「何かを自分の思い通りの形にする」という意味を持つ言葉です。そしてここでのitは、「状況」という抽象的な意味を持ちます。つまりmake itは「状況を形にする」＝「自分が形作りたい状況を実際に形にしてしまう」＝「成し遂げる・成功する」という意味になります。

例文 I'm scared of failing. Like ... "What if it doesn't work?", or "What if I can't make it?"
「俺は、失敗するのが怖いんだ。もしうまくいかなかったらどうしよう、とか、もし成功しなかったらどうしよう、ってね。」

what if S + V ~：「SがVしたらどうしよう」（第80項参照）

例文 You followed your dream and you made it.
「君は夢を追いかけ、そして、成し遂げたんだ。」

関連表現で「make or break A」（Aの成功・運命を左右する）という表現を紹介します。ここでのmakeは「Aを成し遂げる」という意味で使われています。breakは「Aを壊してしまう＝失敗」を意味しています。

例文 His decision will make or break the project.
「彼の決定がプロジェクトの運命を左右するだろう。」

ハイフンでつないで形容詞的に「make-or-break 名詞」としても使われます。

例文 We are at the make-or-break point now.
「我々は今、運命を左右する局面にいる。」

●── make a big thing out of A：A に関してことを大袈裟にする 

out of A は「Aから取り出す」ということを意味します。make a big thing で「大きなものを作る」。2つ合わせて「Aから取り出して、大きなものを1つの形にする」＝「Aをおおごとにする」です。「ことを荒立てる」とか、「つまらないことで大騒ぎする」といった状況で使います。

例文 I want to end the feud. I don't want to make a big thing out of it.
いがみ合い　私はしたくない　形作る　大きな1つのこと　いがみ合い
何することに向かって?　何から外に取り出して?

It's in the past. Let's move forward.
「いがみ合いを終わらせたいんだ。ことを荒立てたくない。終わったことだ。前に進もうじゃないか。」

●── make one's / a name as A：A として名を馳せる 

make it（成功する・成し遂げる）でわかる通り、make には「完成させる」イメージがあります。make one's name で「自分の名を完成させる」＝「評判を確立する」という意味が出ます。コーパスでの出現頻度は少ないのですが、make a name と言うときもあります。make a difference で説明した通り、a には「1つの形を丸ごと持つ」という意味があります。したがって、make a name で「名前を1つの形として完成させる」という意味が出ます。ですから、「名を成す・名を馳せる」という意味で使われます。
「as ＋名詞」は「〜として」と訳されることが一般的です。as の根っこの意味は「イコール」です。

例文 Anne first made her name as a fashion photographer in Paris.
アン　まず　形作った　自分の名　ファッションフォトグラファー　パリ
何として?　どこで?

「アンはまず、パリでファッションフォトグラファーとして名を成した。」

●── make ends meet：収支（帳尻）を合わせる 

make both ends meet とも言います。ends とは何か？「両端」です。複数形になっているところに注目してください。ヒモや棒の「終わるところ」が「端」「先端」です。収支表の「収入」と「支出」の「2つの端」がズレることなく出会うところが「帳尻の合う」ところです。

ちなみに meet the needs「ニーズに見合う」という言い方があるように、meetには「会う」だけでなく「合う」の意味もあります。「会う」ということは「ズレないで接触する」ということですから、「ズレない」＝「合う」という意味も出たわけです。

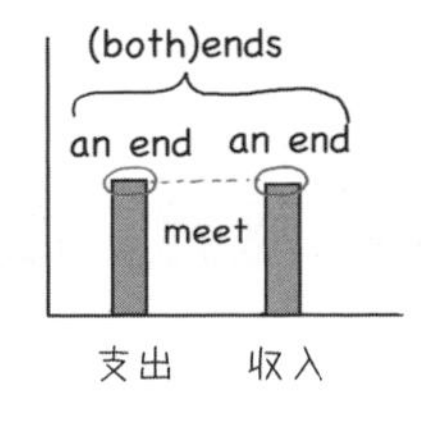

例文 Many small businesses are struggling to make〔ends = meet〕.

多くの小規模事業者　苦労している　形作る　両端 ＝ 合う
何することに向かって？

「多くの小規模事業者が、なんとか赤字を出さないよう、苦労している。」

struggleは「もがく」イメージの動詞

復習問題

1.「自分の役割を果たし、社会を変えて行こう。」
(and make, part, do, a difference, our).

2.「君は夢を追いかけ、そして、成し遂げたんだ。」
(followed, and you, it, you, your dream, made).

3.「私はことを荒立てたくない。」
(to make, of it, a big thing, I don't, out, want).

4.「アンはまず、パリでファッションフォトグラファーとして名を成した。」
(a fashion photographer, made her, as, Ann first, name) in Paris.

5.「多くの小規模事業者が、なんとか赤字を出さないよう、苦労している。」
(ends, are struggling, small businesses, to make, many) meet.

1.Do our part and make a difference.
2.You followed your dream and you made it.
3.I don't want to make a big thing out of it.
4.Ann first made her name as a fashion photographer in Paris.
5.Many small businesses are struggling to make ends meet.

Must
40

put upという言葉

▶根っこから意味の広がりを考える

この本のテーマは「単語と単語が組み合わさってなぜこのような意味が出るのか」を知ることです。しかし、そこには言葉の組み合わせだけではなく、1つの言葉の「多義」の問題も絡まってきます。

ここでお話しするputはとても単純な意味を持つ動詞ですが、その分、様々な意味に応用されて複雑に意味を広げていきます。それは、釣竿やテニスラケットのような完成された道具よりも、単純な棒切れの方が、色々な用途に応用できるのと同じことです。

putは「置く」というよりは、「**ある位置にあるものをセットする**」というのが根っこの意味です。したがって「put＋目的語」の後ろには必ず「(目的語を)どの位置・どの方向にセットするのか」という言葉がついてきます。今回は位置を表す言葉として、upを見ていきます。put upという言葉を通して、本来単純な意味であるはずのputという言葉がどのように複雑に枝を広げていくのかを見ていきましょう。

●── put up（基本意味）：高い位置にセットする

まずはいくつかの例文を通して、put upの感覚を理解しましょう。

例文 Put up your hand if you have any questions.

「何か質問があれば、手をあげてください。」

→「手を高い位置にセット＝手をあげる」。
こういうときにはふつう片手をあげるので、handsではなく、hand

put up（基本意味）：高い位置にセットする
put up a fight：（抵抗の意思を示すために）戦う
put 人 up：人を泊める
put 物 up for A：A（販売・オークションなど）に出す
put up with A：Aを我慢する

例文 She put up an umbrella.　「彼女は傘をさした。」

→「傘を広げ、頭上に掲げる」という「動作・変化」を表す表現。
傘を広げたあと続く、「傘をさしている状態」はa woman with an umbrella（傘をさしている女性）のようにwith（持っている）を使うのがふつう。

例文 I put up a sign on my door that says “Do not disturb after 10 p.m..”

私　掲げた　紙（どんな紙？）　言っている　「夜10時以降は静かに」

「『夜10時以降は静かに』と書いた張り紙を私はドアに貼った。」

→関係代名詞thatは「a sign の詳しい内容はこちら」と指す働き。

このようにput upは「上の方・高い位置にセット・設置する」というのが基本意味で、この単純な動作が幅広い状況を説明するのに応用されるわけです。

また、「高い位置に掲げる」ということは「人が見ることができるようにする」ことなので、put upはshowと同じ意味で使われるようになります。

例文 Kenny put up an outstanding performance .

ケニー　見せた　特に優れた出来栄え

「ケニーは特に優れた出来栄えを発揮した。」

●―― put up a fight：（抵抗の意思を示すために）戦う

よく使われる表現です。単純に「戦う」と訳されることがよくありますが、もっと詳しく言えば「抵抗の意思を見せる(show)ために戦う」という感じです。

例文 When my mother got on my case, I didn't say a word.
Even when she grounded me, I didn't put up a fight.

「母が私のやることに口出ししても、私は何も言わなかった。外出禁止を食らったときでさえ、素直に従った。」

get on one's case：「〜のことにうるさく口出しする」
（誰かのこと <case> に乗っかって来る <get on>）。
S ground O：「S（親）が O（子供）を外出禁止にする」
（飛行士が離陸禁止になる＜＝地面に釘づけにされる＞というのが語源）

●── put 人 up：人を泊める

直訳は「人を『上』の方にセットする」ですから、これは「**上＝屋内**」というメタファーから来ているのでしょう。日本語でも人を家の中に入れるとき「さぁ、上がってください。」と言います。そしてこれまで見てきた通り、put upは単に上に上げるだけではなく、上げた位置である程度固定させる意味があります。「宿泊させる＝滞在」ですから、この辺りにもput upの意味が生きています。

例文 Can you put me up for the night? 「一晩泊めてくれないか？」

for the nightは直訳すると「夜眠るために」
この表現でのnightは「夜」が持つ「眠る機能」を意味している。

●── put 物 up for A：物を A（販売・オークションなど）に出す

例文 My father put his house up for sale. 「父は自分の家を売りに出した。」

これはput upの「高く掲げて見せる」感覚が「（販売の）告知」という言い方に応用されたものだと考えられます。put his house upなら「（彼が）自分の家を掲げる」が直訳で告知の意味を出し、forは「何のために告知するのか」を表します。forの後ろに来る言葉はsaleの他に、adoption（養子縁組）がコーパスでは目立ちます。

例文 But Natalie turned Joey down and said she was going to put the baby up for adoption.

「しかしナタリーはジョーイを拒絶し、2人の間にできた赤ん坊を養子に出すと言い出したのだ。」

turn A down：「Aを断る」（第47項参照）。

adoption：「養子縁組」ad-(～の方へ)+opt(選択する)＝～することを選択する→子供を選び取る。option（選択肢）と同源。

put up with A：A を我慢する

put upの「上に掲げる」という意味が「棚に上げる」につながり、怒りの感情を一度棚上げするというところからできたと推測される表現です。怒りの感情を「ポケットにしまい込む」ところから「耐える」ことを意味する動詞のpocketに近い感覚であることがOnline Etymology Dictionaryには書かれています。棚上げも「しまう」ことの一種ですね。withは「(我慢する対象)と一緒にいる」の意味と取ることもできますが、withにはagainstの意味もあることを忘れてはいけません。我慢する相手を「対戦相手」ととらえています*。

例文 You need to learn to put up with things.

「あなたは物事に対して我慢するということを学ぶ必要がありますよ。」

*withの詳しい意味については拙著『英文法の鬼100則』第81項を参照

復習問題

1. 「何か質問があれば、手をあげてください。」
   (your hand if, any, put, you have, up, questions) .
2. 「母に外出禁止を食らったときでさえ、私は素直に従った。」
   Even when my mother grounded me, (a, didn't, up, fight, I, put).
3. 「一晩泊めてくれないか？」
   (me up, the night, can, for, you, put)?
4. 「父は自分の家を売りに出した。」
   (house up, my father, sale, put, for, his).
5. 「あなたは物事に対して我慢するということを学ぶ必要がありますよ。」
   (with things, you, learn to, up, need to, put).

1.Put up your hand if you have any questions.
2.Even when my mother grounded me, I didn't put up a fight.
3.Can you put me up for the night?
4.My father put his house up for sale.
5.You need to learn to put up with things.

Must

41

put onという言葉

▶「身につける」から始まるメタファー

●—— put A on（あるいは put on A）：A を着る 

put A on と put on A はどちらも同じ意味で、英語話者もそれほど違いを感じないで使っているようですが、ここでは理解を助けるために、考えられる両者の構造の違いも説明します。

putは「何かをある位置にセットする」というのが根っこの意味で、「put＋目的語＋セットする位置」という構文で使うのが基本です。

例文 He stood up and put a jacket on. 「彼は立ち上がって上着を着た。」

セットした　上着　身体に接触する位置に
どの位置にセット？

上記の例なら、「ジャケットをon（身体に接触させている）の状態にセットした」ということを意味しています（on = on his upper body）。一方、put onで1つの他動詞（句動詞、a phrasal verbと呼ばれます）と考えることもできます。

例文 He stood up and put on a jacket.

着た　上着

日本語では帽子は「かぶる」であり、服は「着る」、ズボンや靴下、靴など下半身の衣類は「はく」ですが、英語ではどれもみな「身体上につける、身につける」という意味でput onですませます。ちなみにベルトや化粧もマスクもput onです。

put onは「着ていない→着る」への変化を表し、wearは「着ている状態」を表していることに注意しましょう（化粧ならput on makeupは「化粧をしていない→する」の変化でwear makeupなら「化粧をし終わっている状態」）。ただや

---

put A on（あるいはput on A）：Aを着る
put on ＋態度・様子：ふりをする、態度を見せる
a) put on airs：気取る、勿体ぶる
b) put on a happy/brave face：気丈にふるまう、平静を装う
put on weight：体重が増す、太る
put-on：（形）見せかけの〜、（名）だまし、パロディ

やこしい話なのですが、wearは「着ている」という状態動詞なのにもかかわらず、実際の英語では進行形で表現されることが非常によくあります。

例文 He is wearing a T-shirt.　「彼はＴシャツを着ている。」

●―― put on ＋態度・様子：ふりをする、態度を見せる

衣装を身につけるということは、見た目を意図的に変えることでもあります。そこから「ふりをする、態度を装う」という意味が派生しました。

a) put on airs：気取る・勿体ぶる 

airsに「気取った態度、偉そうな態度」という意味があり、put on airsで「偉そうな態度を身にまとう」→「気取る・勿体ぶる」を意味します。put airs onという語順はコーパスを検索してもヒットしませんでした。

例文 Other girls thought Anne put on airs.
「他の女の子たちはアンのことを気取っていると思っていた。」

否定文で扱うと「気さくな」という意味でも使えます。

例文 I like my neighbors. They all don't put on airs.
「お隣さんたちのこと、好きですよ。みんな気さくで。」

valuable information
airsと複数形になっている理由ははっきりしませんが、何重にも衣装を重ね着する人間が格好をつけて見えるのと同じことなのではないかと私は考えています。あるいは、空気を何層にもまとう分、他者から距離を取ることになる、ということかもしれません。

b) put on a happy/brave face：気丈に振る舞う、平静を装う 

put on a ~ faceで「〜な表情をしてみせる」です。直訳が「〜な顔を身につけ

る」ですから、仮面を１つ（冠詞a）つける感覚があり、本当の気持ちとは裏腹に無理をして浮かべている表情という感じがします。コーパスで検索をかけるとput on a ~ faceの「～」のところにやって来るのはhappyとbraveが最多です。無理をして幸せそうな表情を浮かべるput on a happy face、心のうちの動揺を押し殺して平然とした顔をするput on a brave face（brave＝「勇敢な」）です。

例文 Put on a happy face, and before long you will start genuinely feeling happier.
「嬉しい表情を浮かべなさい。そうしてしばらくすると、本当に心から嬉しい気持ちになってきますよ。」
before long：「まもなく」。直訳すると「長くなる前に」。genuinely「純粋に」。

例文 Over those two weeks, I put on a brave face, trying not to reveal my fear.
「その２週間のあいだ、私は平静を装い、恐怖心を表に出さないように努めた。」
overは「(期間を)覆う」働き。
reveal Aで、「Aを明らかにする」。re(再び)+-veal（ベール）＝「一度被せたベールを今度は取る」。

be putting it onで「ふりをする」という言い方もあります。

例文 He didn't hurt his arm. He is just putting it on.
「彼は腕を怪我していないよ。ふりをしているだけだよ。」
→itは「腕を怪我していること」を指している。

このようにput onは「服などを身につける」＝「見た目を変える」＝「ふりをする」という意味にまで発展するわけです。

●—— put on weight：体重が増す、太る

put on Aは「Aを身につける」という意味から様々に応用されていますが、英語の感覚では、体重も衣服のように「身につける」もののようです。

例文 She has put on weight since she beat her eating disorder.
「摂食障害を克服して以来、彼女は体重が増えてきている。」

使用率ではput on weightの1/5しかありませんが、put on some weightと

いう言い方も見られます。ここでのsomeの役割は、「ある程度の」=「少し、ちょっと」という、「角をとり、軽さを与える」工夫の現れでしょう。

例文 I want to put on some weight and get stronger.
「少し体重を増やして、体を強くしたいんだ。」

●—— put-on：(形)見せかけの～、(名)だまし、パロディ

put onの「ふりをする」という意味は名詞や形容詞としても使われるようになりました。ハイフンでつなぎ、put-onで1つの単語扱いです。英語話者にとってとても使い勝手の良い便利な表現なのだということがわかります。

例文 Did this actually happen? Or Are you telling a put-on?
「これって実際に起きたの？それともドッキリ？」
→「一回のフェイク」ということで可算名詞。

例文 He spoke with a clearly put-on British accent.
「彼はわざとらしい作り物のイギリスなまりで話した。」

復習問題

1.「彼は立ち上がって上着を着た。」
(up, on a, he, and put, jacket, stood).
2.「他の女の子たちはアンのことを気取っていると思っていた。」
(girls thought, on, Anne, other, put, airs).
3.「その2週間のあいだ、私は平静を装った。」
Over those two weeks, (brave, put, a, face, I, on).
4.「摂食障害を克服して以来、彼女は体重が増えてきている。」
(weight, has put, since, on, she) she beat her eating disorder.
5.「彼は作り物のイギリスなまりで話した。」
(with a, British, he, clearly put-on, accent, spoke).

1.He stood up and put on a jacket.
2.Other girls thought Anne put on airs.
3.Over those two weeks, I put on a brave face.
4.She has put on weight since she beat her eating disorder.
5.He spoke with a clearly put-on British accent.

Must
42

putを使ったその他の表現

▶具体的な動きにたとえて理解する

●── put oneself in A's shoes/place：Aの立場になって考える 

2005年に公開されたIn Her Shoesという映画がありました。全く性格の違う姉妹がいさかいを乗り越え和解していく話ですが、「他人の靴に足を入れる」という表現を、英語では「他人の立場に立って考える」という意味で使います。shoesの代わりにplaceを使うこともあります。

コーパスを調べると、putの目的語に来るのは圧倒的にyourselfが多く、その次がmyselfです。yourselfの場合には相手に忠告したり、不満を言ったりする場面がほとんどで、命令文や、have toを使っています。

例文 Put yourself in my shoes, Jim. 「私の立場にもなってみてよ、ジム。」

目的語がmyselfの場合は、自身の反省の弁を述べるパターンがよく見られます。

例文 I think I should put myself in your shoes and view the world from your standpoint.
「君の立場になって君の視点で世の中を見て行った方がいいなと思っているんだ。」

映画In Her Shoesでは、姉が妹の靴を履いて結婚式を挙げ、姉妹の和解を象徴しています。

●── put A in A's place：Aに身の程をわからせる 

この表現ではshoesは使わず、placeだけを使います。人を、その人が本来いるべき場所に置く、というところから「お前の本来いる場所はここだぞ。」と身の程をわからせるという表現です。コーパスで調べると同率一位はput me

put oneself in A's shoes/place：Aの立場になって考える
put A in A's place：Aに身の程をわからせる
to put it simply / simply put / put simply：端的に言うと・手短に言うと
put A into wordsとput A in words：Aを言葉にする
put A across：A（考えなど）を伝える

in my placeとput him in his placeで、「～のせいで私は身の程を思い知った」、「～が彼に自分の身の程を思い知らせた」です。

例文 She put him in his place and it allowed him to refocus on what he should be doing.

彼女　置いた　彼　彼の場所　そのことが　させた　彼
どこの枠内に？
再集中する　彼がやっている最中であるべきこと
何することに向かってさせた？

「彼女に身の程を思い知らされたおかげで彼はするべきことに再び集中できた。」

●—— to put it simply / simply put / put simply :端的に言うと・手短に言うと

どれも文頭に置かれることがほとんどです。

わかりやすいので、to put it simplyから説明します。itは既に話している内容を指します。put it simplyは「さっき言ったことを、単純な形にして、（聞き手の前に）置く」が直訳です。putが「言う」と訳されるのは、話す内容を「もの」にたとえて、聞き手の目の前に「置いて、見せる」ことで「伝える」という意味を表そうとする感覚によります。これは「プレゼンテーション（発表）」の動詞形であるpresent（pre（前に）+ sent（存在させる））の感覚にも通じます。

例文 To put it simply, we live in different worlds with different values.
「端的に言えば、私たちは違う価値観を持った違う世界に住んでいるということだ。」

一方simply putとput simplyのputにはitという目的語がついていません。

これはもともとit being simply putやit being put simplyといった受動態の分詞構文のitとbeingが省略されているからです。つまりputは過去分詞です。話される内容itが話者によって「提示される」受け身の立場にあるわけです。

例文 Simply put, they didn't want to join us.

「簡単に言ってしまえば、彼らは私たちと一緒にやっていきたくはなかったのだ。」

使用頻度はto put it simply：put simply：simply put = 1：2：10の割合で、simply putが圧倒的によく使われています。少し理屈っぽい表現だからでしょうか、話し言葉というよりは書き言葉として使われる傾向があります。

●—— put A into words と put A in words
:「A を言葉にする」の微妙な違い 

A into Bは「AをBに変える」という「変化・変身」を表すとき、よく出て来ます。砂糖を水の中に入れると溶けるように、それまでとは違う状態の中へと入っていく感覚があります。put A into wordsでは、「言葉という形に変換させるようAをセットする」という感覚が直訳にあります。

例文 She found〔it = difficult〕to put her question into words.

彼女 気づいた 状況＝困難 セットする 自分の疑問 言葉

何することに向かうのが困難?(＝itの詳しい内容) 何へと変化させてセット?

「彼女は自分の疑問をうまく言葉にできなかった(そういう自分に気づいた)。」

→a wordでなくwordsとなるのは、1つの単語ではなく複数の単語を使って何かを表現するから。

一方で、「Aを言葉という容器に入れて表す」イメージなら、intoではなくinがよく使われます。お弁当箱にごはんを詰めるように、伝えたいことを言葉の中に詰め込みます。使用頻度をコーパスで見るとput A into wordsはput A in wordsの約7倍で、put A in wordsのAにはほとんどの場合itが来ています。

例文 It's a terrible situation. There's no way to put it in words.

「ひどい状況だ。言葉で表すことができない。」

●── put across A：A（考えなど）を伝える 

acrossは横切るという意味ですが、この場合横切るのは「話し手と聞き手の間に横たわる空間」です。２人の間を、話したい内容であるAがきちんと横断して渡るようにセットする（put）ということです。get acrossでも同じ意味を表すことができます。「考えがacrossする状況をgetする」ということです。

例文 I don't see what I can do to put across my idea any easier.

「自分の考えを伝えるために他にどうしたらいいか、思い当たらない。」

→any easierは「どんなレベルの簡単さでもいいのだけど（今よりもっとたやすく伝える方法はないだろうか）」が直訳です。

復習問題

1.「私の立場にもなってみてよ、ジム。」
(in, put, shoes, yourself, my), Jim.

2.「彼女は彼に身の程を思い知らせた。」
(put, his, him, in, place, she).

3.「端的に言えば、私たちは違う価値観を持った違う世界に住んでいるということだ。」
(put, simply, it, to), we live in different worlds with different values.

4.「彼女は自分の疑問を言葉うまく言葉にできなかった。」
She (to put, into words, found it, her question, difficult).

5.「自分の考えを伝えるために他にどうしたらいいか、思い当たらない。」
I don't see what (I, across my, idea, put, to, can do) any easier.

1.Put yourself in my shoes, Jim.
2.She put him in his place.
3.To put it simply, we live in different worlds with different values.
4.She found it difficult to put her question into words.
5.I don't see what I can do to put across my idea any easier.

Must
43

goという言葉

▶「離れていくこと」と「進行する流れ」

go ＋「悪いイメージ」の形容詞

I have to go now.（もう行かなきゃ。）という言い方にもあるように、goは「**離れていく**」イメージを持ちます。ここから「go＋悪いイメージの形容詞」＝「（悪いことが）起きる」という表現が生まれます。goの後ろに「悪い」イメージが来るのは「離れる＝手が届かない＝コントロール不能の」ということだからです。

The milk went bad.　「ミルクが腐った。」
Things will go wrong.　「物事が悪い方向へ進むだろう。」
Boredom makes me go crazy.　「退屈で気が狂いそうだ。」

go
コントロール不能

●—— go viral：（情報が）一気に広まる

SNSで話題になるなどして、ネット上で一気に情報が広まることを言います。viralは「ウイルス」を意味するvirusから来ていて、「ウイルスのように素

go viral：（情報が）一気に広まる
go bankrupt/broke：破産する
go extinct：絶滅する
it goes without saying that S + V：SがVすることは言うまでもない
What's going on?：いったいどうしたの？

早く広まる」ことを意味します。go viral自体はポジティブな意味で使われることが多いのですが、viralはウイルスが語源であり、「制御できないほど速く広まる」ことなので、goという動詞と相性が良いのです。

例文 The video went viral on social media.
「そのビデオはSNS上で一気に広まった。」

●── go bankrupt：破産する （go broke は ）

形容詞bankrupt（破産している）の語源はbank（銀行）+ rupt（壊れる）。ラテン系の言葉なので少しフォーマルで、くだけた言い方は形容詞brokeです。brokeは、元々は動詞breakの過去分詞でしたが、現代英語では過去分詞はbrokenが使われるようになり、結果的にbrokeは「財政的に壊れてしまっていて」という完了の過去分詞のイメージを残した形容詞となっています。

例文 Many large companies went bankrupt during the pandemic.
「コロナ禍の中で多くの大企業が倒産した。」

例文 Our company will go broke without government subsidies.
「政府の補助金なしには、うちの会社は潰れるだろう。」

●── go extinct：絶滅する 

環境問題など、ライティングでよく使う表現です。形容詞extinct（絶滅している状態にある）の動詞はextinguishで、語源はex（外に）+ (s)tinguish（stick/棒で突く）→「外に突き出して、消滅させる」=「消火する・絶滅させる」です。ちなみに、くだけた言い方で「火を消す」はput out（外に置く）で、同じ思考方法ですね。

例文 Many species have gone extinct during the past few centuries.
「過去数世紀の間に、多くの生物種が絶滅してしまった。」

goが表す「進行する状況の流れ」

goは「進行」のイメージを持つ動詞です。

I don't remember how that story goes.
「その話のあらすじは、覚えていないなぁ。」
→直訳 どんなふうにその物語が進むのか

How's it going? 「調子はどう？」→直訳 状況(it)はどう進んでいる？

Anything goes.「なんでもありだよ。」
→直訳 どの1つの(any)ものごと(thing)をとってみても、まかり通る(go)

ここでは「状況の進行」を意味するgoの、ポピュラーな表現を2つ紹介します。

●—— It goes without saying that S + V :SがVすることは言うまでもない

仮主語itは「状況」を意味し、it goes without sayingで「言わなくても状況は進行する・まかり通る」です。後につづくthat S + Vはitが示す「状況」の中身を詳しく説明します。

例文 It goes without saying that language is a powerful tool.
状況は言わずとも進行する　「状況」の詳しい中身　言語は強力なツール
「言語というものが強力なツールであることは、言うまでもない。」

●—— What's going on?：いったいどうしたの？  (what is going onは

非常によく使われる、とても使い勝手の良い表現です。onは進行の「**継続**」を表します。短縮形のwhat's going onの方が、what is going onに比べて6倍多く使われています。ただし、短縮形ではなくなることで、アカデミックライティングにもよく使われます。

「何・誰に起きているのか」はwithを使って表します。この感覚はWhat's the matter with you?やWhat's the problem with you?と同じです。

例文 What's going on with you? Are you OK?

「あなたどうしたの？大丈夫なの？」

→ 出来事が「あなたと共にある」＝「あなたに出来事が起きている」

文の中に組み込まれると、「**状況**」という意味で使われることも少なくありません。

例文 It is a bit early to be confident in predictions about what is going on.

状況は少し早い　自信がある状態でいる　予測　状況

何することに向かっては？　何の話の枠内での自信？　何についての予測？

「状況に関しての予測に自信を持つには少し早いですね。」

カナダのOttawa Citizen紙：コロナ関連の記事で、カナダ人科学者のコメントより

復習問題

1.「そのビデオはSNS上で一気に広まった。」
(on, viral, social media, the video, went).

2.「コロナ禍の中で多くの大企業が倒産した。」
(during the, went, many large companies, pandemic, bankrupt).

3.「過去数世紀の間に、多くの生物種が絶滅してしまった。」
(the past few, have gone, during, centuries, many species, extinct).

4.「言語というものが強力なツールであることは、言うまでもない。」
(saying, goes, that, it, without) language is a powerful tool.

5.「あなたどうしたの？」
(with, going, what, on, is, you)?

1.The video went viral on social media.
2.Many large companies went bankrupt during the pandemic.
3.Many species have gone extinct during the past few centuries.
4.It goes without saying that language is a powerful tool.
5.What is going on with you?

Must
44

go toとgo forの違い

▶toは「到達」、forは「目標」で、「未到達」だから……

goと言えば「go to 場所」ですが、go forという表現も多いですね。

toは前置詞で使うときはほとんどの場合「到達する」ことを意味しますので、例えばgo to the stationのようにtoの後ろには到達地点が来ます。

一方でforは「目標、目的」です。go forが表すのは「ある目的の達成のために今いる場所から移動する」です。forの後ろには場所ではなく目的が来ます。

go forの後ろに来る典型的な「達成すべき目的」は、「a＋動作を表す名詞」です。

Let's go for a walk.　「散歩に行こうよ。」

「ひと歩き（a walk）」を目的に行く＝「散歩しに行く」です。「１回の行為」なので、こうした動作を表す名詞にはaがつきます。aではなくtheの場合、熟語化した表現がよく見られます。以下に説明していきます。

●―― go for the gold：最高の結果を求めて努力する

コーパスで「go for the …」を検索すると、最もヒットする表現です。go for the goldは元々「金メダルを目指して、行く」という意味で、そこから「最高の結果を目指して努力する」という使われ方もするようになりました。theがつくのは、「銀メダルや銅メダルじゃなくて、金メダルだよ」という区別の感覚のためで、これは最上級やfirstにtheがつくのと同様です。

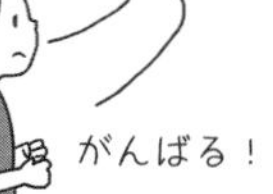

例文 We must do whatever we can. We must always go for the gold.

「できることはなんでもやらなくてはいけません。常に最高の結果を求めていかないと。」

go for the gold：最高の結果を求めて努力する
go for the jugular：相手の一番弱い点を、激しく突く
go for help：助けを求めに行く
go for broke：のるかそるかの賭けに出る・全てを投げ打ってやってみる
the same goes for A：同じことがAにもあてはまる

第1章
第2章
第3章
第4章
第5章

●—— go for the jugular：相手の一番弱い点を、激しく突く 

go for the …の中では、go for the goldの次によく使われます。jugularは頸動脈のことで、人間の急所です。ここを狙うということはつまり、「手加減なしに、命を奪いに行く」ことです。このため、go for the jugularには「激しく、容赦なく」というイメージが出ます。「ガチで行く」感じです。「到達のto」ではなく、「目標のfor」なので、「喉元にかぶりつく（到達）」ではなく、「頸動脈を手に入れる（＝殺す）ために（目標） goする」です。

例文 He always goes for the jugular in a debate.
「彼は討論ではいつも容赦がない。」

例文 It's time to go for the jugular.
「ここで一気に叩くぞ。」
→ 直訳 （相手の）頸動脈に向かっていく時間だ
（丸暗記がおすすめの頻出フレーズです）

jugularのtheは、「他の場所じゃなくて、頸動脈だ」という、ピンポイントで狙う感じを出します。ちなみに発音は曲芸師を意味する「ジャグラー」とは違い「ジャギュラー」に近い音です。

●—— go for help：助けを求めに行く 

go for helpを「（人を）助けに行く」という意味でとらえてしまう英語学習者が結構多いのですが、実際は「（人に）助けを求めに行く」です。

例文 You'll be safer here. I'll go for help.
「君はここにいた方が安全だ。僕が助けを求めに行く。」

「誰かを助けに行く」なら不定詞の“go to help 人”になります。

例文 Stay here. I'll go back to help her.

「ここにいて。私は彼女を助けに戻る。」

go for helpのhelpは、前置詞forの後ろにあることでわかる通り、動詞ではなく、名詞です。「1回の救助」ではなく「助け」という「機能」（動作が持つ働き）を表すので不可算名詞です。aもtheもつきません（名詞が機能の意味で使われると不可算名詞になることは『英文法の鬼100則』第72項のbreakfast, lunch, dinnerの説明を参照）。

●—— go for broke
:のるかそるかの賭けに出る・全てを投げ打ってやってみる 

既に紹介したgo broke「破産する」（第43項参照）のbrokeです。

これにforが加わってgo for brokeになると、「一か八かの大博打に打って出る」という意味になります。直訳すると「一文なし（broke）を求めて（for）行く（go）」。「破産なんか怖くないぜ！行くぜ！」という感じですね。

例文 We decided to go for broke and put the plan into practice.

「私たちは賭けに打って出ることにして、計画を実行に移したのです。」

前置詞の後ろには名詞が来るはずなのに、なぜ形容詞のbrokeが来るのかは、ちょっとした謎です。ひょっとしたら動名詞句のbeing broke（破産している状態であること）が元々の形で、そこからbeingが抜け落ちて慣用化したのかもしれません。分詞構文でもそうですが、be動詞は「あってもなくても意味がわかる」ことから、省略されることがよくあります。

●—— the same goes for A：同じことがAにもあてはまる 

決まり文句として丸ごと覚えてほしい表現です。過去形wentよりも現在形goesで使われることが圧倒的にふつうです。

このgoはAnything goes.（何でもありだ。）（第43項参照）で出て来た「**まかり通る・流通する**」のgoです。forは「目標」というよりは、そこから派生した「～にとって」という意味だと解釈するべきでしょう。直訳すると「同じことがAにとっても通用する」です。

sameを使うときにtheを忘れる人がいますが、「似ているものじゃだめだよ、同一なんだよ」という**限定の意味**を持つのがsameなので、the sameが通例です。theがつくのは当たり前だと思ってください。

例文 It is true that the Japanese language is very complicated, but the same goes for any other language.

「確かに日本語というのはとても複雑だが、同じことは他のあらゆる言語にも言える。」

復習問題

1.「常に最高の結果を求めていかないといけません。」
(for, must always, the, we, go, gold).

2.「彼は討論ではいつも容赦が無い。」
(goes, jugular, he always, in, the, for) a debate.

3.「僕が助けを求めに行く。」
(help, go, for, I'll).

4.「私たちは賭けに打って出ることにした。」
(for, to, we, broke, decided, go).

5.「同じことは他のあらゆる言語にも言える。」
(any, for, goes, other, same, language, the).

1.We must always go for the gold.
2.He always goes for the jugular in a debate.
3.I'll go for help.
4.We decided to go for broke.
5.The same goes for any other language.

Must
45

come①「やって来る」

▶自分の世界にやって来る＝実現する

「離れて行く」goに対して、「やって来る」のがcomeです。自分の世界の外にあったものが、自分の世界の内側にやって来る。ここからcomeは**「実現する」**という意味が出てきます。

This made〔all my dreams = come true〕.
これが 形作った 私の全ての夢 実現する

「このおかげで私の夢は全てかなった。」

→コーパスにおいて"dreams come true"で検索すると、この「原因 make one's dreams come true」(原因のおかげで夢がかなう)という形になるのがほとんどです。この形で覚えておくと、文が作りやすくなるでしょう。

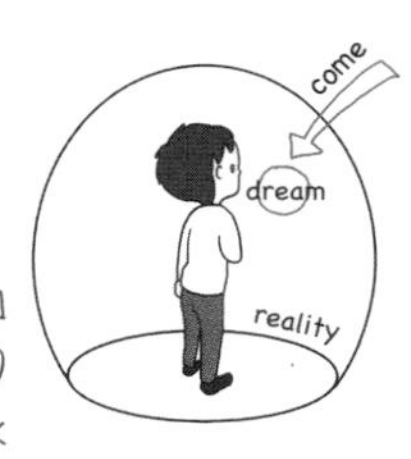

●── come to 不定詞:〜するようになる 

「〜するようになる」という言い方に、「come to 不定詞」があります。直訳すると、「〜することへやって来る＝〜するという状況が実現する」です。

例文 The Eastern Roman Empire, which came to be known as the Byzantine Empire, lasted until 1453.

「ビザンツ帝国の名で知られるようになった東ローマ帝国は、1453年まで存続した。」

come toの後ろに来る不定詞は1位がbe、2位がseeです。「come to see 人」だと「人に会いに来る」という意味になりますが、seeの後ろに「情報」を表す言葉が来ると「〜だということがわかるようになる(＝見えてくる)」という意味で使われます。come to see (that) S + V 〜の形になることもよくあります。

come to 不定詞：～するようになる
how come ＋ S + V ~？：どうしてSがVするのか？
when it comes to 名詞・動名詞：（話が）～のこととなると
come into being：生まれる・生じる
A come first：Aが第一に来る　とput A first：Aを最優先にする

例文 I came to see things from another point of view.
=情報
「私は他の視点からものごとを見るようになったのです。」

例文 I came to see Mr. Weinberg's concerns were reasonable.
=情報
「私にはワインバーグ氏の懸念が妥当なものに思えてきた。」

注意してほしいのはbecome to (do ~)とは言わないということです。becomeの後ろには不定詞はきません。

●── how come ＋ S ＋ V ～ ？：どうして S が V するのか？ 

whyと同じく理由を尋ねる表現ですが、「少し驚いて理由を尋ねる」感じで使われます。「**ええ？！なんで？**」という感じです。how comeの直訳は「どういうふうにして（そういう状況が）やって来るの？」です。

例文 How come you are hiding in a place like this?
「お前どうしてこんなところに隠れているの？」

how comeの後ろの語順に注意しましょう。疑問文の語順にはなりません。肯定文の語順です。また、過去形の文でもhow comeのcomeがcameになることもありません。How (does/did it) come (that) S + V ~ ？という構造があるのかもしれません。推測通りならば、かなりくだけた省略の仕方です。話し言葉でよく使われるのはそのせいかもしれません。

●── when it comes to 名詞・動名詞：（話が）～のこととなると

itは「今我々が話し合っている状況」です。ですから「when it comes to 話題」

は「我々が話し合っている状況がこの話題のところにやって来るときには」というのが直訳で、そこから「話が～のこととなると」となります。

例文 A lot of things took place in the 1990s when it comes to the evolution of information technology.

多くのことが／起きた／どの時間の枠内で？／90年代に／何のときには？／話がやって来る／どの話題に？／進化／何の進化？／情報技術

「情報技術の進化に関しては、1990年代に多くのことが起きた。」

→ 直訳は「情報技術の進化の話となると」

●── come into being：生まれる・生じる 

書き言葉で多く使われます。intoは変化を意味する熟語に使われる前置詞です。これまでとは違う世界の中へ入っていくという感じですね。comeの「実現」と合わせて、come into Aは「Aへの変化が実現する」ということです。それではbeingは何でしょう？ be動詞の根っこの意味は「**～という状態で存在している**」です。

> He is a painter.
> 「彼は画家という状態で存在している。」→「彼は画家だ。」
> She is in Los Angeles now.
> 「彼女は今、ロサンゼルスの中、という状態で存在している。」
> →「彼女は今ロサンゼルスにいる。」

ingがついて名詞化され、beingは「存在するもの」という意味になります。

> a human being ＝「人間性を持った存在」＝「人間」
> an intelligent being ＝「知的な存在」＝「知的生命体」

よって、come into beingは「存在するものへと実現する」という直訳を持ち、「生じる・生まれる」となります。

例文 The United Nations came into being after World War Ⅱ.
「国際連合は第二次世界大戦後に誕生した。」

●── A come first：Aが第一に来る　put A first：Aを最優先にする

どちらも「最も重要なもの」という意味で使われる表現です。A come first

は「**最初に来る＝最優先・最重要**」という意味です。

例文 For me, family always comes first. I would do anything to protect them.

「私にとっては常に家族が一番大切です。家族を守るためなら何でもするでしょう。」

A come first は自動詞ですので、「Aが自ずから、自然と、最初にやって来る」感じがしますが、put A first は他動詞ですので、「主語の意志で、Aを最初に持って来る」という「意識的な選択」の響きがあります。

例文 When his wife battled cancer, the singer pushed fame aside to put family first.

「自分の妻が癌と闘ったとき、その歌手は家族を最優先するために、自分の名声を脇へ押しのけた。」

復習問題

1.「私は他の視点からものごとを見るようになったのです。」

(another point, see things, I, of view, came, from, to).

2.「お前どうしてこんなところに隠れているの？」

(are hiding, come, you, in, how) a place like this?

3.「情報技術の進化に関しては、1990年代に多くのことが起きた。」

A lot of things took place in the 1990s (of, it, the evolution, when, to, comes) information technology.

4.「国際連合は第二次世界大戦後に誕生した。」

(being, the United Nations, after, into, came) World War Ⅱ.

5.「私にとっては常に家族が一番大切です。」

For me, (always, first, family, comes).

1.I came to see things from another point of view.
2.How come you are hiding in a place like this?
3.A lot of things took place in the 1990s when it comes to the evolution of information technology.
4.The United Nations came into being after World War Ⅱ.
5.For me, family always comes first.

Must

46

come②「起こる」

▶実現する、起こる、思いつく

●——A come across B：A が偶然 B に出会う

come自体は自動詞ですが、come acrossというかたまりは、一個の他動詞として使われます。comeには「実現する」という意味が潜んでいるので、ここでのcomeはhappenに近い意味を持ちます。acrossは「横切って」という意味の副詞ですから、come across Bは「Bを横切るような事態が起きる」という直訳になります。この「道でばったり」という感覚が「Bに偶然出くわす」という意味を生みます。

例文 I sometimes come across people =〔who have a very different way of thinking about democracy〕.

私　時々　人々に偶然出会う　その人たちはとても異なる考え方を持つ　どんな人々？　民主主義　何についての考え方？

「私は時々、民主主義についてかなり違う考え方を持つ人たちと出会うことがある。」

●——come up with A：A を思いつく

「思考」を海にたとえているかのような表現です。何かを思いつくために考え込むとき、思考の海に飛び込み、潜り、海の底に転がっている「アイディア」を見つけ、それを拾って、そのアイディアとともに（with the idea）、海面に浮上（come up）します。

例文 He came up with a great idea.　「彼はすごい考えを思いついた。」

A come across B：Aが偶然Bに出会う
come up with A：Aを思いつく
for years to comeとin (the) years to come:
これからずっと/将来のある時点で
be/have yet to come：まだ起きていない・これからだ
come what may：何があろうと

●── for years to come 上 in (the) years to come 人:「継続」と「時の一点」

これは不定詞の意味の１つである「～することに向かう」が反映された表現です。to come「これから来ることになる」から「未来の話」をしているわけです。to comeの前にはfor years、もしくはin (the) yearsといった言葉が来ます。

① for years to comeだと「**継続**」つまり「これから先何年間もずっと１つの状態が継続する」ということを表します。ロングマン現代英英辞典には、「あることが将来にわたって長い間続くことを強調するために使われる」とあります。

例文 The decision will paralyze the NYPD for years to come.
「その決定は今後ずっとニューヨーク警察の機能を麻痺させるでしょう。」
→単純に「今後」と訳されることも多い。機能麻痺の状態がずっと継続することを表す。

② 一方でin (the) years to comeは「**将来のある時点で**」ということを表します。for years to comeのような「状態の継続」や「期間」といった「幅」のイメージではなく「点」のイメージです。前置詞inのところで紹介している通り(第9項参照)、「in＋期間」は「今から～後」という時の一点を意味します。

> See you in two weeks.　「(今から) ２週間後に会いましょう。」

to comeが「やって来る未来」を表します。yearsは具体的な「数年」というよりは、漠然と「長い年月」という意味で使われています。これはfor years to comeでも同じです。

例文 In the years to come, we will take self-driving cars for granted.
「将来、自動運転の車は当たり前になっているだろう。」
→直訳は「やって来る長い年月の後」。

take A for granted：「Aを当然のものと思う」(第49項参照)

valuable information

in the years to comeにするか、in years to comeにするかについては「どちらでも良い」と言って良いでしょう。アメリカ英語ではin the yearsの方が約２割増しでin yearsより優勢です。一方イギリス英語では真逆で、in yearsが約２割増しでin the yearsよりも優勢です。ちなみに米英ともにfor the years to comeとは、ほとんど言いません。for years to comeがふつうです。

be/have yet to come：まだ起きていない・これからだ 

haveも使われますが、be動詞が使われる方が多く、その差はおよそ３倍です。yetという言葉の根っこの意味は「未到達」です。yetをalreadyやstillと比較することで知識を整理しましょう。

「まだ」のyetとstill

He hasn't come yet. 「彼はまだ来ていない。」
→「いまだ実現していない・未到達」

He is still there. 「彼はまだそこにいる。」
→「状況の静止・変わらない状態」がstillの根っこのイメージ。

「もう」のyetとalready

Has he come yet? 「彼はもう来た？（やっぱりまだかな）」
→「やっぱりまだかな」という「未到達」の気持ちが入っている。

Has he already come? 「彼はもう来たの？（早いね）」
→「予想より早い実現」に対する驚きがalready。

すると、yet to comeの直訳は「まだ来ていなくて、これからやって来る」となることがわかります。

例文 The best is yet to come.

「お楽しみはこれからだ。」
→ 直訳 一番良いところは、まだ（来ておらず）これからやって来るところだよ。

yet toの後にはcomeの他に「be＋過去分詞」が来ることもよくあります。

例文 The results are yet to be seen.

「結果はまだわからない。」 → 直訳 結果はこれから見られることに向かう。

come what may：何があろうと 

このmayを「かもしれない」と訳してもどうにもなりません。mayはwillと

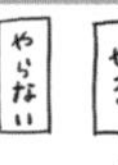

は違い、「自分の発言に責任を持たない」イメージがある言葉です。

He will come.　「彼は来るだろう。」
He may come.　「彼は来るかもしれない。わからないけど。」

この「わからないけど」というのがmay・mightの真骨頂です。「パタンと傾いて心が決まる」 willと違い、mayは「心が揺れっぱなし」なのです。

come what mayの「文法通り」の語順はWhat may comeで、mayのせいで「何が来るかわからない」という感覚が表れています。そしてcomeが強調されて文頭に来ていると考えられます。「来るなら来いよ！（何が来るかはわからないけど）」という命令にも見えます。

例文 Come what may, we will beat the virus.
「何があろうとも、我々はウイルスをやっつける。」

復習問題

1.「私は時々、民主主義についてかなり違う考え方を持つ人たちと出会うことがある。」
(people, sometimes come, who, I, across) have a very different way of thinking about democracy.

2.「彼はすごい考えを思いついた。」
(a great, up, with, he, idea, came).

3.「将来、自動運転の車は当たり前になっているだろう。」
(to, years, come, in, the), we will take self-driving cars for granted.

4.「お楽しみはこれからだ。」
(yet, come, the best, to, is).

5.「何があろうとも、我々はウイルスをやっつける。」
(may, come, what), we will beat the virus.

1.I sometimes come across people who have a very different way of thinking about democracy.
2.He came up with a great idea.
3.In the years to come, we will take self-driving cars for granted.
4.The best is yet to come.
5.Come what may, we will beat the virus.

Must
47

turnが作る熟語

▶「くるりと回る」が生む、いろいろな意味

turnは「くるりと回る」ことを表す動詞です（イラスト左側）。そして、イラストの右側の図にあるように、名詞では「回っていくもの＝順番」という意味も出します。単純な動きであるがゆえに、比喩的にいろいろな意味に使われます。

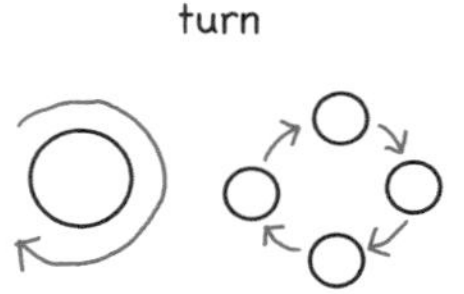

●── turn A down：A を拒絶する・却下する 

「くるりと回して下にやる」ですから、器をひっくり返して、水を下に捨てるようなイメージです。これが比喩的に「拒絶・却下」の意味で使われます。Aのところに入る言葉は、itならば「提案内容」を意味し、「人」なら「提案をした人間」を意味するのがふつうです。

例文 I know what it means to accept the offer. I should turn it down.

「そのオファーを受けることが何を意味しているかはわかっている。私は断るべきだろう。」

例文 They tried to turn him down without hurting his feelings.

「彼らは彼の気持ちを傷つけずに彼を断ろうとした。」

ちなみに、declineという動詞が「断る」という意味を持つのも同じ仕組みです。de（下へ）＋cline（曲げる・傾ける）で、「減少する・下りになる」という意味と同時に「丁寧に断る」という意味も出します。

turn A down：Aを拒絶する
turn to A：Aに頼る
turn on A：Aをオンにする・Aに急に襲い掛かる
turn A on to B：（主語）のおかげでAがBに興味を持つようになる
in turn：順番に・交互に・今度は

●── turn to A：A に頼る 

depend on Aやrely on A、live on Aなど、「頼る」を意味する熟語にはon（〜の上に乗っかる＝支えてもらう＝頼る）がつきものなのですが、turn to Aはonがつきません。つまり、少しイメージが異なります。

この表現が表すのは「Aの方を向く」ということです。イラストにあるように、困った人が、振り返って、頼りたい相手の方を向くというイメージです。「乗っかるイメージ」のonを使った「頼る」表現とはまた一味違う感じがわかると思います。もちろん、「頼る」という比喩的な意味抜きに、ただ物理的に「〜の方を向く」という意味でも使います。

例文 He turned to me and said, "What do you make of this?"
「彼は私の方を向いて言った。『これについてどう思う？』」

What do you make of A? に関しては第19項を参照。

例文 I don't know who else I should turn to.
「他に誰を頼ればいいのかわからないんだよ。」

●── turn on A：A をオンにする・A に急に襲い掛かる 

「つまみをひねってスイッチをオンにする」が「〜（のスイッチを）つける」を意味するturn onの基本的な意味です。

例文 Turn on the light.　「灯りをつけてちょうだい。」

しかし、これも別のとらえ方をすることができます。onには「上に乗る」→「のしかかる、圧力をかける」という意味がありますから（第13項参照）、turn onの、くるりと振り返って（turn）、誰かに圧力をかける行為をする（on）というイメージが、「〜に急に襲い掛かる」という意味を生み出します。

例文 The man suddenly turned on the TV reporter.

「その男は急にテレビレポーターに襲いかかった。」

→突如TVレポーターの方を向き、のしかかっていくイメージ。

●—— turn A on to B：（主語）のおかげで A が B に興味を持つようになる

turn on Aは「Aをスイッチオンにする」（つまみを「回し」てonにする）ということですが、その応用表現がこれです。turn A onで「Aのスイッチを入れる」で、to Bで「Bに対して」です。合わせて「Bに対するAのスイッチを入れる」ということになります。

例文 Takashi turned me on to rap music.

タカシ　私をスイッチオン　ラップ音楽

何に対してスイッチオンにした？

「タカシのおかげで私はラップ音楽に興味を持つようになった。」

→ 直訳 タカシがラップ音楽に対する私のスイッチを入れた。

●—— in turn：順番に・交互に・今度は 

ここまでは動詞のturnを使った表現を解説してきましたが、in turnは、名詞のturnを使う表現です。名詞のturnには「回転・方向転換」という意味はもちろんありますが、「順番」という意味もあります。なぜなら順番とは「回る・回って来る」ものだからです。

Now, it's your turn.　「さぁ、君の番だ。」

順番とは一種の秩序であり、秩序には「枠からはみ出ないようにすること」というイメージがあります。in order「順序通りに、規則に従って、秩序を保って」にinが使われていることからもわかるでしょう（第10項参照）。「順番に・交互に・今度は」を表すin turnにも同じように「秩序の枠内」という意味でinが使われていると考えられます。

in turnの複数の意味がどういうイメージから出て来るのかを見ていきましょう。「3つ以上のものが並んでいて、順番が回っていく様子」が「順番に」です。

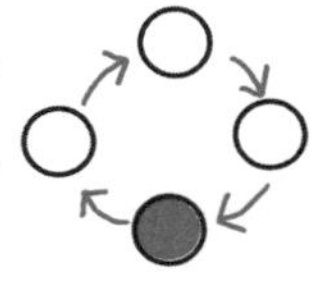

例文 Ten people said the same word in turn.

「十人の人間が同じ単語を順番に口にしていった。」

一方、並んでいるものが２つだけなら、そこを回る順番は「交互に」移り変わっていくはずです。そこで「交互に・交替で」という意味も in turn には出てきます。

例文 Jane and I said the same word in turn.

「ジェーンと私は同じ単語を交互に口にした。」

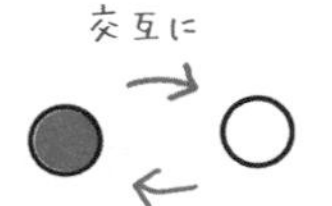

さらに、「順番がかわる」＝「さっきは△△がやっていたことを、今度は○○がやることになる」という意味にも変化していきます。and, in turn, ～という形がよく見られます。

例文 Jeff helped his friends to be successful, and, in turn, he himself became very successful.

「ジェフは友人たちの成功を手助けし、そして今度は、自分自身が大きな成功を収めた。」

復習問題

1. 「彼らは彼の気持ちを傷つけずに彼を断ろうとした。」
   (tried to, him down, they, without, turn) hurting his feelings.
2. 「他に誰を頼ればいいのかわからないんだよ。」
   (who else, I don't, I should, to, know, turn).
3. 「その男は急にテレビレポーターに襲い掛かった。」
   (on the, the man suddenly, turned, TV reporter).
4. 「タカシのおかげで私はラップ音楽に興味を持つようになった。」
   (me on, turned, rap music, to, Takashi).
5. 「ジェーンと私は同じ単語を交互に口にした。」
   (said, in, the same, Jane and I, word, turn).

1.They tried to turn him down without hurting his feelings.
2.I don't know who else I should turn to.
3.The man suddenly turned on the TV reporter.
4.Takashi turned me on to rap music.
5.Jane and I said the same word in turn.

Must

48

turnが作る慣用表現

▶turn と体の部位を使って

ここからは比喩的な意味が強い、体の部位を使ったturnの慣用表現を紹介します。

●── turn a deaf ear to A：A に耳を全く貸さない・無視する 

deafは形容詞で、「耳が不自由な」という意味ですから、a deaf earは「1個の聞こえない耳」です。耳というのはふつう２つあるものなのに、なぜa deaf earなのか、earsではないのか、不思議に思う人もいるでしょう。人が注意深く何かを聞こうとするときには、首をかしげて片方の耳を対象に近づける仕草をします。ここからa deaf earとなったのではないかと考えられます*。

turn A to Bは「Aを（くるりと回して）Bへと向ける」ということなので、turn a deaf ear to Aは「聞こえない耳をAに向ける」＝「聞いてくれない・耳を貸さない」という意味になります。

例文 My boss turned a deaf ear to my proposal.

私の上司　向けた　聞こえない耳　何に対して？　私の提案

「私の上司は私の提案に耳を貸さなかった。」

toの後ろに来る言葉はmy proposal（提案）、their criticism（批判）などの「聞

* 「片方の耳が聞こえない人がいて、その人が聞こえない側の耳を向けた」ということなのでは？と思う方もいるかもしれませんが、それだと the deaf ear となるはずです。「２つあるうちの、聞こえる方ではなくて、聞こえない方の耳だよ」という区別を表すからです。これは「２つあるうちの残りの一方」という、the other にも通じる感覚です。

turn a deaf ear to A：Aに耳を全く貸さない・無視する
turn a blind eye to A：Aを見て見ぬ振りをする
turn one's back on A：Aに背を向ける・見捨てる
turn up one's nose at A：Aを鼻であしらう・馬鹿にする
turn one's stomach：〜をむかつかせる

こえて来る内容」のときもありますし、「turn a deaf ear to him」など「人」のときもあります。しかし、「聞こえて来る内容」の方が多数派です。himのような「人」であったとしても、「人（の意見・提案）」が隠れています。

●── turn a blind eye to A：A を見て見ぬ振りをする

先ほどのturn a deaf ear to Aと同じ構造です。しかし耳とは違って、ふつう「目」は２つとも対象に向けるはずなのですが、やはり単数形のa blind eyeになっています。はっきりした由来は私にもわかりません。このイラストのように片目だけ見えていて、もう一個の目は見ていない（a blind eye)、ということかと推測しています。見て見ぬ振りですから、半分は見ていないわけですね。こういった感覚が単数形a blind eyeの土台になっているのかもしれません。

例文 We must not turn a blind eye to bullying.
「我々はいじめに対して見て見ぬ振りをしてはいけない。」

●── turn one's back on A：A に背を向ける・見捨てる

「〜の背中をAに向ける」というのが直訳です。ポイントは前置詞onです。on Aは「Aの上に」ということですが、これは「Aに対する圧力」を意味します。

例文 He slammed the door on me.　「彼は（私に）怒ってドアをバタンと閉めた。」

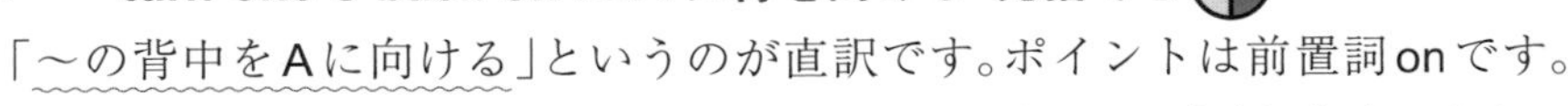

上の例文のようなonを仮に「**あてつけのon**」と呼びましょう。この例文では「私」への怒りのために「彼」がドアをバタンと閉めていて、「私の上にのしかか

る怒り」を表します。give up on A（Aを見捨てる）のonも同じです（第14項参照）。

例文 The government turned its back on the asylum seekers.

政府　くるりと向けた　背中　その亡命希望者たち
誰に見捨てる圧力をかける？

「政府は亡命希望者たちを見捨てた。」

上記のような比喩的な使い方以外にも、実際に物理的に背を向け、怒りを表す用法もあります。

例文 He turned his back on her and walked away.

「彼は（怒って）彼女に背を向け、歩いて行ってしまった。」

●—— turn up one's nose at A：Aを鼻であしらう・馬鹿にする 

イギリス英語ではturn one's nose up at Aという語順の方がポピュラーです。turn up one's noseにしろ、turn one's nose upにしろ、イラストにあるように、クルリと鼻の穴を見せるようにして鼻が上を向いている様子を表します。「自分に与えられたものが不十分であると感じる」ときにこの表現は使われますが、人間の本能的な動作をよくとらえた表現です。

前置詞atにも注目です。第5項で説明した「動く一点に照準を合わせるat」、第8項で説明したtalk atと同じく、「標的」のatがこの表現にも使われています。この種のatは攻撃の標的という意味で使われることがよくあります。

例文 I asked Kate out for dinner but she turned up her nose at me.

私はケイトをディナーに誘ったが　彼女　上にくるりと向けた　鼻　私
誰を標的にして？

「私はケイトをディナーに誘ったが、鼻であしらわれた。」

●── turn one's stomach：～をむかつかせる

文字通り「～の胃袋をひっくり返す」です。主語には「むかつく原因」がやってきます。

例文 The smell of the animals turned my stomach.

その動物たちの匂い　ひっくり返した　私の胃袋

「その動物たちの匂いで私はひどく気分が悪くなった。」

上のように文字通り物理的に気分が悪くなることも、下のように比喩的に使うこともできます。

例文 The very thought of it turned her stomach.

まさにそれを思い浮かべること　ひっくり返した　彼女の胃袋

「そのことを考えただけで、彼女は気分が悪くなった。」

復習問題

1. 「私の上司は私の提案に耳を貸さなかった。」
   (a deaf, my boss, my proposal, to, ear, turned).
2. 「我々はいじめに対して見て見ぬ振りをしてはいけない。」
   (to, we, eye, must not, a blind, bullying, turn).
3. 「政府は亡命希望者たちを見捨てた。」
   (its, turned, the government, on, back) asylum seekers.
4. 「私はケイトをディナーに誘ったが、鼻であしらわれた。」
   I asked Kate out for dinner but (at, she, me, turned, her nose, up).
5. 「そのことを考えただけで、彼女は気分が悪くなった。」
   The very thought (stomach, it, her, of, turned).

1.My boss turned a deaf ear to my proposal.
2.We must not turn a blind eye to bullying.
3.The government turned its back on asylum seekers.
4.I asked Kate out for dinner but she turned up her nose at me.
5.The very thought of it turned her stomach.

Must
49

その他の基本動詞を使った表現その1

▶あの「have to」じゃないhave to

●—— take A for granted：Aを当然のものと受け止める 

takeは「取る」ですが、日本語で「人の言葉や態度を、そういうふうに『取る』」、と言うのと同じ感覚で、ここでは「解釈する」という意味で使われています。grantedは「願いが聞き入れられている」ということです。つまり、「願いは叶っている。だから安心して良い」という感覚です。

ここでのforは「**等価**」という意味で使われています。forには目標や理由のほかに「代理・交換」という意味があります(第30項参照)。交換というのは「等価のものと引き換える」ということです。例えばHe bought the car for 30,000 dollars.（彼は3万ドルでその車を買った。）なら、車と3万ドルを引き換えていることになりますし、その裏には、その車と3万ドルが等価であることも暗示されます。これをtake A for grantedに当てはめてみます。

例文 I was stupid. I took her love for granted.

私　解釈した　彼女の愛　　叶えられている

何と等価？

「私は愚かだった。私は彼女の愛を当然のものと考えていた。」

→「彼女の愛」と「叶えられている」が等価。ここから「彼女の愛を得るという願いが叶えられているものとして」という意味に。

その他のこのようなforの使い方には、「give up A for B」（BだとしてAをあきらめる）というのがあります。

She gave up her missing dog for dead.

「彼女は行方不明の自分の飼い犬を死んだものとしてあきらめていた。」

take A for granted：Ａを当然のものと受け止める
what it takes：素質・才能
have to do with A：Ａと関係がある
call for A：Ａを要求する
call up A：Aに電話をかける

take A for grantedの語順に関してですが、Aの情報が長くて重い場合、takeの後ろに抽象的で軽い情報である、「状況」を意味する仮目的語のitが置かれ、for grantedの後ろに改めて「状況」を説明するthat S + Vが置かれます。take it for grantedはそれ自体で耳慣れた情報なので先に言っておいて、脳が処理しにくい、新しく重い情報は後でゆっくり、というのが英語の語順です。

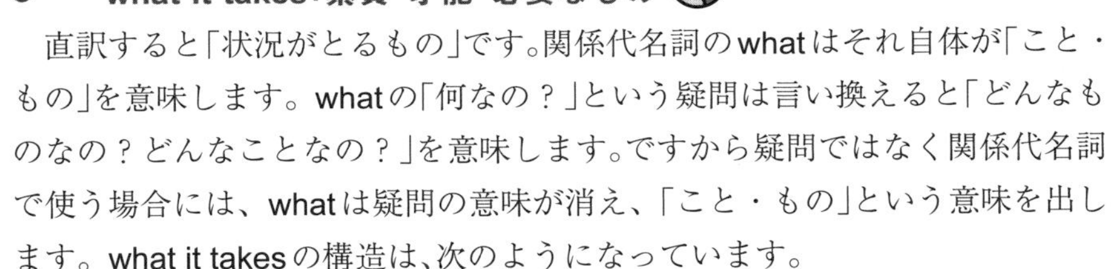

「彼女は僕が毎週末、ディナーを御馳走してあげるのを当然のことと思っているようだ。」

●── what it takes：素質・才能・必要なもの

直訳すると「状況がとるもの」です。関係代名詞のwhatはそれ自体が「こと・もの」を意味します。whatの「何なの？」という疑問は言い換えると「どんなものなの？どんなことなの？」を意味します。ですから疑問ではなく関係代名詞で使う場合には、whatは疑問の意味が消え、「こと・もの」という意味を出します。what it takesの構造は、次のようになっています。

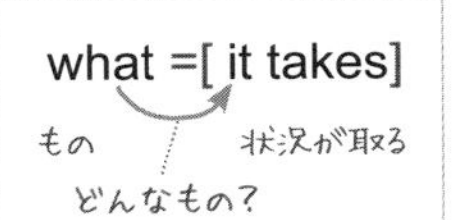

what it takesのitが指す状況は「夢や目標を叶えること」です。こうしてwhat it takesの「夢や目標を叶えることが取るもの＝かかるもの・必要なもの」という意味が出てきます。これを一言で言うと「素質」であり「才能」になります。

例文 She has what it takes to be a great leader.

「彼女は偉大な指導者になる資質を持っている。」

→直訳 偉大な指導者になるためにかかるものを持っている

抽象的なitの内容は、後続するto不定詞句（ここではto be a great leader）で具体的に説明されるのがふつうです。これは、下の例文のit（状況）とto get to the nearest city（状況の具体的内容）の関係と同じです。

It takes two hours to get to the nearest city.

「最寄りの町に到着するには2時間かかる。」

●—— have to do with A：Aと関係がある

「～しなければいけない」のhave toとは全く無関係な表現でhave something to do with A（Aと何らかの関係がある）からsomethingが省略された形です。では、なぜこれが「関係がある」という意味を出すのでしょうか？

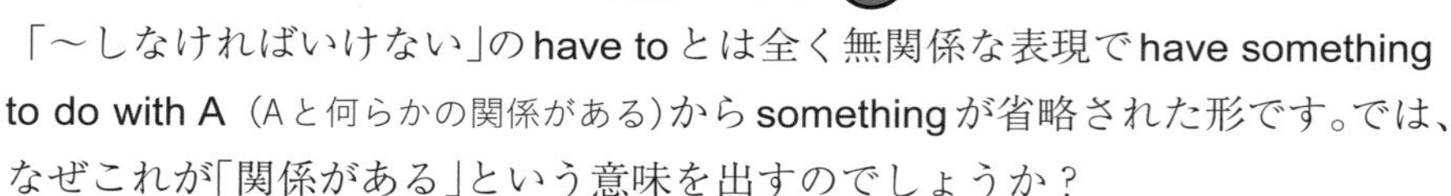

上のような不定詞の表現にwithを加えると、下のように「私はその自動車事故と一緒にやることがちょっとある。」という直訳が出来上がります。

I have something to do with the car accident.

「一緒に何かやることがある」ということは、「関わりがある」ということです。そこから「私はその自動車事故に少し関わりがある。」という意味が出ます。

somethingの代わりにmuch（大いに関係がある）、nothing（何の関係もない）、little（ほとんど何の関係もない）なども入ります。

例文 She now has little to do with the group she founded.

「彼女は今では、自分が創設したグループにほとんど何も関係がなくなっている。」

そしてhaveとto doの間に何も入れない場合もあります。

例文 The government's new policy has to do with our private life.

「政府の新しい方針は私たちの私生活に関わるものだ。」

whatを使って「一体Aと何の関係があるの？」という質問でもよく使われます。

例文 What does this have to do with our new project?

「これが我々の新規プロジェクトと、何の関係があるんですか？」

●── call for A：Aを要求する 

callは「呼ぶ」ということですが、人間は何か要求があるから声を上げて人を呼ぶものです。「要求」とは、何かの「目的」を相手に突きつけることですから、前置詞にforが来るのもわかりやすいですね。call forの直訳は「～を目的として、叫び声を上げる」。ここから「～を要求する」という意味になります。

例文 People took to the streets and called for an end to the lockdown.

「人々はデモを行い、ロックダウンの解除を求めた。」

take to the streets：「デモをおこなう」

また、callを名詞として、「～の要求」という意味でも使えます。

例文 There is an increasing call for an end to the lockdown.

「ロックダウンの解除を求める声が高まっている。」

→ 直訳 ロックダウンの終了のための、増加しつつある要求がある。

●── call up A：Aに電話をかける 

ご存知の通りcallだけでも「電話をかける」という意味がありますが、call upにすると、直訳は「呼び起こす」で、「電話で人にせっつく」というイメージが強くなります。upは「相手を活動させる」という意味です。get 人 upで「人を起こす」ですが(第36項参照)、電話で相手の神経を「起こし」て、動かし、電話の前に呼びつける感じです。辞書を引くとcall upには「(記憶や霊、情報を)呼び起こす」という意味もありますし、「選手を選抜する」「兵員を招集する」という意味もありますが、upの「人を起こす」感覚が感じられます。

例文 If you feel like you had a good time, don't be afraid to call him up and ask him out.

「もし、楽しい時間を過ごせたと思ったなら、カレに電話してデートに誘うことを躊躇(ためら)わないで。」

→ただ電話をかけるというより、「呼び起こす」イメージ。

call up人

up

be afraid to do ~：「怖くて～できない」

ask 人 out：「人をデートに誘う」(直訳 人に頼んで外に出る)

※復習問題は、次項の最後にまとめて掲載します。

Must
50
その他の基本動詞を使った表現その2

▶文字通りに見える絵を考える

●—— fall back on A：Aを最後の拠り所とする・いざというときに頼る 

fall back on Aの直訳は「後方に崩れてAの上に倒れる」ですし、物理的にその通りの意味で使う時もあります。小説などでは情景描写に、「文字通りの意味」でよく使われます。

I **fell back on** my bed.
「私は背中から自分のベッドに倒れ込んだ。」

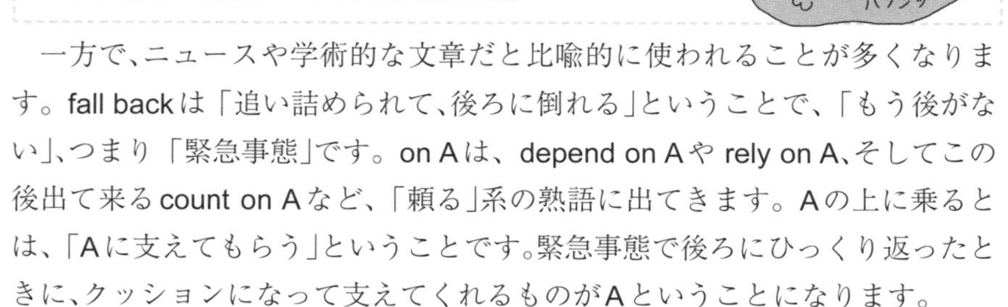

一方で、ニュースや学術的な文章だと比喩的に使われることが多くなります。fall backは「追い詰められて、後ろに倒れる」ということで、「もう後がない」、つまり「緊急事態」です。on Aは、depend on Aや rely on A、そしてこの後出て来るcount on Aなど、「頼る」系の熟語に出てきます。Aの上に乗るとは、「Aに支えてもらう」ということです。緊急事態で後ろにひっくり返ったときに、クッションになって支えてくれるものがAということになります。

例文 You should have **something to fall back on**, and foreign language skills are that for me.
「**いざというときに何か頼れるもの**を持っておいた方がいい。私にとっては外国語のスキルがそうだ。」

●—— can't stand A：Aには耐えられない・我慢できない 

standは自動詞では「立つ」です。自分が自分でやる動きだから自動詞で、自分が他者に働きかける動きが他動詞です。stand Aは他動詞で、Aに対し「立つ」という力を働かせるわけですから、「立たせる」という意味になります。

fall back on A：Aを最後の拠り所とする・いざというときに頼る
can't stand A：Aには耐えられない・我慢できない
stand for A：Aであることを表す
It turns out that S + V ~：結局〜だとなる・だとわかる
count on A：Aをあてにする

---

can't stand Aは「Aを立たせることができない」=「Aを支え切れない」という意味で、「我慢できない」です。

例文 I can't stand this heat!
「この暑さにはがまんならない！」

I can't stand this!

●—— stand for A:A であることを表す 

このstandは「石碑が立っている」イメージでとらえると良いでしょう。石碑は「何かを表すために」立っています。stand forは、何かの意味を表すために「言葉」が立っているイメージです。

この石碑は○○という理由でたってますよ

例文 UN stands for the United Nations.
「UNは『国際連合』を表す。」

●—— It turns out that S + V ~:結局〜だとなる・だとわかる

状況がくるりとひっくり返った(turn)結果、意外な状況が外に出て来る(out)というイメージを持つ表現です。仮主語itが意味する「状況」の内容をthat以下が具体的に説明する形をとります。

例文 It turned out that he didn't run for the election.
状況
現れた
彼は選挙に立候補しなかった
状況の詳しい内容はこちら

「結局彼は選挙には出なかった。」

run for A：Aに立候補する

「イベント turn out 出来栄え」というパターンもあります。「結局どうなったのか」ということを表します。

例文 The presentation turned out very well.

イベント　　　　出来栄え

「プレゼンはとてもうまくいった。」

●—— count on A：A をあてにする 

例えば日本語でも「数のうちにも入らない」と言えば「重要ではない」という意味になるのと同様に、countには「数のうちに入る」＝「重要だ」という意味があります。

First impressions do count. 「第一印象は実際、重要だ。」

→肯定文のdo/doesは動詞を強調する。

count on Aのcountは「心の中で数のうちに入れている」、on Aは「Aの上に乗る＝Aに支えてもらう＝Aに頼る」です。

例文 You can count on me. 「僕をあてにしていいよ！」

countを文字通り「数のうちに入れる」という意味で使う表現はcount inとcount outです。

Will you go out for a drink tonight? If so, count me in.

「今夜飲みに行くの？なら私も入れてよ。」

count 人 in

1 2 3 4 ⑤ 6

Can you count me out of the party on this coming Saturday?

「今度の土曜日のパーティ、私を外しておいてくれない？」

復 習 問 題

1.「彼女は僕が毎週末、ディナーを御馳走してあげるのを当然のことと思っているようだ。」
(to take, she, for, seems, granted, it, that) I buy her dinner on weekends.

2.「彼女は偉大な指導者になる資質を持っている。」
(to be, has, she, takes, a great leader, what it).

3.「これが我々の新規プロジェクトと、何の関係があるんですか？」
（ our new project, does this, with, to, what, do, have ）？

4.「人々はデモを行い、ロックダウンの解除を求めた。」
People took to the streets and (an end, for, the lockdown, called, to).

5.「カレに電話してデートに誘うことを躊躇わないで。」
(to call, don't, afraid, him up, be) and ask him out.

6.「いざというときに頼れるものを何か持っておいた方が良い。」
(have something, back on, should, fall, you, to).

7.「この暑さにはがまんならない！」
(this, I, heat, stand, can't)!

8.「UNは『国際連合』を表す。」
(for, stands, the United Nations, UN).

9.「結局彼は選挙には出なかった。」
(that, he, out, it, turned) didn't run for the election.

10.「僕をあてにしていいよ！」
(me, can, you, on, count).

1.She seems to take it for granted that I buy her dinner on weekends.
2.She has what it takes to be a great leader.
3.What does this have to do with our new project?
4.People took to the streets and called for an end to the lockdown.
5.Don't be afraid to call him up and ask him out.
6.You should have something to fall back on.
7.I can't stand this heat!
8.UN stands for the United Nations.
9.It turned out that he didn't run for the election.
10.You can count on me.

Must
51

call it a dayのaが表すもの

▶今日はこれでおしまい、の気持ち

"Let's call it a day."
「今日はここまでにしましょう。」

英語学習者の多くの人にとって耳馴染みのあるフレーズですね。これをとり上げた理由は、このフレーズが、冠詞のaの働きを理解するのに興味深いサンプルだからです。

aというのは**可算名詞**につくものです。

可算名詞と**不可算名詞**の違いの1つは、「それ以上崩したら、それとは呼べなくなる**形**として認識されているかどうか」です。

机を例にとりましょう。

机を砕いたその破片を見て、それを机とは呼びません。机の形がそろっているからこそ、我々はその物体を机と呼びます。「形」が完全体として存在することが可算名詞であり、それが「1つまるごと」そろっているときに、冠詞のaがつきます。

一方で、不可算名詞はこの「形」が存在しません。

日本語でチョコレートは「1個」と言えそうですが、チョコレートは割っても、割っても、まだチョコレートです。これ以上崩したらチョコレートと呼べなくなる「基準の形」は存在しません。人はチョコレートを形ではなく「**材質**」として認識していることがわかります。

英語の世界で「1個」と言うとき、それは「形が1つ丸ごとそろっていること」を指すのです。

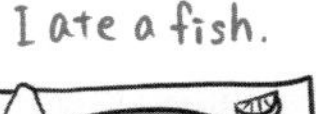

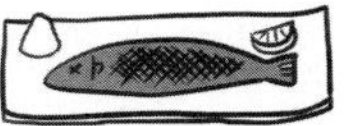

すると、例えばa fishはaがついているので「形が丸ごとそろった魚」であることがわかります。しかしsome fishのようにaがなくなると、「魚の肉片」であることがわかります。肉片はいくら切っても肉片で、チョコレートと同じく「材質」として認識されます。

さて、Let's call it a day.についてです。

a dayのaの働きがわかりましたか？「１日として形がまるごとある」=「１日の完成」です。call it a dayは、「今のこの状況（it＝状況）を完成した１日と呼ぶ」=「１日の終わり」ということになるわけです。

「１個の形の完成」を表すaはmake a difference（第39項）やmake a name as A（第39項）、serve a term（第52項）にも見られます。

Let's call it a day.の応用編はいろいろあり、Let's call it a night.（今夜はここまでにしよう。）という言い方もありますが、目を引くのはlet'sを使わないパターンが非常に多いということです。

例文 Don't just finish writing an essay and call it a day.

「ただエッセイを書き終えてそれで終わり、というふうにはしないでください。」

例文 Why not just nail some stars to the roof and call it a day?

（家の外装の飾りつけに関して）「屋根にいくつか星を釘で打ちつけて、それで終わりにしない？」

このように「何かの行為＋call it a day」で「（何かの行為をして）それで終わりということにする」という意味で使われる例が目立ちます。この場合、call it a dayのitは前述の行為の内容を指しています。

英熟の鬼
100

第3章

由来がわかると見えてくる言葉

Must
52

termという言葉

▶根っこは「これで終わり」の境界線

termという単語は様々な意味を持ち、正体が掴みにくい言葉です。

termから派生した言葉を見てみましょう。a terminal stationは「終着駅」、シュワルツェネッガーの映画The Terminatorは「問題を終結させる人」です。termは「果て・終わり・限界・境界線」を意味するラテン語から始まり、その子孫のフランス語では「時間や期間の終了点」という意味になり、そして英語に入ってきました。「**これで終わり（の点・線）**」を根っこの意味にしてtermを考えると理解が進みます。ちなみに、熟語でのtermは多くの場合複数形termsで使われます。

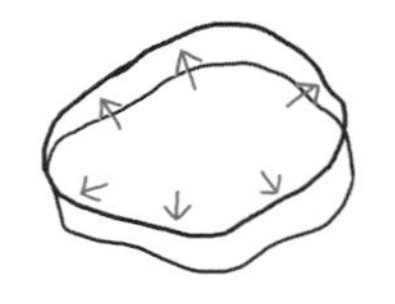

●—— serve a term：任期を全うする・刑期をつとめる

serveは「奉仕する」が根っこの意味です。termはa spring term（春学期）にもあるように、「学期や会期などの期間」を意味します。「時間の範囲はここで終わり」ということですね。a termは、冠詞aがあることでわかる通り（第51項参照）、「1つの任期まるごと」を意味します。serve a termは、役職というポジティブな意味でも、刑期というネガティブな意味でも、与えられた期間まるごと、献身的につとめるという意味で使われます。

例文 Abe Weiler served a term as chairman of the New York Film Critics Association.

務めた　1つの任期丸ごと　議長として　ニューヨーク映画評論家協会の

「エイブ・ウェイラーはニューヨーク映画評論家協会の議長をつとめた。」

serve a term：任期を全うする
in terms of A / in A terms：Aの観点で
in layman's terms：素人にもわかる言い方で
come to terms with A：Aをあきらめて受け入れる
be on 〜 terms with A：Aと〜な仲だ

例文 He served a term in prison for robbing a bank.

彼　務めた　1つの刑期丸ごと　刑務所で　銀行強盗が理由で

「彼は銀行強盗の罪で服役した。」

●── in terms of A / in A terms :A の観点で

termには「用語」という意味があります。例えばa technical term（専門用語）とか、a term of abuse（悪い言い方）とかですね。

'Nerd' is used as a term of abuse.「ナード（オタク）は悪口として使われる。」

ナード　使われる　悪口として

abuse：「乱用」、「虐待」

これは「この言葉が表す意味の範囲はここで終わり」という感覚から来ており、「定義」を意味するdefinitionと同じ感覚です（de（強調、明確化）+ finition（＝finish終わり）→ "言葉の意味がここで明確に終わる"）。そして、「意味の範囲」は「枠内」のイメージですから、前置詞inと共に使われます。termsという複数形で使われることに注意してください。

言葉の意味

例文 South Africa is a regional leader in terms of economic development and industrialization.

経済発展と工業化

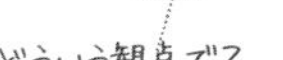

「南アフリカ共和国は経済発展と工業化という意味で、地域のリーダーである。」

「in 形容詞 terms」は「**〜な言い方をすれば**」と訳せる表現です。１つの事実も、切り取り方によって見え方は変わるものですが、その「切り取り方」が形容詞で表されています。コーパスによると使われる形容詞はin real terms（実質的に)が筆頭、in general terms (一般的に言えば)が続きます。

例文 Defense budgets were cut, in real terms by 40 % in the last decade.
防衛費 削られた 実質的に40% 過去10年の間

「防衛費は過去10年間、実質的に40%削られていた。」

例文 When foreign people talk about Japanese people in general terms,
時 外国人 話す 日本人について 一般的な言葉で

they often think of very shy and obedient people.
彼ら よく思い浮かべる とても内気で従順な人たち

「外国人が日本人のことを一般的な言葉で語るとき、彼らはよく、おとなしくて従順な人たちのことを思い浮かべている。」
→「細かな違いを削ぎ落とし、ざっくりとまとめていうと」ということ

●—— in layman's terms:素人にもわかる言い方で

laymanは「門外漢」「素人」、より古くは「聖職者ではない、世俗の人」です。layは「置く」を意味する動詞のlayではなく、古フランス語から英語に入ったラテン語由来の「非聖職者の」を意味する形容詞です。中世まで、修道院などの宗教施設が知識の集積所でした。聖書を研究するために読み書きを学びさらにそのおかげで様々な書物を読めたからです。逆に言えば世俗の人たちはそういう機会がない、無学な人々でした。

例文 In layman's terms, what are Omega-3 fatty acids?
「素人にもわかる言い方で言えば、オメガ3脂肪酸というのは何なのですか?」

●—— come to terms with A:Aをあきらめて受け入れる 

termsは「状況・条件」という意味で使われることもあります。必ずtermsという複数形で使います。この「状況・条件」は「これ以上おこなってはいけないという制限の境界線」という「不自由なイメージ」を持つことがよくあります。come to termsで「不自由な状況にやって来る」=「制限された状況に来てしまったので、受け入れる」というあきらめの気持ちが表れています。with Aは「Aと共にうまくやっていく」感じです。

例文 She is trying hard to come to terms with her own past.

「彼女は自身の過去を受け入れようと一生懸命努力している。」

●—— be on ～ terms with A：A と～な仲だ 

例えばfirst name termsなら「下の名前で呼び合う親しい仲」ですし、「speaking terms」なら「言葉を交わす仲（悪くもないけれど、特別良くもない関係）」です。そう言った人間関係の舞台上（on）でお互いが交流しているということですね。termsは「どのような条件下の人間関係なのか」を表します。

例文 Amy and I are on first-name terms.

「エイミーと私は下の名前で呼び合う仲なの。」

復習問題

1. 「彼は銀行強盗の罪で服役した。」
   (a term, he, in, prison, served) for robbing a bank.
2. 「防衛費は、実質的に40％削られていた。」
   Defense budgets were cut, (by, in, 40%, real, terms) .
3. 「素人にもわかる言い方で言えば、オメガ３脂肪酸というのは何なのですか？」
   (layman's, terms, in), what are Omega-3 fatty acids?
4. 「彼女は自身の過去を受け入れようと一生懸命努力している。」
   She (to come, is trying, terms, hard, to, with) her own past.
5. 「エイミーと私は下の名前で呼び合う仲なの。」
   Amy and I (on, terms, are, first-name).

1.He served a term in prison for robbing a bank.
2.Defense budgets were cut, in real terms by 40%.
3.In layman's terms, what are Omega-3 fatty acids?
4.She is trying hard to come to terms with her own past.
5.Amy and I are on first-name terms.

Must

53

respectとregardという言葉

▶respectに「尊敬」以外の意味がなぜ出るのか

respectとregardは成り立ちと意味に似通ったところがあります。

respectの語源はre（再び→戻る）＋ -spect（見る、目をやる）で、「振り返る」です。思わず振り返るほど対象に注意を払うので、「尊敬する」だけでなく「尊重する・軽視しない」の意味も持ちます（筆者は「軽視しない」がrespectの中心的意味だと思っています）。一方regardの語源はre（再び→強く）＋ -gard（目をやる・注意を払う）です。「警備する」という意味のguardと同じ語源です。強く注意を払うという意味で両者は共通しています。

●── with respect/regard to A：Aに関しては

respectが「尊敬する」に加えて「〜に関して」という意味も持つのはなぜでしょう。振り返って見てしまうほど注意を払うのがrespectですから、「ある話題に注意を向ける」＝「この話題に関して話している」ということにもなるわけです。一方でregardも、語源的に「強く注意を払う」という意味ですから、同じ働きが出ます。直訳は、with respect/regardで「注意と一緒にいる」＝「注意を持っている」、to Aで「A（という話題に）に対して」。合わせて「Aという話題に対する強い注意を持って」です。

例文 With respect to hurricanes, we have little option but to adapt.

ハリケーンに関して　我々　持っている　ほとんどない選択肢　何を除いて？　適応すること

「ハリケーンに関しては、適応していく以外にほとんど道はない。」

with respect/regard to A：Aに関しては

「in this/that regard：この点・その点に関しては」と「respectively：めいめい・それぞれ」

regardless of A：Aに関係なく

with all due respect：お言葉ではございますが

as regards A：Aに関しては

例文 The president of Syria crossed a clear international red line with regard to the use of chemical weapons.

シリアの大統領は　越えた　明確な国際的レッドライン　何に関して？　使用　何の使用？　化学兵器の

「シリアの大統領は化学兵器の使用に関して、国際的なレッドラインを明確に越えてしまった。」

aboutの「～について」などに比べて、非常に堅い文体に使われる表現です。

●──「in this/that regard：この点・その点に関しては」と「respectively：めいめい・それぞれ」

regardは「注意を払う」、前置詞inは「枠内」ですから、in this regardの直訳は「この注意の枠内で」。話題の中で注意を向けている点（＝話題）を表します。

例文 The U.S. still has an edge on China in this regard.

「この点においては、米国はいまだに中国より優勢である。」

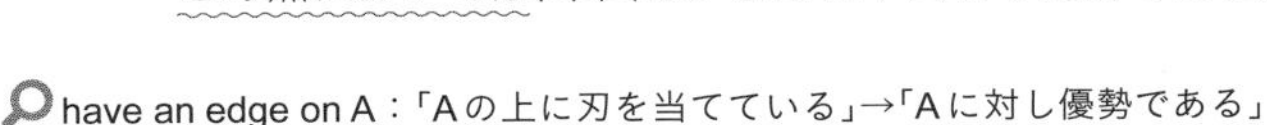

have an edge on A：「Aの上に刃を当てている」→「Aに対し優勢である」

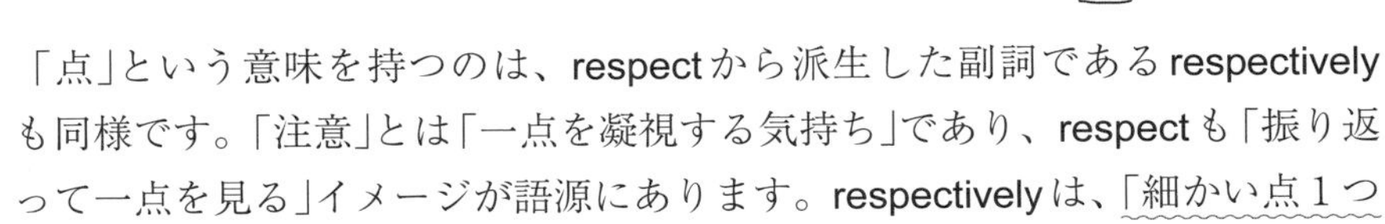

「点」という意味を持つのは、respectから派生した副詞であるrespectivelyも同様です。「注意」とは「一点を凝視する気持ち」であり、respectも「振り返って一点を見る」イメージが語源にあります。respectivelyは、「細かい点１つ１つに目を向ける」というところから、「めいめい・それぞれ」という意味を持つに至ります。

例文 This will help〔you = focus on things〕respectively, in a more efficient way.

これが　役立つだろう　あなた＝個々に物事に集中する　それぞれに　より効率的なやり方で

「このことは、あなたがより効率的に、物事について個々に集中するのに役立つだろう。」

●—— regardless of A：A に関係なく 

regardにlessがついて、regardlessは「注意を払わない＝どうでも良い」という意味になります。of Aは「Aから取り出す」なので、regardless of Aの直訳は「Aから取り出したものに、注意を払わない」という意味になります。

例文 Regardless of what people tell me, I will not stop thinking about the plan.

「人々が私に何を言おうと関係なく、私はその計画について考えることをやめるつもりはない。」

●—— with all due respect：お言葉ではございますが 

非常に丁寧に反論する際に使う表現です。後述するようにdueという形容詞は「当然払うべき」を意味するので、all due respectは「全く当然払うべき敬意」です。withは「～を伴って・添えて」という意味で使われています。合わせて、「全くもって（あなたに）当然払うべき敬意を添えて申し上げさせていただきますが」という意味が出ます。

dueも多義でわかりにくい言葉です。元は「借金」を意味するラテン語で、「借りる」だけでなく、「借りたら返すのが**当然**」という「義務」の意味もセットでついてきます。この「当然」という感覚がdueに「（当然支払うべき）期日」「（当然そうなるはずの）予定時刻・予定日」という意味を与えています。したがって、due respectは「当然の敬意」という意味を出します。

非常に堅い表現ではあるのですが、あくまで対人関係の中で使う言葉なので、話し言葉で使われる比率が圧倒的に高い言葉です。

例文 That's absolutely incorrect with all due respect to that person.

「その方には大変申し訳ございませんが、それは全くもって正しくありませんね。」

→後ろに「to 人」を追加すると、その場にいない第三者に対する反論に使える。

大変申し訳
ございませんが…
あの人が
今日はここで遊んでいいって言ったの

●―― as regards A：A に関しては 

regardsは元は動詞で、sは三人称単数のsです。この形は「非人称構文」と呼ばれる、古い英語に見られた主語を持たない構文のなごりで、asとregardsの間にはもともと主語が存在しません。非人称構文での動詞の形は三人称単数でした。その名残を保つのがこの表現です。現代英語から見た場合、as regardsは、１つの前置詞のかたまりだと考えるのが妥当でしょう。

大きな話題の中から、局所的な話題に絞って話すときによく使われます。

例文 As regards a cure for the disease, very few advances have been made.

「その病気の治療に関して言えば、ほとんど進歩は見られていない。」

（ロングマン現代英英辞典より）

上記の例文では、その病気の全体的な話から、話を治療法に絞って展開させるためにas regardsが使われています。

復習問題

1.「ハリケーンに関しては、適応していく以外にほとんど道はない。」
(to, respect, with, hurricanes), we have little option but to adapt.

2.「この点においては、米国はいまだに中国より優勢である。」
(the U.S., China, in, on, still has, this regard, an edge).

3.「人々が私に何を言おうと関係なく、私はその計画について考えることをやめるつもりはない。」
(what, me, regardless, tell, of, people), I will not stop thinking about the plan.

4.「その方には大変申し訳ないのですが、それは、全くもって不正確ですね。」
That's absolutely incorrect (to, due, with, that person, respect, all).

5.「その病気の治療に関して言えば、ほとんど進歩は見られていない。」
(a cure, the disease, as, for, regards), very few advances have been made.

1.With respect to hurricanes, we have little option but to adapt.
2.The U.S. still has an edge on China in this regard.
3.Regardless of what people tell me, I will not stop thinking about the plan.
4.That's absolutely incorrect with all due respect to that person.
5.As regards a cure for the disease, very few advances have been made.

Must

54

accountという言葉

▶金を数える＝収支の「説明」

accountという言葉は「**収支の計算**」という意味が語源です。ちなみにcountという言葉はコンピューターの語源となった「計算する」を意味するラテン語のcomputareの子孫です。収支の計算ということは「いくら入って、いくら出たか、を説明する」ということですから、accountには「説明する」という意味が派生しました。政治の話でお馴染みの「説明責任」はaccountability（語源的直訳は『説明できること』）です。accountが熟語で使われる場合、「説明」という意味が反映されることがほとんどです。

●── take A into account：Aを考慮に入れる 

Aをひょいと取り（take A）、「説明」の中に入れる（into account）ということです。「説明」とは「実は今回こんな事情があったので、こういうことになりました」ということで、「『考慮』に入れるべき事情」と言い換えることができます。

例文 We should take his Japanese skills into account.
「彼の日本語のスキルを考慮に入れるべきだよ。」

Aの部分が長くなると「**軽い情報が先、重い情報は後で**」のルールが発動し、into accountの後に回されます。take into accountは慣用句で皆が知っている言葉なので、脳が処理しやすい「軽い情報」とみなされ、まとめて前に来るのです。

例文 When you buy a new car, don't forget to take into account the cost of vehicle registration.
「新しく車を買うときには、車両登録料を頭の中に入れておかないとダメですよ。」

take A into account：Aを考慮に入れる
account for A：Aを説明する・A（割合など）を占める
by(from) all accounts：誰に聞いても
by one's own account：本人の話によると
a firsthand account：直接の目撃談・体験談

●—— account for A:A（事件・結果）を説明する・A（割合）を占める・（主語が）Aの原因である

「説明する」がわかりやすいので、こちらから解説します。

例文 These factors do not account for the difference in the outcome.
「これらの要因では結果における差を説明できない。」

accountが動詞で使われています。accountが「説明する」、forは理由を表す前置詞ですから、account for Aで「Aの理由を説明する」です。この文脈ではaccount for = explainで置き換えることもできます。

次に「割合を占める」です。account forの後ろに数字か、数字に準ずる意味を持つ名詞が来ると、この意味になります。

例文 Foreign residents account for 4 percent of the population of Tokyo.
「外国人の居住者は東京の人口の４％を占めている。」

例文 Dealing in stocks accounts for the largest proportion of his income.
「株取引が、彼の収入の中で最大の割合を占めています。」

4%
ここの構成を
「説明」してくれる
のが外国人居住者

「A account for 数字」の直訳は「Aが数字のための説明をする」ということです。１つ目の例文なら、「東京の人口の４％を何が説明してくれるかというと、外国人居住者ですよ」ということですし、２つ目の例文なら「彼の収入の最大部分を説明してくれるのは、株取引（による収入）ですよ」ということです。

最後に「（主語が）Aの原因である」です。これは同じく「説明する」ことを意味するexplainという動詞にも見られる用法です。

That explains why he is late.
「それで彼は遅刻しているわけか。」
→ 直訳 それが、なぜ彼が遅れているのかを説明してくれる。

Self-quarantine accounts for the increasing number of Internet users.
「（コロナウィルス対策の）外出自粛のせいで、ネット利用者が増加している。」
→ 直訳 自己隔離が増加するネット利用者の数のための説明をする。

●── by（from）all accounts：誰に聞いても

直訳は「全員の説明によっても（by）」「全員の説明からしても（from）」です。「誰に聞いても」「皆が言っている」「異口同音に」といった意味で使われます。accountは名詞で、複数の人間からの「説明」ですから、accountsという複数形になります。

例文 It was, by all accounts, a foolhardy thing to do.
「それは、誰に聞いても無謀なことだった。」

foolhardy：無謀な、無鉄砲な

●── by one's own account：本人の話によると 

one's ownは「他の人じゃなくて、その人自身のだよ」というふうに所有を強調する表現です。by one's own accountの直訳は「～自身の説明によって」です。ここにいない第三者の言い分を説明することがほとんどなので、one's に入るコーパスの使用例は圧倒的にhisが多いです。2位はherですが、なぜかその差は4倍もあります。また、目の前にいる相手を問い詰めるときに「あなたの話によると～だけど、でもね…」という形でも使います。

例文 By his own account, James is a man of letters.
「ジェームス本人いわく、彼は文学者であるとのことだ。」
→文頭の副詞句、副詞節の代名詞は主節の主語を指すのが原則。ここでもhisはJamesを指す。

●―― a firsthand account：直接の目撃談・体験談

firsthandはsecondhand（中古）と対をなす言葉で、「最初に手をつけたもの」＝「間に誰も介していない」という意味で「直接の」を表します。firsthand accountの直訳は「直接の説明」といったところです。first-handという綴り方も可ですが、使用例数を見ると、firsthandがfirst-handの1.5倍です。

例文 This special report draws on firsthand accounts of crime victims and case detectives.

「この特別レポートは犯罪被害者や事件捜査官から直接聞いた話に基づいている。」

draw on A（Aに頼る）は「手元に引き寄せ、それに頼る」イメージ（第16項参照）。

復習問題

1.「彼の日本語のスキルを考慮に入れるべきだよ。」

(his Japanese skills, should, account, we, into, take).

2.「外国人の居住者は東京の人口の４％を占めている。」

(4 percent, of Tokyo, foreign residents, account, for, of the population).

3.「それは、誰に聞いても無謀なことだった。」

It was, (a foolhardy, by, to, do, accounts,, thing, all).

4.「ジェームス本人いわく、彼は文学者であるとのことだ。」

(own, by, account, his), James is a man of letters.

5.「この特別レポートは犯罪被害者や事件捜査官からの直接聞いた話に基づいている。」

This special report draws on (crime victims, accounts, and case detectives, firsthand, of).

1.We should take his Japanese skills into account.
2.Foreign residents account for 4 percent of the population of Tokyo.
3.It was, by all accounts, a foolhardy thing to do.
4.By his own account, James is a man of letters.
5.This special report draws on firsthand accounts of crime victims and case detectives.

Must

55

chargeという言葉

▶“car” と同じ語源

chargeはラテン語から古フランス語を経由して英語に入った言葉です。char-という部分は「車」を意味するcarと同じ語源で、名詞では「荷車」、動詞では「荷車に荷を積む」というのがchargeの語源的意味です。cargo（貨物・積荷）と、元は同一の言葉でした。chargeを理解するには「**荷を負わせる＝負担**」という感覚を中心に据えると良いでしょう。

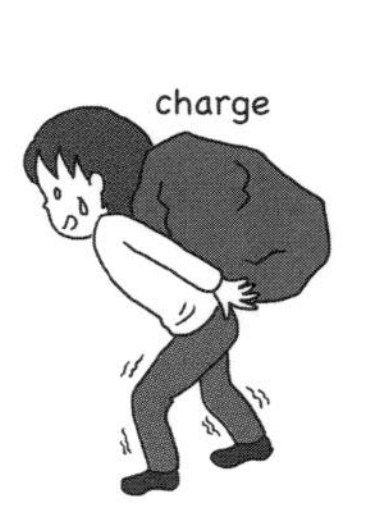

●── charge の第４文型：人に料金を請求する

第４文型（正式には二重目的語構文）は構文自体が「O1（第１目的語）にO2（第２目的語）を渡す」という意味を持ちます。chargeでは「人（O1）に負担（O2）を渡す」を意味します。

例文 My bank charges me(O1) 50 cents(O2) for using my PIN at the register.

私の銀行　請求する　私に　50セントを　暗証番号を使うこと（何のために請求？）　レジ（どこで使う？）

「レジで暗証番号を使うのに、私の銀行は私から50セントお金を取る。」

上の例文ではO1がme、O2が50 centsです。「私に50セントという負担を渡す」＝「私に50セント請求する」です。「請求の目的」はforを使って表します。この構文には２つの注意点があります。

1）主語は「人」もしくは「人に相当する組織など」限定です。「人が人に負担を負わせる」感覚の表現だからです。例えば、✕ This bicycle charged me 500

charge の第４文型：人に料金を請求する
charge 品・サービス to A：～をＡにツケておく
charge 人 with 罪・責任：人を～の罪で告発する
take charge of A：Ａの責任者になる・担当する
be in charge of A：Ａの担当者である

dollars. とは言えません。chargeの主語に無生物である「自転車」を使うと、生きている自転車が人にお金を請求しているような、奇妙な絵が浮かびます。

○ The shop charged me 500 dollars for this bicycle. ならOKです。「店」は「人でできた組織」だからです。受動態にしてI was charged 500 dollars for this bicycle. という言い方もよくされます。

2）「わかり切っている情報・わざわざ言う必要のない一般的な情報」を省くことがよく起きます。O1、O2、あるいはfor ～の部分が場合に応じて省略されます。

O1（人）の省略

例文 The hotel charges two thousand yen for late checkout.
「チェックアウトが遅れるとホテル側は２千円請求する。」
→請求する相手は「客」であるとわかり切っている。

O2（料金）の省略

例文 They charged me for four hours.　「彼らは私に４時間分を請求した。」
→請求された金額が具体的にいくらなのかはここでは重要ではない。

O1（人）と O2（料金）の省略

例文 The local government charges for garbage bags.
「市はゴミ袋を有料としています。」
→誰にいくら料金を請求するかは言う必要がない。

●── charge（品・サービス）to A：～を A にツケておく

（ホテルに宿泊し、ホテル内のレストランで食事をして）

例文 “How would you like to pay for the meal?” “Charge it to my room, please.”
「お食事代のお支払いはどうなされますか。」「部屋代につけておいてください。」

これもchargeの「荷を載せる＝負担を負わせる」のイメージがうまく出ています。例文のcharge itは「食事代を負わせる」＝「食事代を請求する」で、toは「到達」ですからto my roomは「部屋代に到達する」、合わせて「食事代の請求を部屋代のところへやっておく」です。toの後ろには「～の銀行口座」を意味するaccountもよくきます。

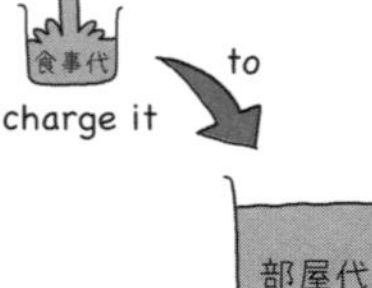

例文 I'll charge it to my account.　「私の口座で決済しておきます。」

●── charge 人 with 罪・責任：人を～の罪・責任で告発する

「**動詞＋人＋with＋その人が持つことになるもの**」という形はラテン語源の動詞が持つ「渡す」意味を持つ構文で（第65～67項参照）、provide A with B（AにBを提供する）やsupply A with B（AにBを供給する）などが英語学習者の間ではよく知られています。ここではchargeを使うことで「負担・重荷を渡す」イメージが出ます。罪や責任という負担を人に渡すわけですから、「～という罪・責任で人を告発する」という意味になります。

例文 The district attorney charged him with murder.

その地方検事　告発した　彼　殺人罪

告発の結果彼は何を「持つ」？

with murder

charge him

「地方検事は彼を殺人罪で起訴した。」

withは「一緒にいる→持つ」という意味で、A charge B with Cだと、「AがBをchargeする結果、BはCを持つ」という意味の流れになります。

●── take charge of A：Aの責任者になる・Aを担当する

ここからは名詞のchargeです。takeは「取る→引き受ける」で、chargeは「荷・負担」から、「責任」という意味を出します。take chargeは「責任を引き受ける」ということです。

take charge of A

がんばります！

ハイ

責任

例文 I would like you to take charge of our human resources department.

私　好むだろう　あなた　うちの人事部の責任を引き受ける

「あなた」が何をすることに向かうことを好む？

「あなたに、うちの人事部をお願いしたい。」

●── be in charge of A：Aの担当者である 

in chargeで「責任を負う枠内」、be動詞は「〜という状態で存在している」が根っこの意味ですから、be in chargeは「責任を負う枠内という状態で存在している」＝「責任を負う所にいる」＝「責任者である」ということです。「責任者に『なる』」という「変化」を表すならbe put in charge of A（直訳：Aの責任の枠内に置かれる）です。

例文 Who is in charge of this?　「ここの責任者は誰だ？」

→ 直訳　これの責任の枠内にいるのは誰だ？

例文 Sharon was put in charge of the new project.

「シャロンが新規プロジェクトの責任者になった。」

→ 直訳　シャロンが新規プロジェクトの責任の枠内に置かれた。

chargeは他にも様々な意味を持ち、「荷車に荷を載せる」という語源の意味から「電池に電気を載せる」→「充電する」という意味が生まれ、「兵器に弾を込める」→「攻撃する・突撃する」という意味が生まれたと言われます。これはさらに「（スポーツで）体当たりする」という意味に発展しました。

復習問題

1.「レジで暗証番号を使うのに、私の銀行は私から50セントお金を取る。」
My bank (50 cents, me, my PIN, charges, for using) at the register.

2.「部屋代につけておいてください。」
(to, charge, room, it, my), please.

3.「地方検事は彼を殺人罪で起訴した。」
(with, charged, the district attorney, murder, him).

4.「あなたに、うちの人事部をお願いしたい。」
I (to take, of, would, charge, like, you) our human resources department.

5.「ここの責任者は誰だ？」
(in, this, who, of, is, charge)?

1.My bank charges me 50 cents for using my PIN at the register.
2.Charge it to my room, please.
3.The district attorney charged him with murder.
4.I would like you to take charge of our human resources department.
5.Who is in charge of this?

Must
56

dealという言葉

▶「分ける」から広がる意味

dealは英語話者が好んで使う言葉の1つであり、たくさんの意味を持ちます。ラテン語からの外来語ではなく、ゲルマン系の言葉であり、英語にもともとあるものです。語源的には「分ける」ことを意味し、そこから①名詞のdealは「**量**(=「分け前の量」より)」、②動詞のdealは「**配る**(=みんなに「分ける」)」、という意味が出てきました。カジノでトランプのカードを配る人間のことをa dealer(ディーラー)と呼ぶのはここから来ています。さらに「**取引・商売する**」という意味も生み出しました。これは「物資をたくさん持っている人間が、その物資を『分けて』、ほしい人たちに売る」というところから来ています。日本語の「車のディーラー」などもここから来ています。③この動詞のdealからはさらに「**取引**」という意味の名詞も派生しています。

①名詞のdeal:「量」

●—— a great deal of A:大量のA 

greatという形容詞は「偉大な」という意味でもあるものの、実際には「great = very good(とても良い)もしくはvery big(とても大きい)」という意味で使う頻度がかなり高いです。ここでのgreatもvery bigの意味です。

a dealは語源的に「分け前のひとかたまりの量」という感覚で、英語ではa portionと説明されます。女性なら化粧びんに入った化粧水の量を思い浮かべると良いでしょう。工場のタンクに入っている大量の化粧水を化粧びん1本に詰め込んだ量という感覚です。このように粉や液体を小分けにした量とい

---

a great deal of A：大量のA
deal a 形容詞 blow to A：Aに〜な一撃を加える
deal in A：A（商品など）を扱う
deal with A：Aに対処する
strike a deal with A：Aと合意に達する

うイメージがある言葉なので、Aの部分には不可算名詞がきます。可算名詞ならa (large) number of Aです。a lot ofは可算不可算どちらにも使えます。

例文 We spent a great deal of time talking about the issue.
「我々はその問題を話し合うのに多大な時間を費やした。」

②動詞のdeal：「配る・商売をする」

●── deal a 形容詞 blow to A:Aに〜な一撃を与える 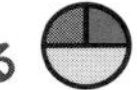

「(人に)配る」から、打撃を「(人に)与える」という意味で使われるようになりました。deliverも同じ使い方をしますね。形容詞の部分は使用例の多い順にserious, severe, devastating, heavyといった、「深刻さの度合い」を示す言葉が入ります。「打撃」は実際に人を殴るような物理的な意味で使われることは少なく、ほとんどの場合「ネガティブな影響」という比喩的な意味で使います。

例文 The drought dealt a serious blow to agriculture in Cameroon.
「その日照りはカメルーンの農業に深刻な打撃を与えた。」

●── deal in A:A（商品）を扱う 

「配る」から「金と引き換えに、商品を客に分け与える」=「商売をする」という意味を出すdealですが、「その商品の枠内で商売をしている」という「in＋商品」をつけることで、「(商品)を扱っている」という意味になります。

例文 They deal in cleaning supplies.　「彼らはクリーニング用品を扱っている。」

コーパスでの使用例を見てみると、Aの部分に使われる言葉には「闇商売」も目立ちます。

例文 He was charged with dealing in stolen property.
「彼は盗品の売買で起訴された。」

charge 人 with 罪：「人を～の罪で起訴する」(第55項参照)

●── deal with A：A に対処する 

withは「対戦相手」のイメージで使われています(『英文法の鬼100則』第81項を参照)。「配る」ということは「分配量をどうするか考える」ということですし、「配る」から出た「商売する」なら「儲けを出すためには色々と作戦を考えないといけない」というイメージがついて回ります。そういうところからdeal withには「対処する」という意味が出たのだと考えられます。

例文 Why don't we deal with the reality in front of us?
「目の前の現実に向き合おうじゃないか。」
→ 直訳 なぜ我々の前にある現実に対処しないのか、いや、しようよ。

Deal with it.という命令文もよく使われます。これで1つの熟語表現と言って良いでしょう。直訳すると「それに対処しろ」で、「それで我慢しろ」「それでなんとかしろ」「それで折り合いをつけろ」などという意味で使われます。

例文 Does this hurt your feelings? Sorry, it's the truth. Deal with it.
「これのせいでお前の気持ちが傷ついた？悪いけど、本当の話だ。受け入れろ。」

③動詞のdeal②からさらに名詞のdeal（取引）が派生

●── strike a deal with A：A と合意に達する 

②のdealから派生した名詞のdealは「取引」を意味し、基本表現はmake a deal（(1回の)取引をする）です。

例文 Then, I made a deal with them. 「そこで、私は奴らと取引をしたんだ。」

そこからの応用でstrike a deal（合意に達する）という表現があります。

実はstrikeという動詞が曲者で、「打つ、叩く」以前に、語源的には「こする、なでる」という「腕の一往復の動作」をイメージさせる意味があります。stroke

（腕のひとかき）、**streak**（一筋、一続き）と同語源です。

物をこすったり、なでたりすると、表面が平らになりますね。「平ら・水平」＝「傾きがない」というところから**strike a balance**（バランスを取る）という言い方が生まれました。**strike a balance**は本来「収支が釣り合う」という金融用語でした。そこから、「取引する両者の一方だけが損や得をするのではなく、両方ともバランスよく利益を得る」という意味で**strike a deal**（合意に達する）という意味も生まれたようです。

例文 The year before, Great Britain, France and Germany struck a deal with Iran.
「その前年、英、仏、独はイランと合意に達した。」

復習問題

1.「我々はその問題を話し合うのに多大な時間を費やした。」
We (deal, spent, talking, of time, a great) about the issue.

2.「その日照りはカメルーンの農業に深刻な打撃を与えた。」
(agriculture, a serious, the drought, blow to, dealt) in Cameroon.

3.「彼らはクリーニング用品を扱っている。」
(cleaning, deal, they, in, supplies).

4.「目の前の現実に向き合おうじゃないか。」
Why don't (the reality, deal, we, with) in front of us?

5.「英、仏、独はイランと合意に達した。」
Great Britain, France and (a deal, Iran, Germany, with, struck).

1.We spent a great deal of time talking about the issue.
2.The drought dealt a serious blow to agriculture in Cameroon.
3.They deal in cleaning supplies.
4.Why don't we deal with the reality in front of us?
5.Great Britain, France and Germany struck a deal with Iran.

Must

57

成り立ちを知ると納得できる決まり文句

▶センテンスレベルで1つの意味となる

●── Hard work pays off.：努力は報われる。

このフレーズを考えるとき、要となるのはpay offの部分でしょう。なぜこれが「報われる」という意味になるのでしょうか。

「無罪を言い渡す」を意味するacquitもそうですが（第72項参照）、「借金を完済する＝自由になる・束縛から逃れる」というのが感覚の根底にありそうです。pay A offは「Aを払い離れる＝払う作業から離れる＝これで借金は終わり」という意味です。ここに「やり切る・自由を手に入れる・成功する」というイメージが入り込んだのでしょう、pay offだけで「努力が実を結ぶ」という意味になりました。

完済　自由の獲得　成功

動詞を現在形にして、ことわざとしても使いますが、過去形などで普通に使われることもあります。

例文 Little by little, my hard work paid off.

「すこしずつ、私の努力は実を結んで行った。」

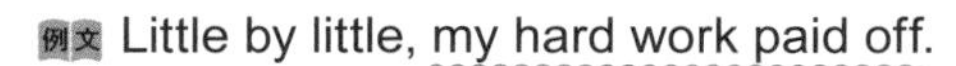

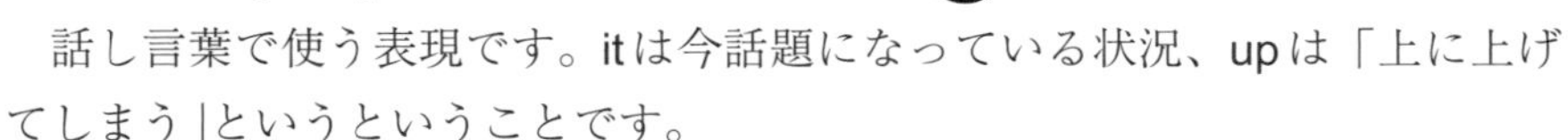

●── It's up to you.：それはあなた次第だ。

話し言葉で使う表現です。itは今話題になっている状況、upは「上に上げてしまう」というということです。

up to youで「あなたのところに上げてしまう」で、状況を、あなたの台、棚、テーブルの上に上げてしまって、あなたに任せるという意味になるのが、It's up to you.（あなたにお任せします。あなた次第です。）です。後ろにto不定詞をつなげ

Hard work pays off.：努力は報われる
It's up to you.：それはあなた次第だ
What are you up to?：あなた、何を企んでいるの？
It can't be helped. (We can't help it.)：しょうがない。どうしようもない。
What am I supposed to do? ：どうすりゃいいっていうの？

て、主語itの「状況」の内容を具体的に表すこともよくなされます。

例文 It's up to you to → make good decisions.

it（状況）の詳しい内容

「良い決断をするかどうかは君次第だ。」

●── What are you up to?：あなた、何を企んでいるの？

ここでのup toは先ほどのup toとは違い、「活発になった意識が、どこかへたどり着こうとしている」ことをあらわしています。

上方への移動を表すupはget up（起き上がる）やstand up（立ち上がる）に見て取れます。このような具体的な動きを表していたupが、精神の覚醒という抽象的な動きにも応用されます。wake up（目覚める）や、cheer up（元気づける）などがそうです。

本題のWhat are you up to?の解説をします。be up to Aですが、be upは「覚醒している状態にある」、toはgo to schoolなどのtoと同じで、「たどり着く」を意味します。したがって、「いろいろ神経を働かせて、Aにたどり着く」という気持ちを表しています。

What are you up to? は、ただの挨拶にもつかいますが、相手の悪巧みを怪しむときにも使う表現です。

元をただせばAre you up to what?ということですから、直訳は「あなたは神経を活発に働かせて、何にたどり着く状態なの？」です。これが「今何しているの？」「これから何するの？」という挨拶に使われます。また、相手の悪巧みを訝（いぶか）しむときにも、「あなた起き上がって何かゴソゴソ動いて、何かにたどり着こうとしているよね。」というイメージで「何企んでいるの？」という意味を出すことになります。

例文 "What are you up to this time?" "Huh? What? Nothing ⋯."
「今度は何企んでいるの？」「え、なんだよ。何もないよ……」

●—— It can't be helped. (We can't help it.)
：しょうがない。どうしようもない。 

コーパスによると使用件数は、It can't be helped. の方が若干多いです。We can't help it. は「私たちにはその状況を助けることができない」、It can't be helped. なら「その状況は助けられることができない」が直訳です。つまり、「その状況はどうにもできない」ということですから、「仕方がない」という意味になります。言われてみればわかるけれど、パッと出て来ない、そういう表現です。口癖にしましょう。

例文 I'm sorry, Henry, it can't be helped.
「残念だけど、ヘンリー、しょうがないよ。」

●—— What am I supposed to do?：どうすりゃいいっていうの？ 

とてもよく使います。英語圏のテレビドラマでものすごくよく出てきます。コーパスを見ても、テレビでの出現回数が群を抜いています。suppose という動詞を理解しておきましょう。

語源は sup（=sub：下）＋-pose（置く）→「下に置く」で、「議論の土台として仮定する」が語源的意味です。つまり、「〜だ、という仮定の下に置いて考える」ということで、suppose that は if の代わりに使われたりします。

例文 Suppose that you had two children and lost your job like me. What do you think you would feel?
「仮に子供が２人いて、僕みたいに失業したって考えてごらんよ。どんな気持ちになると思う？」
→had や lost、would といった動詞・助動詞が過去形なのは、仮定法過去（あくまでも仮の話）を意味する

"S is supposed to do ~"という表現を解説します。直訳すると「Sは～することに向かう仮定のもとに置かれる」です。この「仮定」は「ふつう、そうするはずだよね」という「当然こうすることに向かうでしょ (to do)」感を持つ「仮定」です。should doにとても近い表現です。

例文 Mike is also supposed to be here by 5:30.
「マイクも5時半までにはここに来ているはずなんだけど。」

→直訳 マイクもまた、5時半までにはここに存在している仮定のもとに置かれている。

したがって、表題のWhat am I supposed to do?は、「私は何をすることに向かっている仮定のもとに置かれているのか？」が直訳で、「俺はどうすりゃいいんだよ。」「私はどうすればいいっていうのよ。」「どうしよう！」というときに使う表現なのです。

例文 "What am I supposed to do? Stay home all day without doing anything?"
「俺にどうしろって言うんだい？　何もしないで一日中家にいろとでも？」

復習問題

1.「すこしずつ、私の努力は実を結んで行った。」
Little by little, (work, paid, my, hard, off).

2.「良い決断をするかどうかは君次第だ。」
(to make, up, it's, you, to) good decisions.

3.「今度は何企んでいるの？」
(this, you, are, time, what, to, up)?

4.「残念だけど、ヘンリー、しょうがないよ。」
I'm sorry, Henry, (be, it, helped, can't).

5.「俺にどうしろって言うんだい？」
(I, to, what, do, am, supposed)?

1.Little by little, my hard work paid off.
2.It's up to you to make good decisions.
3.What are you up to this time?
4.I'm sorry, Henry, it can't be helped.
5.What am I supposed to do?

Must
58

その他のラテン系多義語

▶ anxious, succeed, subject

●── be anxious about A（A が心配である） 
と be anxious to do ~（~することを切望している） 

be anxious about Aは「Aが心配である」、be anxious to do ~は「~することを強く望んでいる・切望している」で、正反対のイメージを持ちます。anxiousという形容詞の根っこの意味は何でしょう。

anxiousの語源的意味は「窒息させる、締めつける」です。「**苦しいほどの気持ち**」というのがanxiousの根っこの意味だと言えます。ラテン語から英語に入ってきた当初は「心配」という意味だけで使われました。その約100年後、「切望している」という意味が出てきます。「胸が苦しくなるほど~したい」という意味が派生したわけです。

aboutは「周辺」が根っこの意味です（『英文法の鬼１００則』第８０項参照）。「心が周辺をウロウロする」という意味で、be worried about, be concerned aboutなどと並んで「心配」を意味するanxiousにも前置詞aboutが使われます。

例文 People are anxious about the economy.

「人々は経済について心配している。」

→直訳のイメージ；「経済の周りを心がうろうろして胸が苦しい」

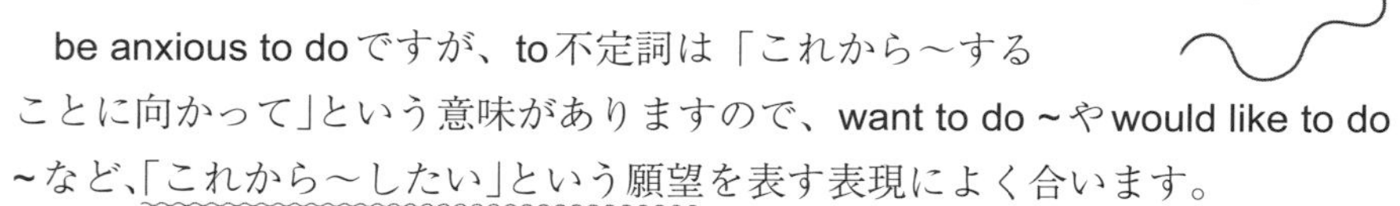

be anxious to doですが、to不定詞は「これから~することに向かって」という意味がありますので、want to do ~やwould like to do ~など、「これから~したい」という願望を表す表現によく合います。

例文 I'm anxious to see my daughter.

「私は自分の娘に会いたいと、強く願っています。」

→直訳のイメージ；「娘に会うことに向かって、胸が苦しいほど望んでいる」

be anxious about A（Aが心配である）
とbe anxious to do ~（～することを切望している）
succeed to A（Aを引き継ぐ）
とsucceed in A（Aにおいて成功する）
be subject to A（Aの影響を受けやすい）
とA subject B to C（AがBをCの目に遭わせる）

●—— succeed to A（A を引き継ぐ） 
と succeed in A（A において成功する） 

succeed in Aは「Aにおいて成功する」という意味なのに、succeed to Aは「Aを引き継ぐ」という意味になるのはなぜでしょう。suc（=sub：下）＋ -ceed（進む）→「下を進む」というのがsucceedの語源です。元々は「誰かの下を進む＝誰かの次を進む＝その人を引き継ぐ」という意味です。この「元々の形」は他動詞の形で使われます。つまり、inもtoも使いません。

He succeeded his father as the owner of the farm.
彼　引き継いだ　自分の父親　その農場の主
何として(の立場を)引き継いだ？

このように他動詞succeedでは主語に「後継の人」、目的語に「先代の人」がきますが、ここから派生したsucceed to AではAに「引き継ぐ財産・立場」がやってきます。

例文 He succeeded to the next owner of his father's farm.
彼　引き継いだ　自分の父親の農場の次の所有者の地位
引き継いで何に辿り着いた？

「彼は父親の農場を継いだ。」

彼が「後を進んだ＝引き継いだ」結果、父親の農場の次の所有者の地位に辿り着いた(to)、という文です。

さて、このようにsucceedは、ラテン語から古フランス語を経由して英語に入った当初、「引き継ぐ」という意味でした。それから100年ほどして「成功する」という意味を持つようになりました。Online Etymology Dictionaryによると、succeed well（うまく後を継ぐ）から、wellが省略されるようになって、succeed単独で「成功する」という意味になったようです。

例文 We should praise him. He succeeded in doing something we couldn't.

「彼を評価するべきだよ。彼は私たちにできなかったことができたんだ。」

前置詞inが使われて、「どの分野の枠内で」成功したのかを表しています。そして、前置詞の後ろですから、動詞を持って来るなら動名詞（ここではin doing）の形です。succeed to doとしないよう気をつけましょう。

●── be subject to A（Aの影響を受けやすい）
と A subject B to C（AがBをCの目に遭わせる）

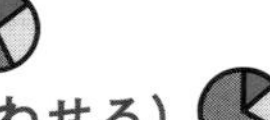

よく「教科」「話題」という意味で使われるsubjectですが、be subject to Aだと「Aの影響を受けやすい」、A subject B to Cだと「AがBをCの目に遭わせる」という意味になり、学習者を混乱させます。まずはsubjectの語源的意味とそこから生まれるイメージをつかみましょう。

subjectはsub（下）+ -ject（投げる）→「下に投げる」が語源的意味です。自分の下に投げる＝「支配下に置いている」のイメージです。

①名詞のsubject：「教科」「話題」「被験者」

「教科」にしても「話題」にしても、要するに「これについて、いろいろ議論しよう」ということです。議論の対象を下にポンと投げ、それを上から眺めてああでもない、こうでもない、と、議題を支配し、いじくり回す感じです。subjectに「被験者」という意味もあるのはこのイメージのせいです。

Let's change the subject. 「話題を変えましょう。」

The subjects of this experiment were aged between two and five.

「この実験の被験者たちの年齢は2歳から5歳の間でした。」

②形容詞のsubject：「影響を受けやすい」

be subject to Aの形で使われます。「支配下にある＝影響を受けやすい」ということです。Aには名詞がきます。不定詞ではありません。一番よく使われるのはbe subject to change（変更される場合がある）でしょう。ちなみにこのchangeも「変化・変更」という名詞です。

例文 The schedule is subject to change.

影響を受けやすい → 変更

何に対して？

「スケジュールは変更される場合があります。」

形容詞のbe subject to Aにはもう１つ「A（同意・承認など）を必要とする」という使い方もあります。

例文 All comments are subject to approval.

「すべての書き込みは承認を必要とします。」（ブログやYouTubeビデオなどで）

→ 直訳 承認に対して、影響を受ける＝承認の支配下にある

③動詞のsubject：「むりやり〜の目に遭わせる」

A subject B to Cという形で「AがBをCの目に遭わせる」という意味です。これは他動詞なのでAがBに対して「支配下に置く」というネガティブな力をぶつけることになります。その結果、BはCという「ネガティブな状態」に到達(to)させられるわけです。Cには名詞が来ます。

例文 They subjected him to torture. 「彼らは彼を拷問にかけた。」

彼ら　支配下に置いた　彼　拷問

その結果どこに彼は到達？

復習問題

1.「人々は経済について心配している。」
(about, anxious, people, the economy, are).

2.「私は自分の娘に会いたいと、強く願っています。」
(my daughter, anxious, see, I'm, to).

3.「彼は父親の農場を継いだ。」
(his father's, succeeded, farm, he, to).

4.「スケジュールは変更される場合があります。」
(to, the schedule, subject, change, is).

5.「彼らは彼を拷問にかけた。」
(to, subjected, they, torture, him).

1.People are anxious about the economy.
2.I'm anxious to see my daughter.
3He succeeded to his father's farm.
4.The schedule is subject to change.
5.They subjected him to torture.

Must

59

まぎらわしい言い方その1

▶any と way

if anyとif anything

●—— if any：仮に少しでもあるにしても 

anyという言葉はa/anから派生した言葉で、「どの１つでも良いのだけど」という「ランダム性」が根っこの意味です。haveやthere is/areなど「持っている・ある」といった存在を表す文での疑問文のanyは「１つでも２つでも、いくらでもいいのだけど」という「存在する数量のランダムな可能性」を表します。

Do you have any pens/any water?

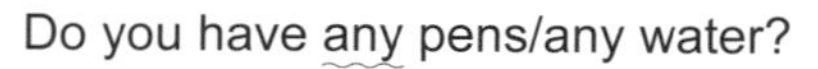

→1本でも2本でも何本でもいいのだけど、ペンを持っている？

→ 10mlでも1リットルでも、どれだけの量でもいいのだけど、水を持っている？

if anyは、「どれだけでもいいのだけど、仮にあったとして」というのが直訳になります。

例文 We have to work long hours but receive little, if any, pay.

「私たちは長い時間働かないといけないが、もらうにしても、ほとんど給料が出ない。」

→ **直訳** いくらもらうかわからないが、仮にもらうとしても、ほとんど支払いを受けていない

上記の例文のように、fewとかlittleのような「ほとんどない」という言葉のあとにif anyが挿入されるパターンがよくあります。「全くゼロというわけではないんだけど、ほとんどないと言っていい」というときに使われます。まずlittleとかfewで「ほとんどない」という強い言い方をし

if any（仮に少しでもあるにしても）とif anything（どちらかと言えば）

in the/one's way（邪魔だ）とon one's way（～に向かう途中で）とin a way（ある意味で）

ます。しかし人間は断言を嫌う生き物ですから、それを中和しようと、その後にif anyで「どれだけかわからないが、仮にいくらかあったとしても」という言い方を挿入します。

例文 What precautions, if any, did you take?

「仮にとったとして、君は一体どんな予防策をとったというんだい？」

この文でも、「実際には君は予防策と言えるものなど取っていないじゃないか」という前提で相手を責めています。先程の例文のlittleやfewのように「ほとんどない」という前提で話しているわけです。if anyは「予防策(precautions)」の数のランダム性を表し、「１つでも２つでも構わないが、仮に予防策をとっているとしても」ということを表します。

●── if anything：どちらかと言えば

if anyとの違いは、thingがあるかどうかの違いです。thingは「もの・こと」を表す単語で、可算名詞の最も抽象的な形です。**可算名詞**とは、「それ以上崩してはいけない形・輪郭」が存在するもので、「**a＋可算名詞**」は「可算名詞の形が丸ごと１つそろって存在している」ことを意味します。

さて、thingが可算名詞ですから、a thingは「１つのまとまった形」を持っていることになります。if anythingとは、「自分の言いたいことに、何でも良いが何らかの形を１つ与えるとしたら」ということです。ここから「どちらかと言えば」という意味が生まれます。

使い方としては、文頭や文末に挿入し、直前の情報に対して、何か違う情報をつけ加えたり、強調する情報をつけ加えたりするために使います。

例文 I don't want to call this a confession. It's more like an admission, if anything.

「これを自白だとは呼びたくないな。どちらかと言えば、告白というのがより適切だ。」

また、whatの直後に使われ、「いったい」という**強調**の意味を出すこともあります。これは「仮に何か1つ形があるのだとすれば、何なのか」という感覚から生まれる強調です。

例文 We asked them what, if anything, to tell her.

「私たちは、彼女に対していったい何を伝えれば良いのかと、彼らに尋ねました。」

what to (do ~)：何を～するべきか

in the/one's wayとon one's wayとin a way

●── in the/one's way：邪魔だ

wayというのは「通行のための施設」としてのroadとは違い、「目的に到達するためのルート」を意味します。ですから「目的を達成するための方法」という意味も出てきます。さて、何処かへ向かおうとしているそのルートの「中 (in)」に人や物が存在すれば、「邪魔」になるわけです。したがって、

例文 You're in my way.

「邪魔だ。」

→ 直訳 お前は私の進むルートの中にいる

in my way

となります。きつい言い方ですので気をつけてください。同じくきつい言い方で「どけ！」ならGet out of my way. です。逆に、

例文 Sorry, am I in your way?　「ごめんなさい。通り道ふさいじゃってました？」

なら下手（したて）に出ている感じになります。

inとwayの間には、特に「誰」の進む道なのかを具体化する必要がないときにtheがよく使われます。目の前にある「その」道、ということです。

例文 There was a big rock in the way.　「大きな岩が、道を塞いでいた。」

●── on one's way：(～に向かう)途中で

on one's wayは「～が目的地に向かうルート上にいる」という意味になります。ルート上にいるのですから、まだ目的地には着いておらず、よって「途中」

です。後ろにto＋場所をつけて、「〜に向かう途中で」という使い方もよくみられます。one's wayというふうに所有格が来るのは、「誰がその道を使っているのか」という主語的な感覚を反映しています。

例文 I lost my smartphone on my way to school.

「（自分が）学校に行く途中でスマホをなくしてしまった。」

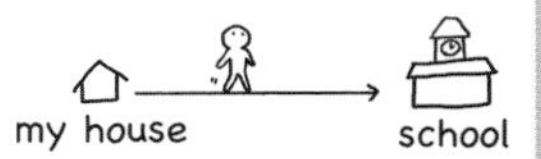

●── in a way：ある意味で 

aは抽選箱のイメージを持つ冠詞で、「同じ種類のものが無数に入った抽選箱からランダムに１つ取り出す」というイメージを持ちます。in a wayは「いろいろあるルートのうちの、（何でもいいから）とある１つのルートの中に立って物事を見れば」というのが直訳で、これが「ある意味」という和訳につながります。

例文 I was glad in a way, because the typhoon prevented my daughter from going out.

「私はある意味ほっとした。なぜなら台風のせいで娘は外出できなくなったからだ。」

復習問題

1.「仮に取ったとして、君は一体どんな予防策を取ったというんだい？」
(any, what, , if, precautions), did you take?

2.「どちらかと言えば、告白というのがより適切だ。」
It's more (anything, an admission, , if, like).

3.「ごめんなさい。通り道ふさいじゃってました？」
Sorry, (way, am, your, I, in)?

4.「（自分が）学校に行く途中でスマホをなくしてしまった。」
(my smartphone, my way, I, to school, lost, on).

5.「私はある意味ほっとした。」
(in, was, glad, I, a way).

1.What precautions, if any, did you take?
2.It's more like an admission, if anything.
3.Sorry, am I in your way?
4.I lost my smartphone on my way to school.
5.I was glad in a way.

Must
60

まぎらわしい言い方その2

▶「全体」のとらえ方の違い

as a whole と on the whole

辞書を引くと、as a whole と on the whole はとても似た日本語訳がつくので学習者を混乱させます。日本語訳がピンと来ないときには英英辞典の出番です。ここではロングマン現代英英辞典から語義と例文を引用します。

●── as a whole：全体に

語義 *used to say that all the parts of something are being considered together*

（あるもののすべてのパーツがひとまとめになっていることを言うために使われる）

例文 The project will be of great benefit to the region as a whole.

「そのプロジェクトはその地域全体に対して多大な恩恵をもたらすものになるだろう。」

be of＋抽象名詞＝be＋形容詞。be of great benefit = be very beneficial

as a whole

全ピースそろう

as a whole は「さまざまなピースからなる１つのまとまりが、１つのピースも欠けることなく全部そろった状態で」ということを表すわけで、上の例文では the region as a whole が「the region を構成するパーツの、どの１つも欠けることなく、全部」ということを表しています。

a＋可算名詞は、a が「数えるための基準となる形・輪郭」が１つ丸ごとそろっていることを表しますので（『英文法の鬼１００則』第６３項参照）、この表現では「全体（whole）を、丸ごと１つ」という意味で a whole となっているわけです。ケーキ丸ごと１個を意味する「ホールケーキ（a whole cake）」をイメージしてもらうとわかりやすいかもしれません。as は「イコール」が根っこの意味で、「as＋名詞」は「（名詞）として」という意味です。

as a whole（全体に）とon the whole（全体として）one another（お互い）とone after another（次々と）とone way or another（どちらにしても）

as a wholeは、例文にあるthe region as a wholeのように、「名詞 ＋ as a whole」という形で、「(名詞)全部そろった形として」という使い方をします。

●―― on the whole：全体として 

語義　*used to say that something is generally true*

（あることがおおむね真実であることを言うために使われる）

例文　On the whole, I thought the film was pretty good.

「全体としては、その映画はとても良かったと思う。」

文頭にOn the whole, の形で使うのがベーシックなパターンです。「部分的な細かいところはともかく、全体の上に立ってみると」というのが直訳。onという前置詞は「視点・立っている場所」を表します。全体が見渡せる「展望台の上」にいる感覚です。展望台の上から眺めたとき、細かいところは目に入らず、大まかな全体が目に入る感じですね。ですから「概(がい)して」と訳されることもあります。上記の例文でも「細かいところでは不満もあるが、全体としては良い」というニュアンスが出ています。

wholeの前にあるtheは、「グループのthe」です（『英文法の鬼100則』第67項参照）。例えばインターネット（the Internet）はそれ自体世界を網羅する１つのまとまったシステムですが、the wholeのtheと同じ用法です。

a wholeは「欠けずにそろう」ことを強調し、the wholeは「全体をざっくりグループ化」することを意味すると考えられます。

one anotherとone after anotherとone way or another

anotherの根っこの意味は「おかわり」（第7項参照）。oneとanotherは「ある１つ取り出した物と、さらにもう１つおかわりした物」というペアの関係にあります。

●―― one another :お互い(= each other )

one anotherはeach otherとほぼ同じ意味で使われます。each other =「2つのもの」、one another =「3つ以上のもの」という「ルール」も現代英語では崩れています。コーパス(COCA)で調べると、one anotherはeach otherの4分の1の使用数で、アカデミックな場面でより使われる傾向にあります。

one anotherの「1つ取り出して、そしてまたもう1つ取り出して、見る」という、1つ1つに視線を向けているさまから「お互いに」という意味が出ます。

使用上の注意ですが、each otherもone anotherも「代名詞」で、「副詞」ではありません。himやthemといった目的格の代名詞と同じ使い方をします。

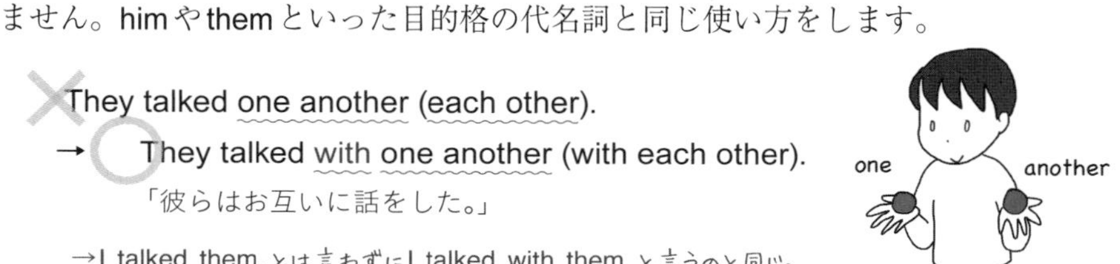

× They talked one another (each other).

→ ○ They talked with one another (with each other).

「彼らはお互いに話をした。」

→I talked them. とは言わずにI talked with them. と言うのと同じ。

× We know with one another (with each other).

→ ○ We know one another (each other).

「私たちはお互いに知り合いだ。」

→We know with him. とは言わずにWe know him. と言うのと同じ。

each otherやone anotherは主語としては使わないのがふつうです。

× One another(each other) talked. → ○ They talked with one another(each other).

●―― one after another:次々と 

抽選箱から何かが一つ出て来るそのあとに、またおかわりが一つ出て来る、というイメージです。

例文 One after another the fishermen dove into the sea.

「次から次へと漁師たちは海へ飛び込んでいった。」

●―― one way or another:何にしても・どちらにしても・どうにかして

英和辞書には「どうにかして・なんとしても」という「やり遂げる意思」を表す意味が載ることが多いのですが、コーパスで例文を調べると、ほとんどの場合「何にしても・どちらにしても」という、「結局こうなる」という意味で使われています。

根っこのイメージは抽選箱からある方法を取り出し(one way)、そしておかわりとしてまたある方法を取り出す (another)というものです。「ある方法であっても、また別の方法であっても」という根っこの意味から、「結局は」という意味にもなり、「ある方法でも、また別の方法でもいいから、なんとかしたい」という意味にもなります。後者の場合、意志のイメージが強くなるため、「するつもりだ」を意味するwillや、need, want, shouldなどと共に使われることが多くなります。

例文 One way or another the economy affects us all.

「どのみち経済というものは我々全員に影響を及ぼす。」

例文 I'll find you a girlfriend, one way or another.

「なんとしてもお前にカノジョを見つけてやるからな。」

復習問題

1. 「そのプロジェクトはその地域全体に対して多大な恩恵をもたらすものになるだろう。」

   The project will (to the region, benefit, as a, be of great, whole).

2. 「全体としては、その映画はとても良かったと思う。」

   (the, I, whole,, on, thought) the film was pretty good.

3. 「私たちはお互いに知り合いだ。」

   (one, know, we, another).

4. 「次から次へと漁師たちは海へ飛び込んでいった。」

   One (the fishermen, after, dived, another) into the sea.

5. 「どのみち経済というものは我々全員に影響を及ぼす。」

   One (the economy, us all, another, way or, affects).

1.The project will be of great benefit to the region as a whole.
2.On the whole, I thought the film was pretty good.
3.We know one another.
4.One after another the fishermen dived into the sea.
5.One way or another the economy affects us all.

Must

61

まぎらわしい言い方その３

▶前置詞＋～ self

by oneself と for oneself：自分で

●—— by oneself /for oneself

by oneself と for oneself はどちらも日本語にすると「自分で」と訳せるので違いがわかりにくい表現です。しかし、by と for という前置詞の意味の違いはこれらの表現に確実な違いを生み出します。

by oneself は、by（そば）があるので「自分のそばに自分自身しかいない」とイメージすると理解がしやすいです。ですから「１人きり（alone）」という意味でもよく使われます。

例文 I don't want to be all by myself.

「１人ぼっちでいたくない。」

→all（全く）は by myself（１人ぼっち）を強調

したがって、by oneself が「自分で」と訳されるときは、「誰の助けも借りずに、自分１人の力で」という意味を持ちます。

例文 I need your help. I can't solve this by myself.

「あなたの助けが必要なの。私１人ではこれは解決できないわ。」

人ではなく物を表す itself が使われる場合、その「物」が自分だけの力で何かをやりますから、「自動で」「ひとりでに」という意味で使われます。

The window closed by itself.

「窓は勝手に自分で閉じてしまった。」

by oneself：１人きりで、独力で
for oneself：自分で
名詞＋to oneself：自分専用の（名詞）
beside oneself：我を忘れて
in itself：それ自体は

一方、for oneselfはfor（～のために）があるので「自分で自分自身のためにやる」というイメージが出ます。つまり、「自給自足」「自炊」のイメージです。

例文 I made some sandwiches for myself and ate them by myself.
「私は自分でサンドイッチを作って、１人で食べた。」

上記の例文のfor myselfは、「自分１人で作った」ことよりも、「自分で食べるサンドイッチを自分で作った」が言いたいことです。一方でby myselfは「周りに誰もいない状態で」ということを表しています。

for oneselfでよく使われる表現に、see for yourselfとspeak for themselves(itself)があります。

例文 See for yourself. 「自分の目で確かめなよ。」

for oneselfは「自給自足・自分のことは自分でやる」ということですから、See for yourself.は、See by yourself.（私たちは行かない。あなた１人で見てこい。）とは違い、「自分で自分の情報を手に入れろ」という意味になります。「自分の目で確かめたい。」ならI want to see for myself.と言ったところです。

speak for themselves(itself)は「自明である」というときに使われる表現です。

例文 Those facts will speak for themselves.
「それらの事実が自(おの)ずから語ってくれるでしょう。」
→ themselvesはthose factsを指す

speak for themselvesはfacts（事実）やresults（結果）などの言葉を受けて、「私が手を下さずとも、それらが自分で語ってくれる」ということを表します。これも自分で自分のために語る、という自給自足の感じが出る表現です。

●——名詞＋ to oneself：自分専用の（名詞） 

なぜ to oneselfが「自分専用の・自分だけの」という意味を出すのかについては、以下のような感覚が根底にあると考えられます。

He is good at drawing attention to himself.
「彼は自分に注意を向けさせるのがうまい。」

attention to himselfで「自分自身に（向いた）注意」です。toには「**到達**」という意味があり、ここでは「注意」が「自分に到達」していることを表しますが、自分のところに届いた物は自分の所有物になり、したがって「注目＝自分だけのもの」と考えることができます。このようなところに、「to oneself ＝**自分専用の**」という意味を生み出す素地があると思えます。
「自分専用」という意味での「名詞＋to oneself」で、最も良く使われる表現は、time/place/house to oneself（自分だけの時間・場所・家）です。

例文 I need a little time to myself.
「少し自分だけの時間が必要なんだ。」

例文 Do you live in a house to yourself or shared?
「あなたが住んでいる家は、あなただけの家なの？
それともシェアしているの？」

●—— beside oneself：我を忘れて 

直訳すると、「自身の横に自分がいる」。つまり幽体離脱している、と取れる表現です。ですから「我を忘れて」です。後ろに「with＋感情」をくっつけて「〜という感情のために我を忘れてしまっている」ということを表せます。「主語＋be動詞＋beside oneself with＋感情を表す名詞」という構文で使うのが最も一般的です。

例文 He was beside himself with excitement.
「彼は我を忘れて興奮していた。」
→ 直訳 彼は興奮をともない、我を忘れていた

●—— in itself：それ自体は

「主語＋in itself is ～」（主語それ自体は～だ）か、あるいは「主語 is ～ in itself」（主語は、それ自体が～だ）という構文で使うのが主流です。itselfは主語を指しています。主語は「物」であり「人」ではありません。主語が複数形の場合はin themselvesとなります。コーパスで使用例を見てみると（in itselfは7,099件、in themselvesは2,192件）itselfの方がより一般的に使用されていることがわかります。

inは「話題の枠内」を表しています。したがってin itselfは「（主語である）それに話題を限って言えば、～だ」ということになり、裏を返せば「そこから話を少し広げれば、また違ったものが見えてくる」という意味を潜ませています。

例文 That in itself doesn't tell us anything about how the universe was created.
「そのこと自体は、宇宙がいかに誕生したかについて、何も我々に教えてはくれない。」

例文 Summer camp is a tradition in itself in our school.
「夏の合宿は我が校ではそれ自体が１つの伝統だ。」

復習問題

1. 「私１人ではこれは解決できないわ。」
(this, solve, by, I, myself, can't).
2. 「それらの事実が自ずから語ってくれるでしょう。」
(for, will, facts, speak, themselves, those).
3. 「少し自分だけの時間が必要なんだ。」
(a little, to, I, myself, time, need).
4. 「彼は我を忘れて興奮していた。」
(beside, with, he, himself, excitement, was).
5. 「そのこと自体は、宇宙がいかに誕生したかについて、何も我々に教えてはくれない。」
(anything, doesn't tell, that in, us, itself) about how the universe was created.

1.I can't solve this by myself.
2Those facts will speak for themselves.
3.I need a little time to myself.
4.He was beside himself with excitement.
5.That in itself doesn't tell us anything about how the universe was created.

Must
62

まぎらわしい言い方その4

▶tryの使い分け

try to doとtry ~ing

try to do ~は「～しようとする」で、try ~ingは「試しに～してみる」と訳されます。なぜこのような意味の違いが出て来るのか、解説します。

●── try to do:「～しようとする」

この表現でto不定詞は、toが持つ「→」という意味により、「～することに向かって」という意味を表します。ですから、結果的に「**未来**」に関係する意味を出し、「これから～することに向かって、トライする」ということになります。「ある行動が実現するように、行動を起こす」と言い換えることができます。

例文 He tried hard to open the door.
「彼はドアを開けようと、頑張った。」

He tried hard to open the door.

上記の例文では「ドアを開ける」という行為が実現するよう、一生懸命行動を起こしているわけです。ポイントは、「まだドアは開いていない。開けようとしているだけ」というところです。try to do ~は「**未実現**」であることを表す表現です。

●── try ~ing:試しに～してみる 

tryの後ろに動名詞がつくと、「未実現」の意味を持つtry to do~と違い、「実際にしてみる」ということを意味します。

動名詞は~ingの形をとり、~ing自体は「**動作の最中**」を意味します。try ~ingは「動作の最中を試みる」というのが直訳ですが、イラストにあるように、

try to do（〜しようとする）とtry ~ing（試しに〜してみる）
pass away（亡くなる）とpass out（気絶する）
had better（〜した方がいい）の使い方

動作を行っている最中に「どうなるのかテスト(try)してみる」ことを表しています。tryには、和訳の際に「試」という漢字があてはめられますが、この字は「〜しようと試みる」というtry to do ~にも当てはまりますし、「試しにやってみる（＝テストしてみる）」というtry ~ingにもあてはまります。try to do~と、try ~ingにおいて、tryが決してバラバラな意味を持つわけではないことがわかります。

He tried opening the door.

例文 He tried opening the door.
「彼は試しにドアを開けてみた。」
→ドアを開けてみたらどうなるのかをテストする、ということ。

また、try ~ingは「何かをやってみたが不十分なので、うまくいくように追加で何かをやってみる」という場合にも使えます。これも「試験的」なイメージを表す表現です。

例文 He found the soup tasteless, so he tried adding some salt to it.
「彼はスープの味が物足りないと思ったので、塩をすこし加えてみた。」

pass awayとpass out

とてもまぎらわしく、しかも間違えると、えらく失礼な話になる表現です。pass awayは「亡くなる・死ぬ」の婉曲表現、pass outは「気を失う」という意味です。

●── pass away：亡くなる・死ぬ

passは「通り過ぎる」であり、awayは「だんだん離れていく」ということです。そしてawayはここから「（音や姿が）だんだん小さくなり、ついには消えてなくなる」という意味にまで広がります。この感覚はfade awayなどの表現に生きています。

> His voice faded away as he walked.
> 「彼の歩みと共に、彼の声は小さくなって消えていった。」

「死ぬ」ということは、完全にこの世から「消えて」しまうわけです。そして、pass awayはdieの婉曲表現なのですが、その理由は、「死」を突然ブツリとこの世から消えてしまうイメージではなく、我々の目の前を通り過ぎて、だんだんと見えなくなり、やがて消えてしまうという、静かで厳かなイメージでとらえることによるものです。

例文 I didn't know he had passed away.
「彼がすでに亡くなっていたのを、私はその時知らなかった。」

pass away

●—— pass out：気絶する

「消えてなくなる」イメージのawayとは違い、「**外に出る**」のがoutのイメージです。つまり、体の内と外の境界線を通り越して（pass）精神が外に出るのがpass outで、しかもawayのように消えてなくなるわけではないので「死ぬ」ではなく「気絶」で済んでいるのがpass outと言えるでしょう。

例文 Yesterday, I passed out right after I got out of bed.
「昨日、私はベッドから出たところで気を失った。」

●—— had better の使い方

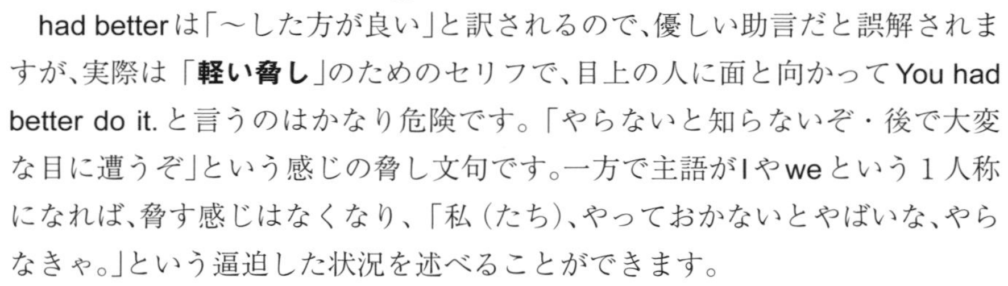

had betterは「～した方が良い」と訳されるので、優しい助言だと誤解されますが、実際は「**軽い脅し**」のためのセリフで、目上の人に面と向かってYou had better do it. と言うのはかなり危険です。「やらないと知らないぞ・後で大変な目に遭うぞ」という感じの脅し文句です。一方で主語がIやweという１人称になれば、脅す感じはなくなり、「私（たち）、やっておかないとやばいな、やらなきゃ。」という逼迫した状況を述べることができます。

上記のようなhad betterの意味に関してはすでに拙著『英文法の鬼100則』の第46項で述べたので、ここではhad betterを使う際に間違いやすい文法のポイントを述べます。had betterが問題になるのは、①had betterの後ろに動詞の原形が来るということと、②否定文にしたときのnotの位置です。以下の例文は２つの意味で間違った使い方をされています。

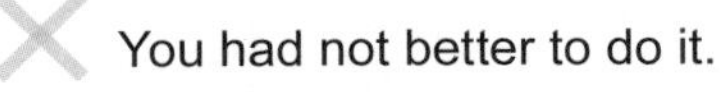

× You had not better to do it.

言いたいこと：「それはやめておいた方がいいぞ。(じゃないと、知らないぞ)」

①had betterの後ろには動詞の原型が来るので、toを除きdo itにする。

②notの位置はhad betterの後ろ。

○ You had better not do it.

つまり、had betterでmustのような一語の助動詞扱いになるのです。mustの後ろには動詞原形が来ます。そしてmustの間に（例えばmu-not-stのように）notを無理やり入れるわけにはいきません。must notになるはずです。それと同じ考え方がhad betterに当てはまります。その他、「もうとっくにできているはずだよな。(できていないとひどい目に遭うぞ)」という脅し方には完了形を使い、You had better have done it. と言ったりします。

復習問題

1.「彼はドアを開けようと、頑張った。」
(hard, the door, to, he, open, tried).

2.「彼はためしに塩をすこしスープに加えてみた。」
(some salt, he, the soup, to, adding, tried).

3.「彼がすでに亡くなっていたのを、私はその時知らなかった。」
(had, away, didn't, he, know, I, passed).

4.「昨日、私はベッドから出たところで気を失った。」
Yesterday, (after, passed, I, right, out) I got out of bed.

5.「そいつはやめといた方がいいぞ。」
(not, it, you, better, do, had).

1.He tried hard to open the door.
2.He tried adding some salt to the soup.
3.I didn't know he had passed away.
4.Yesterday, I passed out right after I got out of bed.
5.You had better not do it.

Must
63

まぎらわしい言い方その5

▶「逆」を表す表現

on the contraryとon the other hand

どちらも「逆」をイメージする言葉で共通点もありますが、意味には違いがあります。onは「どの立場の上に立って述べているのか」を表し、theは「2つある意見のうち、残りの一方、反対側だよ」という限定を表しています。

●── on the contrary：逆に、それどころか

contrary（逆のこと）、controversy（論争）、contradiction（矛盾）など、contra-は「反対」を意味するラテン語源の言葉です。on the contraryの働きは、「前言の否定」です。具体的には、①自身で否定している前言の内容の、否定の度合いをさらに強めたり、②他人からの発言に反対の意を示したり、③質問に対してノーと返事をするために使われます。on the contraryの直訳は、「反対側の場所上にいるよ」といったところでしょう。

①自身の否定的な前言をさらに強める

例文 The sweat didn't go away. On the contrary, it increased.

自身で否定している内容　　前言で否定している内容をさらに強める

「汗はひかなかった。それどころか、増えていった。」

→前言で「汗がひく」ことを否定し、on the contraryの後にさらに「汗がひかない」ことを強調している

②他人からの発言に反対の意を示す

例文 "You don't understand what's going on." "On the contrary! I do understand."

相手からの発言　　相手の発言に反論

「あなたは状況がわかっていないのよ。」

「とんでもない！（逆に・それどころか）よくわかっているよ。」

on the contrary（逆に）とon the other hand（一方で）とto the contrary（逆の）

「search 場所 for 目標物」と「search for 目標物」の「探す」

③質問に対してノーと返事をする

例文 "Do you have any regret?" "On the contrary, I'm proud of it."

「後悔している？」「それどころか、誇りに思っているよ。」

●—— on the other hand：一方で 

「手」というのはふつう「２つ」存在するので、この表現には「２つあるうちの残りの一方」を意味するthe otherが使われます。２つの話題を比べるとき、一方の手の上の話題と対比する、もう一方の手の上の話題を示すのがon the other handです。「両者を比べながら見てみる」という感覚です。

例文 A cashless society is more convenient and more hygienic. On the other hand, it is more subject to fraud.

「キャッシュレス社会は（紙幣やコインを使う社会に比べて）便利で衛生的です。一方で、詐欺には弱いです。」

be subject to A：「Aの影響下にある」（第58項参照）

on the contraryとの違いですが、on the contraryは、自身で否定している内容をさらに強く否定するとか、相手の発言や質問に否定的な内容を返すということでした。しかし、on the other handはただの対比であり、前言の内容を否定するものではありません。上記の例文でも「キャッシュレス社会は便利で衛生的だ」という内容は事実であり、「詐欺に弱い」という内容によって否定されるものではありません。

on the contrary（逆に）とto the contrary（逆の）

●――to the contrary：逆の 

on the contraryは文頭に来て、後に続く文の内容が前言の否定である、ということを予告する働きですが、to the contraryは「名詞+to the contrary」という形を取って、「**逆の**(名詞)」(直訳 逆に至る(名詞))という使い方をします。つまり、to the contraryは名詞の様子を説明する形容詞句です。コーパスで調べると、to the contraryの前にはevidenceという名詞がよく見られます。

例文 You can't prove your innocence without evidence to the contrary.
「逆の証拠がない限り、君は無実を証明できないだろう。」

１つ心に留めておいてほしいことがあります。アメリカ英語ではto the contraryがon the contraryと混同されて、文頭で「それどころか」「逆に」という意味で使われることが時々見られます。そういう文に出くわすことがあっても、驚かないでくださいね。

●――「search 場所 for 目標物」と「search for 目標物」の「探す」

searchを「探す」という日本語訳だけでとらえるとヤケドをします。日本語の「探す」には２通りの意味があり、１つは「どこを探す」(例：僕は部屋の中をくまなく探した。)、もう１つは「何を探す」(例：財布を探したが見つからない。)です。searchが自体が持っている意味は「**どこを探す**」かです。ですからsearchの目的語は探す場所になります。そして、「何を探す」かに関しては「目標」を表すforを使います。「探す」というのは「まだ見つからないもの（未達成の目標）」を「求める」ことなので、forが使われるのです。

例文 We searched the mountains for the missing kid.
我々 捜索した 山 その行方不明の子供
何を求めて捜索した？
「我々は行方不明の子どもを見つけようと、山を捜索した。」

そして、文脈上「どこを探すのか」を言わなくてもわかる場合、searchの後ろの目的語が省略されて「search for 目標物」という言い方が現れます。

例文 We searched for the missing kid.　「我々は行方不明の子供を捜索した。」

英語学習者の中には、

✕ We searched the missing kid.

としてしまう人がかなり見られます。search 自体は「場所を捜索する」という意味の動詞であり、「目標物を探す」という意味はないのでダメです。for をつけましょう。

ちなみに「目標物を探す」には、look for ～という言い方がありますね。look 自体は「目線を向ける」という意味で、search for と同じく、「まだ達成していない目標を求めて」という意味で for が加わります。look for の場合は、「捜索場所」は「前置詞＋場所」で表します。

I looked for the dictionary in the bookstore.　「私はその辞書を本屋で探した。」

（in the bookstore：捜索場所）

復習問題

1.「汗は引かなかった。それどころか、増えていった。」
The sweat didn't go away. (it, the, increased, contrary,, on).

2.「一方で、それ（キャッシュレス社会）は、詐欺には弱いです。」
(more subject, the other, to fraud, hand,, it is, on).

3.「逆の証拠がない限り、君は無実を証明できないだろう。」
(can't prove your, evidence, the contrary, innocence without, you, to).

4.「我々は行方不明の子どもを見つけようと、山を捜索した。」
(the mountains, the missing, searched, kid, for, we).

5.「我々は行方不明の子どもを捜索した。」
(the missing, we, kid, for, searched) .

1.The sweat didn't go away. On the contrary, it increased.
2.On the other hand, it is more subject to fraud.
3.You can't prove your innocence without evidence to the contrary.
4.We searched the mountains for the missing kid.
5.We searched for the missing kid.

英熟の鬼100

第4章

構文の仕組みと気持ちを理解する

Must
64

S V 人 into/out of doing ～ という構文

▶言葉で人を動かす構文

ここからは「動詞がそういう意味を出す」というよりは、「この構文に動詞を入れるから、こういう意味になってしまう」というパターンを紹介していきます。言語学の「構文文法」という分野で主張されている、「構文自体が固有の意味を持つ」現象です。

言葉を使って人を動かす構文

本項で扱う構文は、下記のようなものです。

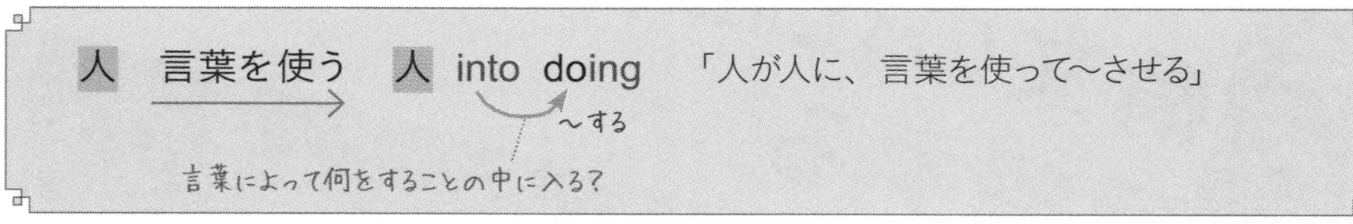

●―― talk/coax 人 into doing：説得して人に～させる

talkという動詞は、ふつうは自動詞で、「人に話す」ならtalk to 人というふうに前置詞toが必要です。しかし、「他動詞でも使うことがある」と習ったりします。

例文 I talked my father into going there with me.

私 会話した 自分の父 私とそこへ行く

話すことで何をすることの中に父を入れた?

「私は父を説得して、一緒にそこへ行ってもらった。」

しかしこれは、「talkにそういう意味や用法がある」というよりは、「『“言葉を使うV”＋人＋ into doing』というポピュラーな構文があって、talkもその構文によく使われる動詞の１つに過ぎない」と言う方が正確です。普段は自動詞であるtalkも、この他動詞構文に入ったとたん、「他者に働きかける」、つまり

talk/coax 人 into doing：説得して人に〜させる
fool/trick 人 into thinking/believing：騙して人に〜だと思わせる・信じさせる
scare/bully 人 into doing：脅して人に〜させる
force/push 人 into doing：強制して人に〜させる
manipulate/cajole 人 into doing：操って人に〜させる

「会話を通して人に何かさせる」という意味に変質するというわけです。

上記の構文の注意点ですが、into ~ingにより「〜する状態の中に入る」という意味になるので、単に説得しただけでなく、「説得して〜させた」という、動作の実現まで意味します。また、intoの代わりにout ofを使えば「〜することの外へ出す」＝「〜しないようにさせる」という意味になります。

例文 My mom talked me out of going to his funeral.
「私は母に説得されて、彼の葬式に行くのをやめた。」

coax（コウクス）は英検一級にも出るような単語ですが、新聞、テレビ、雑誌、特に小説でよく出てきます。「やさしく温和に、忍耐強く人を説得して、人が望まないことをさせる」という意味を持ちます。

例文 The doctor coaxed the old woman into taking the medicine.
「医者はそのおばあさんを粘り強く諭して、薬を飲ませた。」

上記の例文も、intoの代わりにout ofを使えば「薬を飲むのをやめさせた」となります。

●── fool/trick 人 into thinking/believing :騙（だま）して人に〜だと思わせる・信じさせる

この構文が「騙す系」の動詞を使うときには、foolとtrickが最もよく使われます。そして、「騙す系」の動詞の場合、intoの後ろにはthinkingとbelievingが最もよく使われ、「騙すことで、人の考え方をコントロールする」という意味合いで使われます。foolはDon't let A fool you into thinking 〜「Aに騙されて〜だと考えたりしないように。」という言い方がよく見られます。

例文 Don't let〔her charm = fool you〕into thinking she is a nice woman.

させるな　彼女の魅力 ＝ あなたを騙す　彼女がいいひとなのだと考えること

騙して何することの中に入れる?

「彼女の魅力に騙されて、彼女がいい人だなんて考えたりしないように。」

trickは「ずる賢いやり方で騙す」、つまり「うまく引っ掛ける」という意味合いが強く出ます。

例文 She tricked the little boy into believing that she was his mother.

彼女　騙した　その小さな男の子　彼女が自分の母親であると信じること

騙して何をすることの中に入れた?

「彼女はその小さな男の子を騙して、自分の母親だと思い込ませた。」

●—— scare/bully 人 into doing：脅して人に～させる

この構文で「脅して～させる」のときに最も使われるのがscareです。日常会話レベルの動詞で、「びっくりさせ、びびらせる」に近い意味です。

例文 He had a heart attack last month, but even that didn't scare him into stopping drinking.

それですら　こわがらせなかった　彼

怖がらせて彼を何することの中に入れる?

酒をやめる

「彼は先月心臓麻痺を起こしたのに、それでも酒をやめなかったんだよ。」

→ 直訳 そのことですら彼をびびらせて酒をやめさせることがなかった

bullyは「いじめる」ですから、この構文で使えば、暴力や嫌がらせをチラつかせながら言うことを聞かせることを表します。

例文 They tried to bully me into bullying other members.

彼ら　脅してさせようとした　私　他のメンバーを(私が)いじめる

いじめて、私を何することに入れようとした?

「彼らは私を脅して他のメンバーをいじめるように仕向けようとした。」

●—— force/push 人 into doing：強制して人に～させる

強制の意味でこの構文に最もよく使われるのはforceとpushです。forceは強制力を相手にぶつけ、pushは文字通り相手を押します。そして相手をある行動へと押し込むわけです。

例文 I don't want to force you into doing this.

「君にこれを無理強いしたいとは思っていないんだよ。」

例文 I'm not trying to push you into accepting my position.

「私の地位を無理に君に引き継いでもらおうというわけじゃないんだよ。」

●── manipulate/cajole 人 into doing：操って人に～させる

manipulateは「気づかれないよう密かに相手をコントロールする」ことです。cajole（カジョール）は「相手にいい顔をして、うまく丸め込む」ことです。この構文においてcajoleはmanipulateに比べれば使用件数は３分の１に過ぎませんが、上級者ならば知っておいてほしい単語です。

例文 They manipulate you into doing their job and then complain about how you do it.

「あなたが彼らの仕事をやるようにうまく仕向け、後になって彼らはあなたの仕事ぶりにケチをつけるのよ。」

例文 He cajoled us into striking a deal.

「彼はうまく我々を丸め込んで、合意を取りまとめた。」

strike a deal 合意する（第56項参照）

復習問題

1.「私は父を説得して、一緒にそこへ行ってもらった。」
(my father, going there, I, me, into, with, talked).

2.「彼女の魅力に騙されて、彼女がいい人だなんて考えたりしないように。」
Don't let (into, she is, you, a nice woman, her charm, thinking, fool).

3.「彼らは私を脅して他のメンバーをいじめるように仕向けようとした。」
(to bully, bullying, they tried, into, me) other members.

4.「君にこれを無理強いしたいとは思っていないんだよ。」
(doing, don't, force, want to, I, you, into) this.

5.「彼はうまく我々を丸め込んで、合意を取りまとめた。」
(a deal, cajoled, striking, he, us, into).

1.I talked my father into going there with me.
2.Don't let her charm fool you into thinking she is a nice woman.
3.They tried to bully me into bullying other members.
4.I don't want to force you into doing this.
5.He cajoled us into striking a deal.

Must
65

SV人with物その1

▶第4文型ではない、「渡す」構文

第4文型には、構文自体に「渡す」という意味が備わっています。しかし、「渡す」という意味さえあれば何でもかんでも第4文型になれるわけではなく、別の形の構文を取るパターンもあります。その1つが「SV人with物」(人に物を渡す)という構文です。なぜこの構文が「渡す」意味を持つのか、その原型となるような表現を見てみましょう。

●── mix A with B：AをBと混ぜる 

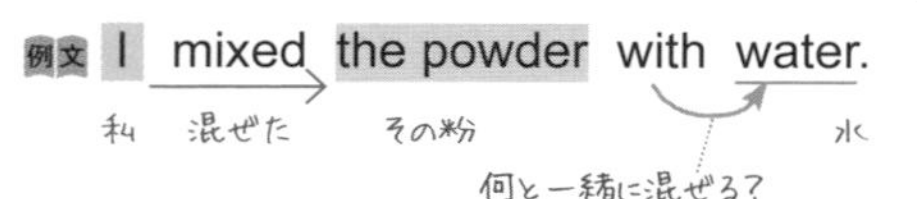

「私はその粉を水と混ぜた。」

mix A with Bで「AをBと混ぜる」です。A with Bで「AがBと一緒に存在する」ですが、これは別の視点から見れば「AがBを持っている」、上記の例文なら「その粉が水を持っている」ということにもなります。このようにwithは「共にいる」というところから「～を持っている(have)」の意味を派生させます。もう一歩抽象的に考えれば、「私はその粉を水と混ぜた」=「私はその粉が水を持つようにした」=「私はその粉に水を与えた」ということにもなります。

もう1つ例を見てみましょう。

●── combine A with B：AをBと組み合わせる 

combineは「コンビネーション(combination)」の動詞形で、「組み合わせる」という意味です。

mix A with B：AをBと混ぜる
combine A with B：AをBと組み合わせる
provide 人 with 物：人に物を提供する
supply 人 with 物：人に物を（大規模に）供給する
present 人 with 物：人に物を贈呈する

例文 When you combine a healthy diet with exercise, you can lose weight more effectively.

何の時？　君　組み合わせる　健康な食生活　運動　もっと効果的に体重を減らせる
何と組み合わせる？

「健康な食生活に運動を組み合わせれば、あなたはもっと効果的に体重を減らせます。」

これも「健康な食生活」に「運動」を組み合わせるわけですから、「健康な食生活に運動を加える」、つまり「与える」感覚が存在しているわけです。こういうことからも、「S V O with ～」は、「Oに～を与える・渡す」というイメージを持つ構文だということがわかります。

そしてこの構文に「渡す」イメージを持つラテン語源の動詞をはめ込むと、第4文型と同じ「AにBを渡す」イメージを持つ表現ができあがります（explainなどの例外もあります）。

本項ではこの構文で使われる最も代表的で基本的な動詞を3つ紹介します。

●── provide 人 with 物：人に物を提供する 

pro（前方）+ -vide（見る：viewやvisionと同源）→「未来を見る」→「未来に備えて準備」→「（物資を）提供する」という語源を持つ言葉です。「提供する・供給する」を意味するラテン系動詞の中で最も意味にクセがなく、デフォルト的に使用されますし、使用件数も群を抜いています。オックスフォード現代英英辞典には「誰かに何かを与えること。あるいは、人に対して物を使えるようにしてあげること。」という語義が載っています。

例文 The Amazon rain forest provides us with a lot of oxygen.

アマゾンの熱帯雨林　提供する　我々　たくさんの酸素
提供した結果、我々は何を持つ？

「アマゾンの熱帯雨林は我々にたくさんの酸素を供給してくれる。」

「with 〜」は、「主語が人にprovideした結果、人が〜を持つ」という意味で使われていると考えるとわかりやすいでしょう。ここでは「アマゾンの熱帯雨林が我々に提供した結果、我々はたくさんの酸素を持つ」という流れです。

ライティングでは、provideをwith無しの第４文型で使ってしまう学習者がとても多くいます。withを忘れないようにしましょう。

✕ The Amazon rain forest provides us a lot of oxygen.

●—— supply 人 with 物：人に物を（大規模に）供給する

supplyはprovideと比べて「大量に供給する」という意味が強くあります。ですから個人的に誰かに何かを提供するというよりは、例えば電力会社が民間に電力を供給するとか、外国政府が反乱軍に武器を供給するなどといった文脈で使われることがよくあります。ビジネス用語に出て来るsupply chain（サプライチェーン）も、「製品を作るための原材料調達→生産→物流→販売」といった、大規模な物資流通の流れを意味します。

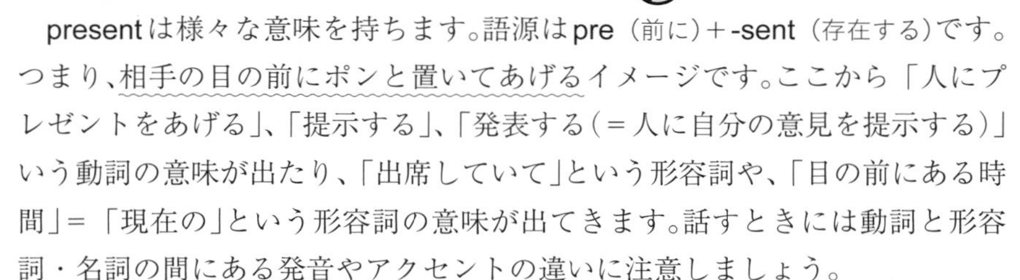

例文 The U.S. supplied the rebels with military assistance.

「米国は反政府勢力に軍事援助をおこなった。」

●—— present 人 with 物：人に物を贈呈する

presentは様々な意味を持ちます。語源はpre（前に）＋-sent（存在する）です。つまり、相手の目の前にポンと置いてあげるイメージです。ここから「人にプレゼントをあげる」、「提示する」、「発表する（＝人に自分の意見を提示する）」いう動詞の意味が出たり、「出席していて」という形容詞や、「目の前にある時間」＝「現在の」という形容詞の意味が出てきます。話すときには動詞と形容詞・名詞の間にある発音やアクセントの違いに注意しましょう。

「プレゼントをあげる・贈呈する」という意味で「渡す」イメージが出ますの

で、この構文でpresentを使います。

例文 I was so proud when they called my name and presented me with the statue.

とても誇りに思った　何の時？　彼らが私の名を呼び　贈呈した　私　私は何を持つ？　その像

「彼らが私の名前を呼び、その像を私に贈呈したとき、私はとても誇らしく思った。」

ラテン語源動詞の構文だけあって、provide、supply、presentなど、フォーマルな傾向が少し強いようです。ライティングでの使用に向いていますね。

復習問題

1. 「私はその粉を水と混ぜた。」
   (the powder, water, mixed, I, with).
2. 「健康な食生活に運動を組み合わせれば、あなたはもっと効果的に体重を減らせます。」
   (a healthy diet, when, with, you combine, exercise), you can lose weight more effectively.
3. 「アマゾンの熱帯雨林は我々にたくさんの酸素を供給してくれる。」
   (us, a lot of, the Amazon rain forest, oxygen, provides, with).
4. 「米国は反政府勢力に軍事援助をおこなった。」
   (with, supplied, military assistance, the U.S., the rebels).
5. 「彼らは私の名前を呼び、その像を私に贈呈した。」
   (my name, with, and presented, they called, me) the statue.

1.I mixed the powder with water.
2.When you combine a healthy diet with exercise, you can lose weight more effectively.
3.The Amazon rain forest provides us with a lot of oxygen.
4.The U.S. supplied the rebels with military assistance.
5.They called my name and presented me with the statue.

Must
66

S V 人 with 物　その2

▶抽象概念を「モノ化」して渡す

前回はラテン系動詞の「渡す」構文として「S V 人 with 物」を紹介しました。本項では物理的な物の受け渡しを超えて、同構文が比喩的に使われるパターンを5つご紹介します。

●—— diagnose 人 with 病名：人を（病名）だと診断する 

diagnoseは「診断する」という意味の動詞です。dia（間）＋-gnose（知る・学ぶ）→「AとBとの間を知る」→「AとBを区別する」→「病名を識別する」という意味の変遷を経てきました。-gnoseのgnoはknow（知っている）やignore（無視する＝知らなかったことにする）の語源にもなっている言葉です。この構文を通して「人に病名を渡す」というイメージを表します。

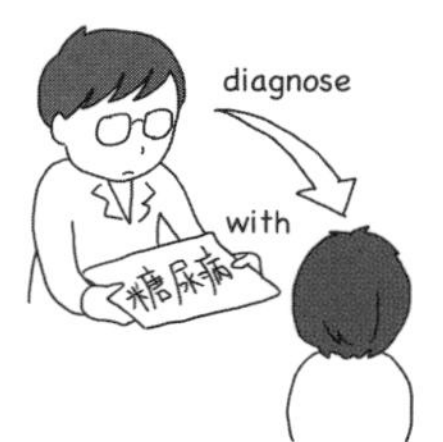

例文 The doctor diagnosed me with diabetes.
医者　診断した　私　糖尿病
診断の結果私はどういう病名を持つ？

「医者は私を糖尿病だと診断した。」

これは一種のメタファー、つまり、触ることも見ることもできない「病名」という抽象的な概念を、触って受け渡しできる物理的な物体のように扱って理解する人間の思考習慣の表れです。このような思考過程は言語学では**reification（モノ化）**と呼ばれます。

●—— leave 人 with 〜：人に〜を残す 

leaveは外来語であるラテン系動詞ではなく、英語にとって固有語にあたる

diagnose 人 with 病名：人を（病名）だと診断する
leave 人 with ～：人に～を残す
pepper 人 with questions：人に質問を浴びせかける
shower 人 with ～：人に雨あられと～を与える
surround oneself with (～な人々)：～という人で自分のまわりを固める

ゲルマン語系の言葉ですが、この「渡す」構文を使うことがあります。また、固有語ですから第４文型もとります。

第４文型では伝言を残したり、ケーキを残しておいたり、死んで遺産を残すなど、物理的な物の受け渡しが行われます。一方、ラテン系の構文である「leave 人 with ～」では「選択肢を残す」や「印象を残す」「結果・後遺症を残す」など、抽象的な概念の受け渡しの意味で使われます。

まずは第４文型の例を見てみましょう。leave（去る）に第４文型（渡す）の意味が加わって、「渡して去る」＝「残す」という意味が出ます。

第４文型

例文 He left me a message.　「彼は私にメッセージを残した。」

例文 Leave me some cake.　「ケーキをいくらか残しといてね。」

例文 Our parents left us a fortune.
「私たちの両親は、死んで私たちにひと財産残してくれた。」

次に「leave 人 with ～」の構文を見てみましょう。ここでも「渡す」型の構文によってleaveは「去る＋渡す→残す」という意味を出します。この構文では、残されるものは抽象的な概念（≒実際に触ることができない）であることがふつうです。

leave 人 with ～の構文

例文 The argument left us with a bad taste in our mouths.
その口論　残した　我々　口の中に嫌な味
その口論は去って、我々に何を持たせる？
「その口論のせいで我々は後味の悪い思いをした。」
→「(原因) leave (人) with a bad taste in one's mouth」で「(原因)のせいで(人)が後味の悪い思いをする」

例文 The disaster left me with no choice but to go out of business.

その災害　残した　私　選択肢ゼロ　廃業する

その災害は去って、私に何を残した？　何を除いて選択肢がない？

「その災害のせいで、私は事業をやめざるを得なかった。」

「no choice but to do ～」で「～する以外に選択肢がない」

●── pepper 人 with questions：人に質問を浴びせかける

shower 人 with ～：人に雨あられと～を与える

pepperが動詞で使われると「胡椒をふりかける」になります。**pepper 人 with questions**は、文字通り、「胡椒をふりかけるように、人に質問を浴びせかける」ということです。たくさんの質問を浴びせるので、questionsは複数形です。

例文 Reporters peppered the governor with questions about their suspicions.

記者たち　浴びせた　知事　質問　疑惑

記者たちが浴びせて知事は何を持つ？　何についての質問？

「記者たちは知事に、その疑惑について質問を浴びせかけた。」

→their suspicionsは「記者達が心に抱く複数の疑惑」

似た表現に「**shower（人）with（贈り物・賞賛・キス）**」で「（人）に雨あられと～を送る・与える」があります。

例文 He showered her with expensive gifts.

「彼は次々と高価な贈り物を彼女にあげた。」

pepperや、showerという動詞自体は「与える」というイメージを持っていないにも関わらず、この構文に入れることで「与える」という意味が現れます。この構文自体が「渡す」という意味を持っているということがわかります。

●── surround oneself with (～な人々)

：～という人で自分のまわりを固める

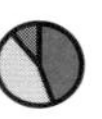

surroundは「取り囲む」という意味のラテン系の動詞です。音響システムで有名な言葉ですよね。音が自分の周りを取り囲むようにして聞こえるシステ

ムです。surround oneselfで「自身を取り囲む」。withによって「自身」が「持つ」のは、「〜という性質を持った人々」です。

例文 He is successful in surrounding himself with competent advisors.

彼は成功している　取り囲む　自分自身　有能なアドバイザーたち

何の分野の枠内で成功？　自身を取り囲ませた結果、何を持つ？

「彼は自分の周りを有能なアドバイザーで固めることに成功している。」

自分自身にどんどん人を「与え」て、それで自分の周りを固めることを表します。

復習問題

1.「医者は私を糖尿病だと診断した。」
(me, the doctor, with, diagnosed) diabetes.

2.「その口論のせいで我々は後味の悪い思いをした。」
The argument (a bad taste, us, our mouths, left, with, in).

3.「記者たちは知事に、その疑惑について質問を浴びせかけた。」
(with, peppered, questions, reporters, the governor) about their suspicions.

4.「彼は次々と高価な贈り物を彼女にあげた。」
(expensive, showered, with, gifts, he, her).

5.「彼は自分の周りを有能なアドバイザーで固めることに成功している。」
He is successful in (competent, himself, with, surrounding, advisors).

1.The doctor diagnosed me with diabetes.
2.The argument left us with a bad taste in our mouths.
3.Reporters peppered the governor with questions about their suspicions.
4.He showered her with expensive gifts.
5.He is successful in surrounding himself with competent advisors.

Must
67

S V 人 with 物　その3

▶目的語が「人」じゃないパターンも

これまで「動詞＋人＋with～」のように、目的語に「人」を置いて、「人に～を渡す」イメージの構文として説明してきました。最後に目的語が「人以外」だけれども「渡す」イメージが表されている表現を紹介します。

●── equip A with B：AにBを備え付ける 

equipment（設備）という言葉の動詞形がequip（備えつける）です。「AにBを与える」という形で装備させるわけです。

例文 The governor is trying hard to equip schools with air conditioners.

知事　頑張っている　備えつける　学校　エアコン
何することに向かって？　学校は何を持つ？

「知事は学校にエアコンを取りつけるよう、奮闘している。」

この構文で、equipには目的語に人が来ることもよくあります。というか、コーパスで調べると、目的語が人になる方が多数派です。

例文 This new system will equip more workers with new skills.

この新システム　備えつけるだろう　より多くの働き手　新しいスキル
働き手は何を持つ？

「この新しいシステムのおかげで、より多くの働き手が新しいスキルを身につけるだろう。」

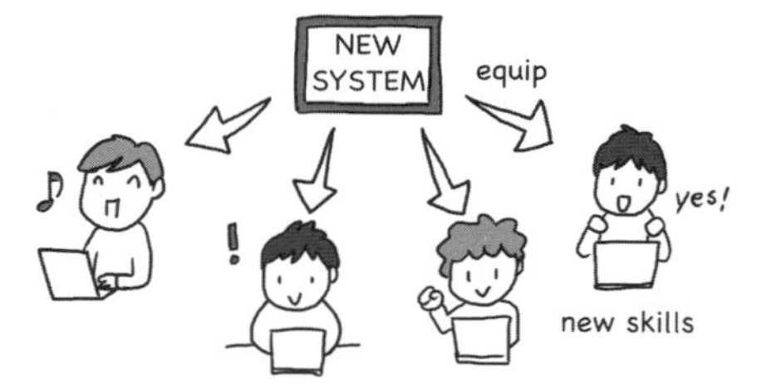

equip A with B：AにBを備えつける
furnish A with B：AにB（家具など）を備えつける
fill (up) A with B：AをBで満たす
load A with B：AにBを積み込む
conclude A with B：AをBで締めくくる

●——furnish A with B:AにB（家具など）を備えつける

furnishはfurnitureの動詞形で、「家具などを備えつける」という意味になります。これもこの構文で使うと、「部屋や家に家具などを与える」というイメージで「備えつけ」ていくことを意味します。

例文 We furnished our apartment with only what was necessary.
我々　備えつけた　自分たちのアパート　必要であるものだけ
アパートは何を持つ？

「私たちは自分のアパートに、必要最低限のものだけを備えつけた。」

「家具」のイメージが強いこのfurnishという動詞も、人が目的語に来ることがかなりあり、辞書に出て来る和訳もそのものずばり、「人に（必要なものを）供給する・与える」となります。

例文 Chris took care of the sick traveler until he recovered, and furnished him with money to leave.

「クリスはその病気の旅人が回復するまで面倒を見て、出発のためのお金も与えた。」

●——fill (up) A with B:AをBで満たす

fill with tea

fillとfill upの意味の違いは「満たす」か、それとも「満タンで満たす」かの違いです。upは「上まで行く＝満タンになる」という「完成のイメージ」を持ちます（第27項参照）。「満たす」（fill）だけなら「カップの半分まで水で満たす」という言い方もできますので、fill upなら、カップの9～10分目まで液体を入れる感じだと考えて良いでしょう。

fill up with tea

「容器を液体で満たす」ということは、「容器に液体を与える」

ということでもあります。

例文 She filled the cup with tea.　「彼女はカップを紅茶で満たした。」

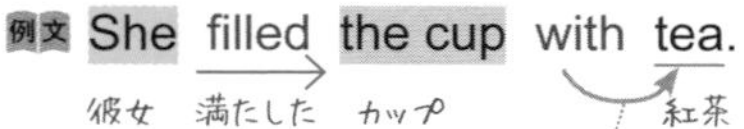

●—— load A with B：A に B を積み込む 

よくテレビゲームで“Now loading …”と出て来るあのloadです。テレビゲームの場合はゲームのソフトの情報を、ゲーム機に積み込む作業を表しています。uploadやdownloadも同じですね。upは「天＝抽象」を意味するのでサイバー空間を意味し、downは「地上＝具体」を意味するので、パソコンやスマホなどの端末を意味します。それらに情報を「積み込む」のがuploadやdownloadです。もともとは「荷台に荷を積み込む」意味でよく使われる動詞です。そして、その行為は「荷台に荷を与える」イメージでとらえることができるので、この構文が使われます。

例文 He loaded his car with food and water.

彼　積み込んだ　自分の車　食料と水

車は何を持つ？

「彼は自分の車に食料と水を積み込んだ。」

同じ構造の構文に動詞spray（吹きつける）を使ったものがあります。やはり、「壁にペンキを与える」イメージでとらえることができます。

例文 He sprayed the wall with paint.　「彼は壁をスプレーで吹きつけた。」

この２つの文はある重要な共通点を持っていて、言語学ではかなりよく取り上げられます。それが一体何なのかは、次項でご覧ください。

●—— conclude A with B：A を B で締めくくる

conclusion（結論）という単語をご存知の方は多いでしょう。その動詞形がconclude（締めくくる・結論づける）です。語源は、con（共に）＋-clude（=close）→

「囲い込むようにして閉じる」です。-clude はclose の語源にもつながる言葉で、include（中に閉じる→含む）やexclude（外に閉じる→閉じて外に締め出す→締め出す・排除する）などでもお馴染みです。

文章や、スピーチの締め括りに気の利いた一言などを入れれば、それは「文章やスピーチに気の利いた一言を『与える』」というイメージでとらえることができます。

例文 She concluded the article with a message of gratitude.

彼女　締めくくった　その記事　感謝のメッセージ

その記事は何を持つ？

「彼女はその記事を感謝のメッセージで締めくくった。」

gratitude「感謝」。「ありがとう」を意味するスペイン語のgraciasやイタリア語のgrazieと同じ語源。

以上、withを使った「渡す・与える」イメージの構文でした。私もライティングをやっていて、うっかりやらかしてしまうのは、withを落として、第４文型で書いてしまうことです。withを忘れないようにしてくださいね。

復習問題

1.「知事は学校にエアコンを取りつけるよう、奮闘している。」
(schools, the governor, air conditioners, is trying hard, with, to equip).

2.「私たちは自分のアパートに、必要最低限のものだけを備えつけた。」
(what was necessary, furnished, with only, we, our apartment).

3.「彼女はカップを紅茶で満たした。」
(the cup, she, tea, filled, with).

4.「彼は自分の車に食料と水を積み込んだ。」
(with, food, he, his car, and water, loaded).

5.「彼女はその記事を感謝のメッセージで締めくくった。」
(a message, concluded, with, she, the article) of gratitude.

1.The governor is trying hard to equip schools with air conditioners.
2.We furnished our apartment with only what was necessary.
3.She filled the cup with tea.
4.He loaded his car with food and water.
5.She concluded the article with a message of gratitude.

第1章 第2章 第3章 第4章 第5章

Must
68

「壁をペンキで塗る」と「壁にペンキを塗る」の違い

▶「場所格交替」という現象

前項で解説した「load A with B」（AにBを積み込む）と、「spray A with B」（AにBで吹きつける）の共通点を解説します。まずはloadには似たような意味を表すもう１つの別な構文がある、というところから、見ていきます。

① He loaded his car with food and water.
彼　積み込んだ　自分の車　食料と水
車は何を持つ？
「彼は自分の車に食料と水を積み込んだ。」

上記の「load A with B」という構文は、下のように言い換えることができます。

② He loaded food and water into his car.
彼　積み込んだ　食料と水　自分の車
何の中に積み込む？
「彼は自分の車に食料と水を積み込んだ。」

日本語に訳してしまうと同じになりますが、両者のイメージは同じではありません。実は①の方が「車が荷物でいっぱいになる」というイメージが出やすいのに対し、②では、ただ「荷物を積み込む」だけのイメージしか出てきません。これは言語学で「**場所格交替**」と呼ばれている現象です。

日本語にも似た例があります。

a)「ガレージがガラクタで散らかっている。」
b)「ガレージにガラクタが散らかっている。」

これも、a)の文だとガレージいっぱいにガラクタが散らかっている様子が浮かびますが、b)の文ではガレージの空間の一部だけをガラクタが占めている可能性が浮かびやすくなります。もちろん、感じ方には個人差がありますが。

さて、英語に戻ります。動詞sprayで作る構文が好んで取り上げられますので、そちらを見てみましょう。

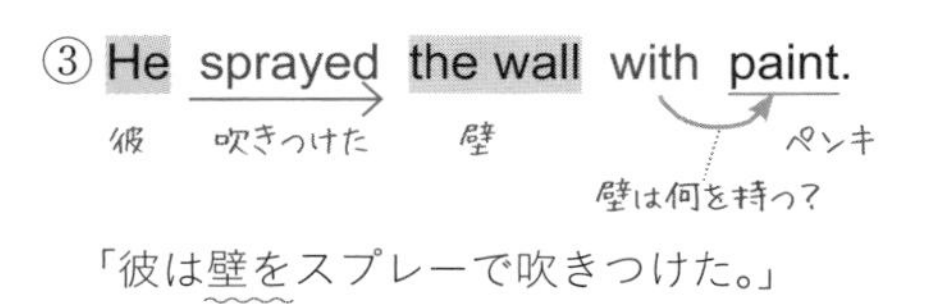

「彼は壁をスプレーで吹きつけた。」

④ He sprayed paint onto the wall.

彼　吹きつけた　ペンキ　壁

何の上に?

「彼はスプレーを壁に吹きつけた。」

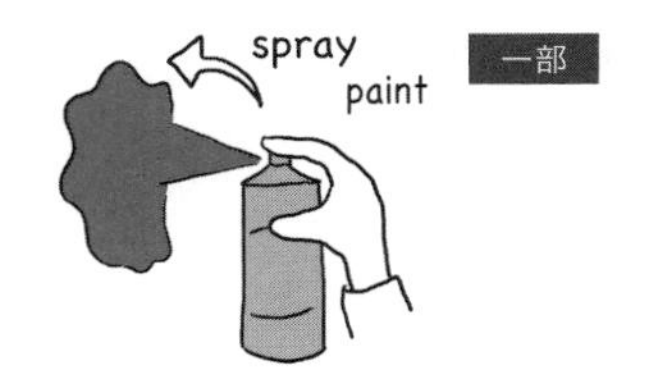

③の文は「壁をスプレーで吹きつけた」と訳し、④の文は「スプレーを壁に吹きつけた」と訳すと、英文の意味にイメージが近くなります。

③が壁全体をペンキで塗っているイメージであるのに対し、④は壁にペンキを塗っていることを述べるだけでそれが壁全体なのかどうかはわからない、ということが日本語訳を通して感じられると思います。

英語で考えてみましょう。

③のHe sprayed the wall with paint.という文ではsprayという**他動詞の力がthe wallという目的語に働きかけている**ことから、「吹きつけることで壁の状態を変えていく」ということに注意が向きます。こうなると、壁の一部ではなく、壁全体の変化への注意が向きやすくなります。

一方で、④のHe sprayed paint onto the wall.という文では**sprayという他動詞の力はpaintという目的語に働きかけています**。これだと「ペンキを吹きかける」という、「ペンキの液体(のターゲットへ)の移動」に注意が向くことになります。これではペンキには注意が向くものの、壁全面に注意を向けるのは難しくなります。

①のHe loaded his car with food and water.に戻ると、heから出たloadという他動詞の力がhis carにぶつかり、その結果としてhis carの状態の変化に焦点が当たります。車の状態の変化に焦点が当たるので、「車が空っぽからいっぱいへと変化する」というイメージが喚起されやすくなります。

一方②のHe loaded food and water into his car.では、heから出たloadの力はfood and waterにぶつかっています。積み込むことによる食料と水の移動に焦点が当たり、車全体の状態の変化には注意が向きにくくなります。結果として、水と食料が車の中に移動したというだけのイメージが浮かびやすくなります。

●――場所格交替現象が起きる動詞

場所格交替の現象はどのような動詞でも起きることではなく、「一面に何かをする」という意味が出る動詞がよく使われます。以下は、言語学者ピンカーによる分類を参考にしています。（例文は筆者による）

smear（塗りつける・なすりつける）タイプ

brush（ハケで塗る）、rub（すり込む、塗りつける）、spread（塗り広げる）など

例文 Brush olive oil over the dough.

「（ハケを使って）生地にオリーブオイルを塗ってください。」 一部

例文 Brush the dough with olive oil.

「（ハケを使って）オリーブオイルで生地を塗ってください。」 全体

heap（積み上げる・盛る）タイプ

pile（柱のように積み上げる）、stack（積み上げる）など

例文 He stacked hay in the barn. 「彼は納屋に干し草を積んだ。」

例文 He stacked the barn with hay. 「彼は干し草を積んで納屋をいっぱいにした。」

spray（吹きつける）タイプ

splash（パシャっとはねてかける）、splatter（ビシャっとかける）、sprinkle（振りかける・散布する）など

例文 The bus splashed muddy water onto my clothes.

「バスがはねた泥水が私の服にかかった。」

例文 The bus splashed my clothes with muddy water.

「バスがはねた泥水で私の服は泥だらけになった。」

cram（容量を超えて詰め込む）タイプ

pack（詰め込む）、crowd（人などを押し込む）、jam（詰め込む）など

例文 She crammed the coins into the jar.　「彼女は瓶にコインを詰め込んだ。」

例文 She crammed the jar with coins.　「彼女は瓶をコインでぎゅうぎゅうにした。」

load（容器に積み込み、中を満たす）タイプ

load（積み込む）、pack（スーツケースなどに詰め込む）、stock（棚などを満たす）など

例文 I packed clothes into my suitcase.「私はスーツケースに服を詰め込んだ。」

例文 I packed my suitcase with clothes.「私は服でスーツケースをいっぱいにした。」

いずれも「ある程度の面積・容積の空間を必要とする」、「そこに何かのかたまりが入ったり、広がったりする」という意味を共通して持ちます。

●—— with の解釈

この構文で使われるwithですが、本書では基本的に「結果として～を持つ」という意味で解釈しています。しかし、次項で出て来る「道具のwith」（～という道具を使って・例：with a knife「ナイフを使って」）として解釈すべきだという意見もあることを紹介しておきます。

⑤ He loaded his car with food and water.

彼　積み込んだ　自分の車　食料と水

どういう道具を使って車をいっぱいにした？

「彼は自分の車に食料と水を積み込んだ。」

Must
69

S V O with 道具

▶「道具でOをVする」構文

本項では、先ほどの「渡す・与える」と同じ形で、違う意味が出る構文を解説します。1つの単語に複数の意味があるように、1つの構文にも複数の意味があります。それらの意味は全くバラバラというわけではなく、どこか微妙に重なります。そこも単語の多義と同じだと言えます。

「道具のwith」構文の卵

with～で「～を使って」と訳すことができるwithがあります。私はこれを「**道具のwith**」と呼びます。日本語で「～で」と呼ばれるものを英語にするとき、安易にbyを使ってしまう人がいますが、「道具を使って」という意味で「～で」となるとき、使われるのはwithです。

例文 He cut the meat with a new knife.（✕ by a new knife）
「彼は新しいナイフで肉を切った。」

どこからこんな意味が生まれるのか、その原型となる表現を見てみましょう。

例文 He came to me with Jennifer.
「彼はジェニファーと一緒に、私のところにやって来た。」

↓

例文 He came to me with a cup of coffee in his hand.
「彼はコーヒーを片手に持ち、私のところにやって来た。」

with
一緒に

withは相手が自分と同じくらいの大きさなら「**一緒にいる**」と訳せますが、コーヒーカップのような小さいものになると、「私はコーヒーカップと一緒にいる」とは言いにくくなります。このような、自分よりかなり小さなものを

---

cover A with B：Bを使ってAを覆う
start A with B：BでAを始める
replace A with B：AをBと取り替える
treat 人 with respect：敬意を持って（人）に接する
console oneself with the 考え that ～：～と考えて自らをなぐさめる

---

with Aで表すとき、「**Aを持って**」という意味が現れます。そして人間は、手に持ったものを道具として使う習性があります。そこで、「with＋道具」という表現が生まれます。そういうわけで冒頭の例文のように、「肉をナイフで切る」はcut the meat with a knifeとなるわけです。

with
持っている

●―― cover A with B：B を使って A を覆う 

with Bを「道具」、つまり「Bを使って」ととらえられる使い方です。

例文 Cover the dough with a towel and let〔it = rest〕for five minutes.

覆う　生地　何を道具として使って？　一枚のタオル　させてやる　生地＝休む　5分間

「タオルで(小麦粉の)生地を覆って、5分間ねかせてください。」

よく例文に出て来る「雪で覆われる」という表現も、比喩的に「雪を使って覆う」と述べている表現です。

例文 His house was covered with snow.　「彼の家は雪で覆われていた。」

●―― start A with B：B で A を始める 

例文 Start the day with a well-balanced breakfast.

始める　その日1日　何を使って？　バランスの取れた朝食

「バランスの取れた朝食で1日を始めなさい。」

「with＋道具」が少しずつ抽象的になっていきます。実際に手に持って使う道具ではなくなり、「目的を達成するために使用するもの」という感覚になってきます。ここでは「バランスの取れた食事」を使って「良い1日を始め」ています。

●── replace A with B：AをBと取り替える 

例文 They replaced the door mat with a new one.

彼ら 取り替えた ドアマット 新しいドアマット
何で取り替えた？

「彼らはそのドアマットを新しいものと取り替えた。」

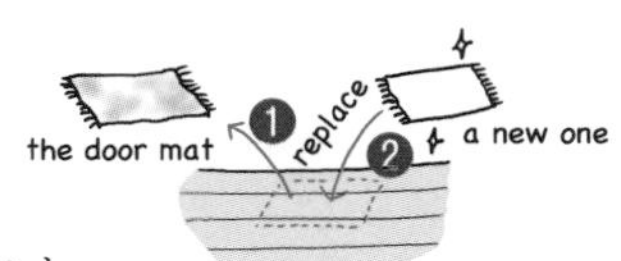

replace A with Bのイメージは、以下のようなものです。

① 元々Aがあった場所からAを立ち退かせ、その場所が空く。
② その空間を、何かを「もってして（with）」埋めていく。

with Bが表すのは②の部分で、例文ではa new one（新しいドアマット）を使って補充しています。類似表現にchange A for B（AをBと交換する）がありますが、replaceはchangeに比べ「撤去・追放＋補充」の意味合いが強い言葉です。

●── treat 人 with respect：敬意を持って（人）に接する 

「treat 人 with ～」で「～を持って（人）に接する」です。withのところに来るのはかなりの割合でrespectです。treatは「扱う」とか「遇する」と訳されたりもしますが、もっと詳しく言えば「何かに対してどういう態度で対応していくか」ということです。

例文 I have treated you with respect, and I would like you to treat me in the same manner.

私 扱ってきた あなた 敬意 私 好むだろう あなた 扱う 私
何を持って？ あなたが何することに向かうことを好む？
同じやり方で

「私はあなたに敬意を持って接してきたし、あなたも同じように私に接してほしい。」

respect（敬意）に「道具」というイメージは感じにくいですが、with = haveのイメージですから、「敬意を持って」というwith respectは日本語話者にとっても自然に響きます。

またこの構文は、SからOに対して「敬意」が与えられると考えれば、「与える」withの構文ととらえることもできます。このように、1つの構文の多義は、単語の場合と同様、はっきり区別された意味を複数持つのではなく、どこかぼんやりと重複する意味を持つのが現実です。

●── console oneself with 考え・思考
:(考え・思考)をもって、自身を慰める 

consoleは「慰める」という意味のラテン系の動詞です。console oneselfで「自分自身を慰める」。withの後にはthought、idea、belief、factといった言葉が来て、「どんな考えや事実を使って慰めるのか」を表します。小説での使用率が高い表現です。

例文 I consoled myself with the thought =〔that my hard work would pay off in the end〕.

私　慰めた　自身　考え　自分の努力は最後には報われるだろう
何を使って慰めた？　どんな考え？

「私は、自分の努力は最後には報われるだろうと考えて、自分を慰めた。」

Hard work pays off.（努力は報われる）は決まり文句。（第57項参照）

この構文も、とらえ方によっては、「私が自分自身に考えを与えて慰める」という、「与える」withの構文と考えることもできます。

復習問題

1.「タオルで生地を覆って、５分間ねかせてください。」
(with, the dough, a towel, cover) and let it rest for five minutes.

2.「バランスの取れた朝食で１日を始めなさい。」
(a well-balanced, the day, breakfast, start, with).

3.「彼らはそのドアマットを新しいものと取り替えた。」
(the doormat, they, a new, replaced, one, with).

4.「私はあなたに敬意を持って接してきた。」
(treated, with, I, you, have, respect).

5.「私は、自分の努力は最後には報われるだろうと考えて、自分を慰めた。」
(myself, with the, I, that my, consoled, thought) hard work would pay off in the end.

1.Cover the dough with a towel and let it rest for five minutes.
2.Start the day with a well-balanced breakfast.
3.They replaced the doormat with a new one.
4.I have treated you with respect.
5.I consoled myself with the thought that my hard work would pay off in the end.

Must
70

3種類のSVO of その1

▶「～について」の of

ここで紹介する表現群はすべて「情報を与える行為」を表します。この表現グループのofは「～について」と訳せるような働きをしています。それはspeak of A（Aについて話す）や、think of A（Aについて考える）のofと同じ働きだと考えられます。まずは「～について」のofがどういう心象風景を持つのかを述べておきます。

think of と think aboutの違いをもう一度

think of とthink aboutの違いについてはすでに第17項でも述べていますが、ここでもう少し具体的に述べておきます。aboutは「**周辺**」なので、「**ある話題をとりまくいろいろなこと**」に触れます。一方でofは「**全体から構成要素を取り出す**」ことです。car of the yearという言葉がありますが、これは「この車を抜きにしてその1年を語ることができない」というふうに、その車が1年を構成する、なくてはならない要素にまでなっていることを表します*。このため、ofはaboutのような周辺の関連する話題にまでは触れず、「話題を直接構成する要素の部分」のみに触れます。

think about

言語学者リンドストロムバーグは、「例えば哲学者のソクラテスについて思い浮かべるとき、think aboutならソクラテスだけでなく、彼の知人や、アテネという都市も思い浮かべる。一方でthink ofならば、ソクラテス本人によりフォーカスし、思い浮かぶ内容は慌ただしく通り過ぎていく。つまり、I thought of him for a long time.というのは奇妙に感じられる（下線部は筆者）。」と述べています。think ofというのは「構成要素だけを取り出

*ofが『なくてはならない構成要素を表す』ことに関しては、『英文法の鬼１００則』371ページの「アメリカの米」の記述にも詳しく述べています。

remind 人 of A：人にAを思い出させる
inform 人 of A：人にAを知らせる
warn 人 of A：人にAについて警告する
assure 人 of A：人にAの内容を保証する
convince 人 of A：人にAについて納得させる

し思い浮かべる」ということで、周辺の余計な話題に触れません。そして、構成要素というのは全体の中から飛び出る粒のイメージを持ち、浮かんでは消える泡のように、さっと脳裏を横切っていきます。ですから「長々とthink ofする」ことは不自然に感じられるのです。逆に言えばaboutの場合には、関連する周辺の情報まで連想的にあれやこれや考えるので、I thought about him for a long time.が自然になります。

think of

speak aboutとspeak ofの違いも同じで、aboutなら話題を取り巻く周辺、つまり関連話題まであれこれ話しますが、ofは構成要素そのものですから、話題そのものに、より集中して話します。

本項に出て来るofは、すべてこういう意味での「～について」です。

●── remind 人 of A：人に A を思い出させる 

remindは「思い出す」ではなく「思い出させる」です。したがって、主語には「思い出させるきっかけ・原因」が来ます。主語である「原因」から出た「思い出させる」という力が「人」にぶつかる結果、人から記憶という「情報」が浮かび上がることを表す構文です。

例文 This song reminds me of my younger days.
この歌　思い出させる　私　私の若かった頃
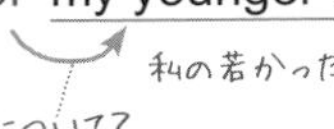

「この歌を聞くと自分の若い頃を思い出す。」

my younger days
this song
remind
of

think ofのofと同様、泡粒のようにさっと記憶が浮かび上がる感じがします。

第1章
第2章
第3章
第4章
第5章

●—— inform 人 of A：人に A を知らせる 

informはinformationの動詞形で「知らせる」という意味です。ofを使うことで、「周辺的な情報は切り捨て、構成要素として必要な核心情報の部分」を伝えることを表しています。

例文 Did you inform the police of the accident?

あなた　知らせた　警察　何について？（情報の本題の部分）

「警察には事故のことを知らせましたか？」

●—— warn 人 of A：人に A について警告する 

商品の注意書きで見かける「警告」を意味するwarningの動詞形がwarnで、「警告する」という意味です。「注意情報」を人に与える、という行為ですね。

警告は、命に関わる重要な情報であったりしますから、aboutのように情報が分散するイメージを避け、核心を突くofを使うのでしょう。

例文 I 'm warning you of the risk.

私　警告している最中　あなた　何について警告？　そのリスク

「いいですか、そのリスクについて、あなたに警告しておきますね。」

→進行形が出す感覚：「今あなたに警告している最中ですよ。よく聞いてくださいね。」

●—— assure 人 of A：人に A の内容を保証する 

英語学習者にお馴染みのsureは形容詞。その動詞形はassureです。「人に対し、保証する、確約する」ということで、「絶対大丈夫ですよ」という情報を相手に与える行為です。

例文 We can assure you of the quality we provide.

我々　保証できる　あなた　何について？　我々が提供する品質

「私たちが提供する品質は、おりがみつきです。」

保証・確約という断言に、「～について、いろいろ・あれやこれや」というaboutはやはりぼやけて聞こえるのかもしれません。ofがふさわしい感じがします。

●── convince 人 of A：人にAについて納得させる

convinceは「説得して～させる」という意味です。注意すべきは、日本語の「説得する」は「説得する行為」だけに焦点が当たり、説得が成功したかどうかには触れない場合があります。しかし、convinceは「説得した結果、あることをさせるのに成功する」というところまでを意味します（第64項参照）。語源はcon（完全に）＋ -vince（征服）→「完全征服」です。conは「共に」→「共に合わせて全部」→「完全に」。-vinceはvictoryと同語源です。説得とは「納得できるだけの情報を与えていく」ことですので、これも「情報を与える表現」の一種です。

例文 It's not easy to convince her of that.

状況は簡単ではない！　説き伏せる　彼女

何することに向かうのか？（itの詳しい内容）　何について？

「彼女にそのことを納得させるのは簡単な話ではない。」

復習問題

1.「この歌を聞くと自分の若い頃を思い出す。」
(this, me, of, song, my younger days, reminds).

2.「警察には事故のことを知らせましたか？」
(the police, you, did, of, inform, the accident)?

3.「そのリスクについて、あなたに警告しておきます。」
(of, warning, the risk, I'm, you).

4.「私たちが提供する品質は、おりがみつきです。」
(the quality, we can, we provide, you, assure, of).

5.「彼女にそのことを納得させるのは簡単な話ではない。」
(to, of, not, that, it's, her, easy, convince).

1.This song reminds me of my younger days.
2.Did you inform the police of the accident?
3.I'm warning you of the risk.
4.We can assure you of the quality we provide.
5.It's not easy to convince her of that.

Must

71

3種類のSVO of その2

▶「人から奪う」もの

「出ていく」of

ここでは構文全体で「奪う」という意味が出る、ofが使われる構文を紹介します。「構文全体で」と述べたのには理由があります。ふつう「人から物」を奪うと言うならば、例えば「物 from 人」がそうであるように、英語では物が先で人が後という語順になるのが自然です。

Don't take it away from me. 「私からそれを取り上げないで。」
物　人

ところがここで紹介する構文は「**人 of 物**」という、逆の語順になります。

ofの「全体から構成要素を取り出す」という意味のせいで、ofがfromと同じように使われることがありますが、ここでは語順に矛盾があるのでfromと同じイメージでとらえることはできません。何がこういう語順を作っているのかは正直、よくわかりません。一説によれば、古英語時代から中英語時代にかけて失われた「格」(語尾の活用)をofで補ったことが関係しているかもしれないとのことですが、それはともかく、これはもう「ofを使ったそういう構文があり、構文自体に『奪う』という意味がある」と考えた方が良さそうです。ここでのofは「**出ていく**」という意味で考えると理解がしやすくなります。

●── rob 人 of A: 人からAを襲って奪う

robとstealの違い

両者はどちらも「盗む」という意味ではありますが、robは「人を襲って奪

---

rob 人 of A：人からAを襲って奪う
deprive 人 of A：人からA（権利など）を奪う、剥奪する
relieve 人 of A：人からA（負担）を取り除く
rid the world of A：この世からAを追放する
cure 人 of A：人のA（病気など）を治す
clear 場所 of 障害物：（場所）から（障害物）を取り除く

う」、stealは「人が見ていない隙に物を盗む」という意味の違いがあります。そしてこの意味の違いが構文の違いを生み出します。まずstealですが、stealは「盗人が金品に対して力をかけていく」ということが構文に表れます。

例文 He stole my wallet.　「彼は私の財布を盗んだ。」
彼　盗んだ　私の財布

人が見ていないところでこっそり盗むのがstealですから、盗人から出た力は、当然、金品に直接ぶつかります。ところがrobは人を襲って盗むわけですから、その「襲う力」は金品ではなく、被害者の人間にぶつからなければおかしいのです。財布を襲っても仕方ないですからね。

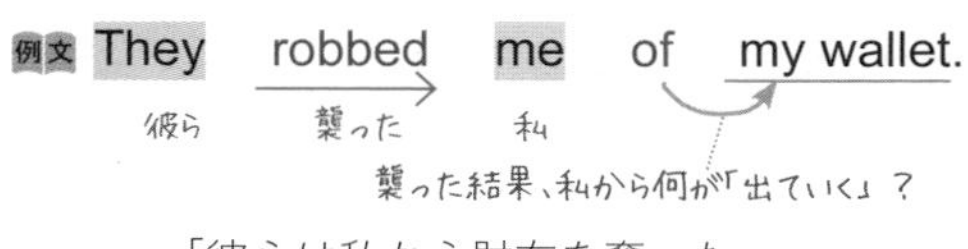

「彼らは私から財布を奪った。」

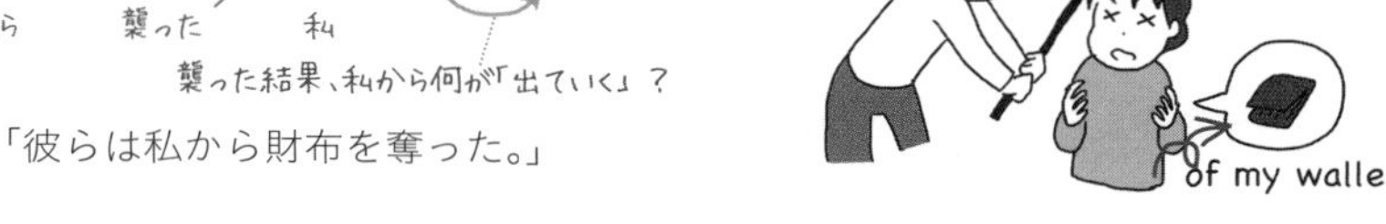

強盗の力は被害者である「私」にぶつかり、その結果「私」から「財布」が「出ていき」ます。これが本項で紹介する構文の、共通した力の流れです。

●── deprive 人 of A：人からA（権利など）を奪う、剥奪する

deprive という単語は、語源がわかるとすごく理解しやすくなります。depriveのpriveはprivateと同じ語源です。privateには「奪う」というイメージが隠れています。例えばリゾート地にあるホテルの「プライベートビーチ」は、「ホテル専用だから、関係者以外立ち入り禁止」ということです。このように、「私有化」とは「公から何かを奪う」ということなのです。depriveはde（離す）

＋-prive（奪う）→「奪って離す」です。オックスフォード現代英英辞典には「誰かが何か、特に大事な物を持つことができないようにすること」という語義が載っています。生きていくのに必要な権利や尊厳、睡眠、食料などが目的語に来ることが多いです。

例文 Soldiers deprived the general of his power.

兵士たち　奪った　将軍　彼の権力
奪った結果、将軍から何が出ていく？

「兵士たちは将軍から権力を奪い取った。」

●── relieve 人 of A：人から A（負担）を取り除く

relieveは「リリーフピッチャー」という言葉で日本語でもお馴染みのrelief（安堵、救援）の動詞形です。「ほっとさせる」イメージでわかる通り、「苦痛を取り除く」という意味があります。

例文 I'll do my best to relieve you of your troubles.

最善を尽くすつもり　取り除く　あなた　あなたの苦労
何することに向かって？　取り除いた結果あなたから何が出ていく？

「あなたの苦労がなくなるよう、最善を尽くします。」

●── rid the world of A：この世から A を追放する

英語学習者にとってはget rid of A（Aを取り除く）という、名詞のridの方が馴染み深いでしょう。しかし、ridを動詞で使うケースも見過ごせないくらい多いのです。コーパス（COCA）で検索すると「rob 代名詞 of」が1,369件、「deprive 代名詞 of」が1,475件、そして「rid 代名詞 of」が1,375件ですから、英語の試験でよく出て来るrobやdepriveと同じくらい、ridも動詞で使われるわけです。そして、その中でもrid the world of ～「世界から～を一掃する」という使われ方がかなり目立ちます。

例文 We must rid the world of nuclear weapons.

我々　取り除かないと　世界　核兵器
取り除いた結果、世界から何が出ていく？

「この世から核兵器を一掃しないといけない。」

●── cure 人 of A：人の A（病気など）を治す 

「作業中」の日本語、「作業の完成」の英語

cureは名詞では「治療、治療薬」、動詞では「治療する」です。注意してほしいのは、cureの「治療する」は、「治療という作業をする」ではなく、「病気を治してしまう」という「**治療の完成**」を意味することです。convince（説得の結果、行動させる）と同じく、「作業」ではなく「作業の完成」に意味の焦点が向くのが英語の特徴です。

例文 The doctor cured my father of his brain tumor.

その医者　治した　私の父　彼の脳腫瘍

治した結果、父から何が出ていく？

「その医者は私の父の脳腫瘍を治してくれた。」

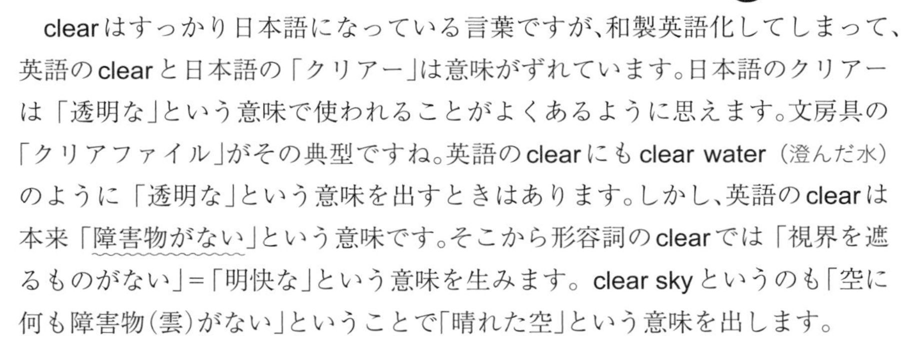

●── clear 場所 of 障害物：（場所）から（障害物）を取り除く

clearはすっかり日本語になっている言葉ですが、和製英語化してしまって、英語のclearと日本語の「クリアー」は意味がずれています。日本語のクリアーは「透明な」という意味で使われることがよくあるように思えます。文房具の「クリアファイル」がその典型ですね。英語のclearにもclear water（澄んだ水）のように「透明な」という意味を出すときはあります。しかし、英語のclearは本来「障害物がない」という意味です。そこから形容詞のclearでは「視界を遮るものがない」＝「明快な」という意味を生みます。clear skyというのも「空に何も障害物（雲）がない」ということで「晴れた空」という意味を出します。

動詞で使えば「障害物を取り除く」という意味で使われるのがclearです。

例文 They cleared the road of illegally parked bicycles.

彼ら　取り除いた　道路　違法に駐輪された自転車

取り除いた結果、道路から何が出ていく？

「彼らは道路から放置自転車を取り除いた。」

※復習問題は、次項とまとめます。

Must
72

3種類のSVO of その3

▶「理由を説明する」グループ

英語紙の新聞記事で毎日のように見る、事件関連に使われる表現です。これらの表現は実際の使用においては、受動態で使われることがふつうです。以下の数字はコーパス（COCA）でのヒット件数に基づきます。受動態が多いという意味でこれまで紹介した他のＳＶＯ of構文には、見られない特徴です。

人 is accused of	**「accuse 人 of」の約 1.4 倍**
人 is convicted of	**「convict 人 of」の約 14.5 倍**
人 is acquitted of	**「acquit 人 of」の約 5.3 倍**
人 is suspected of	**「suspect 人 of」の約 3.4 倍**

したがって、ここでは能動態だけではなく、受動態の形でも例文を解説します。ここに使われているofですが、これは「die of 病名」（第20項参照）の用法と同じで、ofの「取り出す」イメージから出て来る「何から出て来るのか」という意味を表しています。一種の「**理由**」を表す表現です。

「彼は癌で死んだ。」

●── accuse 人 of 非難する理由：人を～のかどで非難・告発する 

accuseはラテン語のad causa（理由に関して）が語源で、causaはcause（名詞：「理由」・動詞：「引き起こす」）の語源です。「理由を問い詰める」というのは「裁判」の原型ですね。現代英語でaccuseは正式に「起訴する」という意味で

accuse 人 of 非難する理由：人を～のかどで非難・告発する
convict 人 of 罪名：人を～の罪で有罪とする
acquit 人of 罪名：～の罪について、人に無罪を宣告する
suspect 人 of 疑惑：～のことで人に疑いの目を向ける

も使いますが、単純に「厳しく非難する」という意味でもよく使われます。ロングマン現代英英辞典には「その人が有罪、もしくは悪事を働いたのだ、と述べること」という語義が載っています。

例文 

何から出て来る「訴え」？

「アンディは家庭内暴力のかどで訴えられた。」

例文 She accused Andy of domestic violence.
彼女　訴えた　アンディ　家庭内暴力
何から出て来る「訴え」？

「彼女はアンディを家庭内暴力のかどで訴えた。」

●―― convict 人 of 罪名：人を～の罪で有罪とする 

convictはconvince（第70項参照）の語源であるラテン語のconvincereの過去分詞convictusが語源です。語源的意味はconvinceの「納得させる」という意味から出た、「悪事を働いたことを納得させる」であり、そこから「有罪とする」という意味となりました。

例文 He was convicted of murder.　「彼は殺人で有罪とされた。」
彼　有罪とされる　殺人
何から出て来る「有罪」？

例文 

何から出て来る「有罪」？

「陪審は彼を殺人罪で有罪とした。」

●―― acquit 人 of 罪名：～の罪について、人に無罪を宣告する 

語源は「自由」なのですが、そこには「借金を返したから自由」という意味がありました。借金を返したから、「落ち着く」という意味もあったようです。借金は、人を「拘束」するものですから、借金がなくなることは「義務・拘束から逃れる」となり、ここから、「罪から逃れる」という意味が生まれたようです。ちなみに「仕事などをやめる」のquitも語源が共通します。義務や束縛から逃れる感覚が、共通して存在するようです。

例文 He was acquitted of all charges.
「彼は全ての罪状において、無罪とされた。」
彼
無罪とされた
すべての罪状
何から出る「無罪」？

例文 The jury acquitted him of all charges.

陪審　無罪とした　彼　すべての罪状

何から出る「無罪」？

「陪審は彼を、全ての罪状において、無罪とした。」

●―― suspect 人 of 疑惑：～のことで人に疑いの目を向ける 

suspectの語源はsub（下）＋-spect（見る）→「下から見上げる」です。英語にはlook up to A「Aを尊敬する」という表現がありますが（第14項参照）、suspectの場合は「下からこっそり見上げる」→「疑う」という意味になりました。

suspect
ソワソワ

例文 I was suspected of stealing drugs and using them.

私　疑われた　ドラッグを盗み、使用すること

何から出て来る「疑い」？

「私はドラッグを盗み、使用したのではないかと疑われた。」

例文 They suspected me of stealing drugs and using them.

彼ら　疑った　私　ドラッグを盗み、使用すること

何から出て来る「疑い」？

「彼らは私がドラッグを盗み、使用したのではないかと疑った。」

復習問題

1.「アンディは家庭内暴力のかどで訴えられた。」
(of, violence, Andy, accused, domestic, was).

2.「彼は殺人で有罪とされた。」
(was, murder, of, he, convicted).

3.「彼は全ての罪状において、無罪とされた。」
(all, was, he, acquitted, of, charges).

4.「私はドラッグを盗み、使用したのではないかと疑われた。」
(of, was, drugs, I, suspected, stealing) and using them.

5.「彼らは私から財布を奪った。」
(me, my, robbed, wallet, they, of).

6.「兵士たちは将軍から権力を奪い取った。」
(the general, deprived, his power, soldiers, of).

7.「あなたの苦労がなくなるよう、最善を尽くします。」
I'll do my best to (your, you, relieve, of, troubles).

8.「この世から核兵器を一掃しないといけない。」
(of nuclear, must rid, weapons, we, the world).

9.「その医者は私の父の脳腫瘍を治してくれた。」
(his brain, the doctor, of, tumor, cured, my father).

10.「彼らは道路から放置自転車を取り除いた。」
(illegally parked, they, the road, cleared, of) bicycles.

1.Andy was accused of domestic violence.
2.He was convicted of murder.
3.He was acquitted of all charges.
4.I was suspected of stealing drugs and using them.
5.They robbed me of my wallet.
6.Soldiers deprived the general of his power.
7.I'll do my best to relieve you of your troubles.
8.We must rid the world of nuclear weapons.
9.The doctor cured my father of his brain tumor.
10.They cleared the road of illegally parked bicycles.

Must
73

S V O as〜

▶「認識」系の構文

「A は B だなぁ、とみなす」

本項では、「AをBとみなす」という意味を表す構文に存在する、共通する形を学習します。いずれもVは「みなす」という意味を持ち、V + A as Bで「**A = Bだと Vする**」という構文を作ります（この後出て来るstrikeは例外的にすこし形が異なります）。

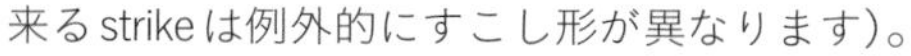

asの語源

asはall + so = 「全くそう」が縮まった物であり、alsoと兄弟関係にあります。語源的意味は「**イコール**」であり、そこから様々な意味を出すのがasです。この項でのA as Bは「A = B」であり、日本語に訳せば、「AをBとして」と訳されることが多いです。

本項では「認識する・解釈する」系の意味を持つ動詞にA as Bをくっつけると、「AをBとして認識する・解釈する」という意味の構文になることをご紹介します。

●—— see O as 〜:O を〜だとみなす

seeは「視界に入った情報に気づく」という意味の動詞です。何かを見ようとして目線をそこに向けるlook atとは違い、「あ、猫だ。」というふうに、「視界に入った猫に気づく」動作を表します*。つまり「認識を表す」動詞です。「視界に入った物を＜〜だ＞と認識する」わけで、これが「みなす」という意味にも使われるのです。

*seeの感覚に関しては、『英文法の鬼100則』の第21項（100ページ）もご参照ください。

see O as ~：Oを〜だとみなす
S strike O as ~：OにとってSが〜だと思える
take O as ~：Oを〜だと、とる・解釈する
view O as ~：Oを〜だとみなす
regard O as ~：Oを〜だとみなす

例文 We see him as a family man.
我々 みなす 彼 家族を大事にする男
彼＝何？

「私たちは彼のことを、家族を大事にする男だと思っている。」

A as BのBに入る言葉の品詞ですが、A is Bのときに使うBの品詞を使います。ここではHe is a family man.ですね。

●—— S strike O as ~:O にとって S が〜だと思える

strikeという動詞については、第56項で説明しています。そのときはstrikeの語源的な意味「腕の一振りの一往復」に焦点が当たりました。ここでのstrikeは「**打つ**」の意味です。S strike OのSには「思わせる原因」、Oには「思う人」がきます。なにかのきっかけが人の心をパチンと打って、人がハッと何かを思う様子を表す表現です。

strike

例文 It struck me as odd that they were trying to get rid of experienced workers.
状況 打った 私 奇妙 彼らが 除こうとしていた 経験豊かな従業員
何とイコールだと思った？（状況の内容）

「彼らが経験豊かな従業員たちを除こうとしていたことに、私は違和感を感じた。」

A as Bの構造ですが、他の表現とは違い、ここではme = oddではなく、it = odd（つまりit is odd that S + V~に近い）となっています。そして、「軽い情報が先、重い情報は後」の語順ルールに従い、itの詳しい中身をthat以下が説明しています。

●—— take O as ~:O を～だと、とる・解釈する

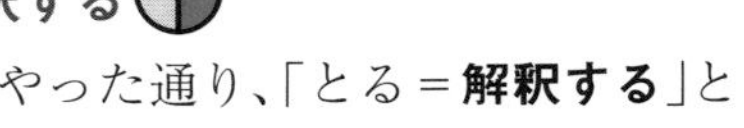

このtakeは第49項のtake A for grantedでやった通り、「とる＝**解釈する**」という意味のtakeです。

例文 She took the results of the test as proof of her theory.

彼女 とった その実験の結果 自分の理論の証明

何とイコールだととらえた？

「彼女は、実験の結果を自分の理論の証明するものだと、とらえた。」

●—— view O as ~:O を～だとみなす

viewは、「景色」という意味の名詞の方が英語学習者には馴染みが深いですが、動詞で使うと「注意深く視線を向ける」(オックスフォード現代英英辞典)、「美しかったり、興味があったりするので目線をそこに向ける」(ロングマン現代英英辞典)という意味で使われます。そして view O as ～の構文をとるときには、構文自体の意味に影響を受けることで、viewは「(景色を見るように細かく観察した上で)みなす・解釈する」という意味で使われます。

例文 I don't view myself as cold and unemotional.

私 見ていない 自身 冷たく、感情をあらわにしない

何とイコールだと見ていない？

「私は自分のことを冷たくて感情を出さない人間だとは思っていない。」

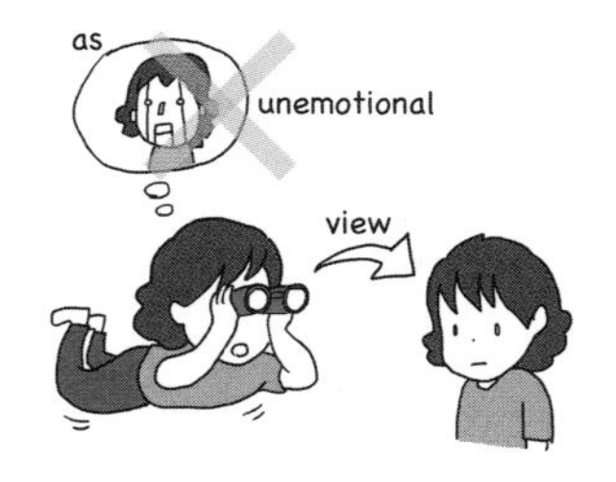

●—— regard O as ~:O を～だとみなす

regardは第53項で解説した通り「強く注意を払う」という意味を持つ言葉です。regardをO as ～を伴う「みなす」系の構文の中に入れると、「Oを～だとみなす」という意味になります。

例文 Mark regards himself as a conservative.

マーク　みなす　自身　保守的な人間

何とイコールだとみなす？

「マークは自分のことを保守的な人間だと考えている。」

いかがでしたでしょうか。英英辞典を見るとロングマンもオックスフォードも、この構文に入る **see, strike, take, view, regard** は、「人・物事に対してある特定の考え方をとる」と意義を説明しています。どの動詞であってもこの構文である限り同じ意義で説明されるところに、構文の意味の強さを感じます。

復習問題

1. 「私たちは彼のことを、家族を大事にする男だと思っている。」
   (a family, him, man, we, as, see).
2. 「彼らが経験豊かな従業員たちを除こうとしていたことに、私は違和感を感じた。」
   (that, were trying, struck, they, as, it, me, odd) to get rid of experienced workers.
3. 「彼女は、実験の結果を自分の理論を証明するものだと、とらえた。」
   (the results of, as, she, the test, took, proof) of her theory.
4. 「私は自分のことを冷たくて感情を出さない人間だとは思っていない。」
   (cold and, myself, don't, as, I, view) unemotional.
5. 「マークは自分のことを保守的な人間だと考えている。」
   (as, regards, a conservative, Mark, himself).

1.We see him as a family man.
2.It struck me as odd that they were trying to get rid of experienced workers.
3.She took the results of the test as proof of her theory.
4.I don't view myself as cold and unemotional.
5.Mark regards himself as a conservative.

Must
74

ＳＶＯ fromその１

▶引き離し、未然に防ぐ構文

fromの根っこのイメージは、「離れている」

fromは日本語の「から」と同様、「**起点**」「**出発点**」を表します。

I took the 7:30 Shinkansen from Tokyo to Shin-Osaka.
「私は７時半の東京発、新大阪行きの新幹線に乗った。」

そして「起点」は「起点を出発し、**離れる**」イメージを同時に持ち、「離れる」ことはしばしば「行動を阻害する」という意味で使われます。

例えば「彼女から離れろ！」と警告するとき、それは「彼女に何もするな」という意味で使われています。fromはＶＯ from 〜という構文において「離れる＝**行動の阻害**」（「やっている最中のことを止める」ではなく、「未然に防ぐ」）の意味でよく使われます。

●―― keep O from ~ing：O が〜できないようにする

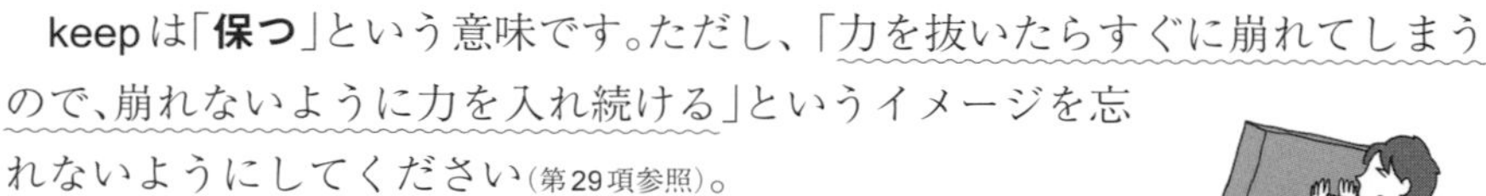

keepは「**保つ**」という意味です。ただし、「力を抜いたらすぐに崩れてしまうので、崩れないように力を入れ続ける」というイメージを忘れないようにしてください（第29項参照）。

今回keepが保ち続けるのは、fromが表す「離れている状態」です。離れていて手出しができないので、「できないように防ぐ」を意味することに注意してください。

keep O from ~ing：Oが～できないようにする
prevent O from ~ing：Oが～できないようにする
stop O from ~ing：Oが～するのをやめさせる
prohibit O from ~ing：Oが～するのを禁じる
protect O from ～：Oを～から守る
discourage O from ～：Oの～する気を削ぐ

例文 The pandemic has been keeping us from traveling abroad.
その伝染病　ずっと保っている　我々　海外を旅すること
何から離して保っている？

「その伝染病のせいで、我々は海外旅行ができないでいる。」

●── prevent O from ~ing：O が～できないようにする

preventは「防ぐ、妨げる」という意味です。pre（前もって）＋vent（来る）で、「予期して、来る」、つまり先手を打ってそこへ行って、～できないようにするわけです。そして「妨げる」とは引き離して何もできないようにしておくことなので、fromが相性良いのです。

例文 We must prevent misinformation from spreading again.
我々　防がないといけない　誤った情報　再び広まる
（誤った情報が）どうすることから？

「我々は、誤った情報が再度広がらないようにしないといけない。」

→広がる前に手をうつ。

●── stop O from ~ing：O が～するのをやめさせる

stopもpreventと同じ意味で使うことができます。よりくだけた言い方で、より幅広く、いろいろなシチュエーションで使えます。ただし、ライティングを添削していると、英語学習者のあいだにちょっとした混乱が見られます。みなさんは、以下の２つの文の違いがわかるでしょうか。

① I tried to stop myself from crying.
② I tried to stop crying.

①は、構文のおかげで、preventと同じく「**予防**」の意味で使われています。

①I tried to stop myself from crying.
私　止めようとした　自分自身　泣くこと
何をすることから距離をとって未然にとめる？

「私は泣くのをこらえようとした。」

②の文は stop ~ing：「**～している最中のことを、止める**」です。動名詞は~ingなので*、「やっている最中のこと」を表し、「動詞＋～ing」は「やっている最中のことを（動詞）する」という意味で使われています。

② I tried to stop crying.
私　やめようとした　自分が泣いている（最中）

「私は泣きやもうとした。」

ライティングではpreventのつもりで②の構文を使ってしまう英語学習者が多く見られます。予防・防止の意味なら、①の構文を使いましょう。

*『英文法の鬼100則』第26項参照

●—— prohibit O from ~ing：Oが～するのを禁じる

prohibitは「法律で禁じる」という意味を持つ言葉で、pro（前もって）＋-hibit（hold、保持する）→「前もって抱きかかえて動けなくする」という語源から、「禁じる」意味で使われます。もちろんprohibit O from ~ingも「（法律で禁じて）未然に防ぐ」という意味を含んでいます。この表現は受動態で使うのが一般的です（コーパスでは受動態の使用例数が能動態のほぼ倍）。これは能動態でprohibitの主語になるのが、法律を操れる政府当局である場合が多く、「言わなくてもわかる」からです。逆に、どの政府やどの機関が禁じているのかを明示しないといけない場合、能動態が使われるのがふつうです。

例文 He is prohibited from contacting his ex-wife.
彼　禁じられている　別れた前妻と接触すること
禁じられて何をすることから距離を取る？

「彼は別れた前妻に接触することを禁止されている。」

例文 The US government prohibited the man from boarding a plane.

米国政府　禁じた　その男　飛行機に搭乗すること

禁じて何をすることから距離を取る？

「米国政府はその男に飛行機の搭乗を禁じた。」

●── protect O from ～：O を～から守る・保護する

protectの語源はpro（前方）＋-tect（覆う）で、「**盾で保護する**」イメージの動詞です。これも保護する対象を危険から「引き離して（from）」、何かが起きることを未然に防ぐことを意味します。

例文 We need to take precautions to protect ourselves from dehydration.

我々は予防策を取る必要がある　守る　自分達自身　脱水症状

何することに向かって予防策を取る？　守って何から距離を取る？

「私たちは脱水症状から身を守る予防策を取る必要がある。」

a precaution「予防策」

●── discourage O from ～：O の～する気を削ぐ 

人に「～してみようかな」と思わせるようにするのがencourageで、「やっぱやめようか」とか「する気にならないな」と思わせるようにするのがdiscourageです。これは「人を説得する英語」では必須の表現の１つです。人に何かを奨励したり、思いとどまらせたりするという、政府や会社の方針、あるいは、マーケットの動向などを表すときによく使うからです。

ライティングにおいて、discourage to do~とする人をよく見かけますが、「やる気を削ぐ＝引き離す」ことですから、from ~ingを使います。

例文 My father, who is a successful musician, discourages me from entering show business.

私の父、ちなみに成功したミュージシャン　やる気を削ぐ　私

やる気を削いで何から距離を取る？

芸能界に入ること

「私の父はミュージシャンとして成功しているのだが、私が芸能界に入ることを勧めることはない。」

Must
75

SVO fromその2

▶「区別する」構文

本項では「区別する」意味を持つ構文を紹介します。fromは「距離を取ること」ですが、渾然一体(こんぜんいったい)としている物をしっかり分けることが「区別する」「違いを知る」ということです。日本語の「分かる」もそこから来ています。

●—— distinguish O from ~:O を～と区別する

distinguishは堅苦しい言葉ですが、語源を知ると理解しやすいでしょう。dis（離す）＋-stinguish（棒で突く）→「つついて離して、より分ける」です。-stinguishは「棒」を意味するstickと同語源です。

例文 It is said that Japanese language doesn't distinguish green from blue.

言われている　日本語は　区別しない　緑色　青色
区別して何から引き離す？

「日本語は緑色を青色と区別しないと言われている。」

distinguish between A and Bという言い方もよくなされます。distinguish between green and blueなら、「青と緑の（間の）区別をする」ですね。

distinguish O from ~：Oを～と区別する
tell O from ~：Oを～と区別する
know O from ~:Oと～の違いがわかる
differentiate O from ~：Oを～と区別する

●—— tell O from ~:O を～と区別する 

「区別する」を言うとき、英語話者は日常会話ではdistinguishよりも、こちらのtell O from ~をよく使います。

tellは単に言うという意味ではなく「情報を人に伝える」という意味です。一方でsayは「口から言葉を発する」、speakは「発話行為をする」、talkは「会話という行為をする」ですから、これらの中で**「情報を移動させ、相手に届ける」ということを意味の中心とするのはtellだけ**です。「情報の区別」を表す表現なので、sayやspeak、talkではなく、「情報の流れ」を意味の中心にすえるtellがこの表現に使われます。

ベースになる表現に、tell the difference（違いを伝える＝区別する）という言い方があり、the differenceの部分を詳しくするとtell O from ~という形になると考えるとわかりやすいです。

例文 "Can you tell Annie from Jamie?" 「アニーとジェイミーって区別できる?」

伝える

誰から引き離してAnnieだと伝える?

"No, I can't tell the difference. They are identical twins."
「いいえ、区別できないわ。あの子たち一卵性双生児だから。」

●—— know O from ~:O と～の違いがわかる 

この構文にはright from wrong（善悪の区別）を筆頭に、truth from fiction（真実と虚構・作り話）、fact from fiction（事実と虚構・作り話）、friend from foe（味方と敵）などが来ます。

例文 I slept so many hours that I didn't know day from night when I woke up.

「私はすごく長く寝てしまったので、目が覚めたとき、昼か夜かもわからなかった。」

注意すべきは、同じ「know O from ~」という形でも、「～という情報源を通してOのことを知っている」という表現もあるということです。

例文 Most of us know him from the TV show.

私達のほとんど　知っている　彼　そのテレビ番組

どんな情報源から知っている？

「私達のほとんどは、そのテレビ番組のおかげで彼のことを知っています。」

「違いがわかる」という表現のときには、right from wrong など、必ず対照的な意味を持つ言葉がきます。

●—— differentiate O from ~：O を～と区別する 

distinguish のように「A と B を区別する」という使い方もありますが、「A と B の違いを生み出す」、つまり「差別化をおこなう」という言い方もあります。この場合、主語が「違いを生み出す原因」の役割を果たします。

例文 What 〔differentiates our new product from others〕 is this new feature.

もの　異なるものにする　我が社の新製品　その他　この新機能である

どんなもの？　何から引き離して区別する？

「我が社の新製品を、その他の製品と違うものにしているのが、この新機能です。」

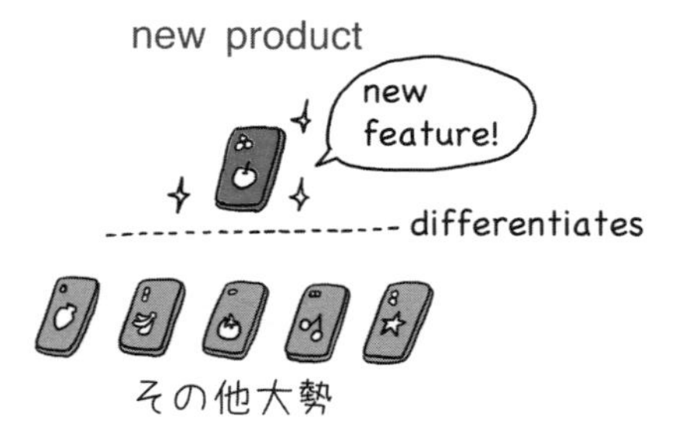

復習問題

1.「その伝染病のせいで、我々は海外旅行ができないでいる。」
(been keeping, from traveling, the pandemic, abroad, has, us).

2.「我々は、誤った情報が再度広がらないようにしないといけない。」
(from, misinformation, we, spreading, must prevent) again.

3.「私は泣くのをこらえようとした。」
(stop, from, I, crying, tried to, myself).

4.「彼は別れた前妻に接触することを禁止されている。」
(from, is, contacting, he, his ex-wife, prohibited).

5.「私たちは脱水症状から身を守る予防策を取る必要がある。」
We need to take precautions (from, to, ourselves, dehydration, protect).

6.「私の父は私が芸能界に入ることを勧めることはない。」
My father (me, from, discourages, entering show business) .

7.「日本語は緑色を青色と区別しないと言われている。」
It is said that Japanese language (from, doesn't, green, blue, distinguish).

8.「アニーとジェイミーって区別できる？」
(you, Annie, Jamie, tell, can, from)?

9.「目が覚めたとき、昼なのか夜なのかわからなかった。」
(didn't, day, night, I, from, know) when I woke up.

10.「我が社の新製品を、その他の製品と違うものにしているのが、この新機能です。」
(our new, from, what, others, differentiates, product) is this new feature.

1.The pandemic has been keeping us from traveling abroad.
2.We must prevent misinformation from spreading again.
3.I tried to stop myself from crying.
4.He is prohibited from contacting his ex-wife.
5.We need to take precautions to protect ourselves from dehydration.
6.My father discourages me from entering show business.
7.It is said that Japanese language doesn't distinguish green from blue.
8.Can you tell Annie from Jamie?
9.I didn't know day from night when I woke up.
10.What differentiates our new product from others is this new feature.

Must
76

S V 人 to do

▶「人に〜してもらう」構文

「V 人 to do~」という形が、「人に〜してもらう」という意味を表す構文として使われる場合があります。これは、「今できていないことを、これからやってね」ということですから、to不定詞の「(これから)〜することに向かう」という意味に合っているわけです。

●—— tell 人 to do~:人に〜するように言う

tellは前項でお伝えしたように「言う・語る」というよりは、「人に情報を伝える」意味の動詞です。ですから、speakやsayなどとは異なり、tellは「人」を目的語に取り、人に情報を「ぶつける」他動詞の働きをします。「tell 人 to do~」という構文は、「人に〜するように言う」という命令に近い意味を表しますが、命令も一種の「情報伝達行為」です。したがって、speakやsayよりも、tellがこの構文にふさわしいのです。

tell
とって
him
to

例文 I told him to cancel the meeting.
私 伝えた 彼 ミーティングを取りやめる
何することに向かうように伝えた?

「私は彼に、ミーティングを取りやめるようにと言った。」

→cancelの意味上の主語はhim。

●—— ask 人 to do~:人に〜するようにお願いする

askには「質問する」と「お願いする」という意味があります。「お願いする」では不定詞を使います。

tell 人to do~：人に～するように言う
ask 人 to do~：人に～するようにお願いする
want 人 to do~：人に～してほしい
get 人 to do~：（説得したり、頼んだりして）人に～してもらう
need 人 to do~：人に～してもらう必要がある

例文 I asked him to come with us.
私 頼んだ 彼 私たちと一緒に来る
何することに向かって頼んだ？

「私は彼に、私たちと一緒に来てもらうように頼んだ。」

→come の意味上の主語は him。

一方で、「質問する」askは、第４文型をとります。質問という行為が「相手に質問の内容を手渡す」イメージがあるからでしょう。「質問」の文なので、２つ目の目的語には、しばしば間接疑問文を使います。間接疑問文というのは、「大きな文の中に、小さな疑問文を埋め込んだもの」で、語順が肯定文と同じになるのが特徴です。

↓間接疑問文

My grandma asked me who Jim Carrey was.
うちの祖母 尋ねた 私 ジム・キャリーって誰
第1目的語 第2目的語

「うちのおばあちゃんは私に、ジム・キャリーって誰なのか、きいてきたんだよ。」

●── want 人 to do~：人に～してほしい 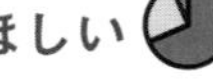

（would like 人 to do~は ）

want to do~なら「（自分が）～したい」ですが、want 人 to do~になると「人に～してほしい」という意味になります。動詞の力の流れをみると、なるほどと納得させられます。そしてその構文に対する納得感が、英語に気持ちを乗せて話すときに強い味方になってくれます。

例文 I want you to join us. 「私は、君にも私達のところに参加してほしいんだ。」
私 ほしい 君 我々に加わる
何することに向かってほしい？

wantをwould likeに変えると、より丁寧なリクエストになります。ビジネスでは常にこちらを使った方が安全ですね。would likeの直訳は「仮にそうしてくれたら好むだろうなぁ」くらいの感じで、わざと過去形のwouldにすることで、現実から距離を取り、丁寧さを表します*。likeは「事態に対する、好ましいと思う気持ち」、つまり「望む気持ち」です。

*『英文法の鬼100則』第51項参照

例文 I would like them to marry.

私 好むだろうなぁ 彼ら 結婚する

何することに向かうことを好むだろう?

「私は彼らに結婚してほしいなぁと思っているんですよ。」

●—— get 人 to do~:(説得したり、頼んだりして)人に~してもらう 

ここでの「get 人」の感覚は第36項における、他動詞のgetと同じ感覚です。人をゲットして、「説得・お願い」して、何かをすることに向かってもらいます。

例文 Somehow I had to get her to hurry up.

どうにか 私 ゲットしないと 彼女 急ぐ

彼女をゲットして、何することに向かわせる?

「なんとかして、彼女に急いでもらわないといけなかった。」

●—— need 人 to do~:人に~してもらう必要がある 

「~しないといけない」系の表現にはmustやhave toなどがありますが、客観的に、感情抜きで気持ちを表したいときには、need to doが適しています。

ビジネスシーンが特にそうで、「絶対これしかありませんよ!」という「推す気持ち」がすごく高いmustや、「(主語)がこういう状況を抱えているから、やらざるを得ない…」という「しょうがないですよね」という匂いを感じさせるhave toとは違い、「いろいろ計算をしてみると、問題を解決するためにはこれが必要です」という、機械的な冷静さをneedは持っています。ここがneed to doのビジネス向きである所以です。

例文 We need to figure out the way to get ten more tables.

「テーブルをあと10卓調達する方法を考える必要がある。」

→mustなら「なんとしてでも考えつかないといけない。絶対に。」、have toなら「考えつかないといけない状況を抱えちゃったね。やらないとしょうがないね……」

そして、mustやhave toは「～しなければならない」とは言えますが、「～にしてもらわないといけない」とは言えません。これがneed to doだけに許された大きな特徴です。

例文 We need you to help them.

私達　必要　あなた　彼らを手助けする

あなたが何することに向かうのが必要？

「我々は、あなたに彼らを手助けしてもらう必要があるのです。」

復習問題

1.「私は彼に、ミーティングを取りやめるようにと言った。」
(him, the meeting, I, to, told, cancel).

2.「私は彼に、私たちと一緒に来てもらうように頼んだ。」
(to, us, I, him, come, asked, with).

3.「私は、君にも私達のところに参加してほしいんだ。」
(join, want, you, I, us, to).

4.「なんとかして、彼女に急いでもらわないといけなかった。」
Somehow (get, hurry up, I, to, to, her, had).

5.「我々は、あなたに彼らを手助けしてもらう必要があるのです。」
(help, need, you, them, we, to).

1.I told him to cancel the meeting.
2.I asked him to come with us.
3.I want you to join us.
4.Somehow I had to get her to hurry up.
5.We need you to help them.

Must

77

it seems thatとS seem to do

▶この書き換えは大事

これらの構文、そして構文の書き換えは、使用率がとても高いです！ 構文を覚えれば文を作るのも簡単になるので、ぜひ覚えましょう。まずは書き換えのやり方です。seemという動詞で見ていきましょう。他の４つの動詞でもやり方と注意点は全く同じです。

●—— it seems that S V → S seem to V：SはVするようだ

seem（そんなふうに見える・感じられる）は、断言を避ける効果があります。

① It seems that she is satisfied with the results.
　　　　　　　　　S　　V

② She seems to be satisfied with the results.

「彼女は結果に満足しているようだ。」

①の文のように、itという仮主語・形式主語で始まれば、seemの後ろにはthat S Vが来ますが、②の文のようにthat S VのSが直接主語に出て来る文では、Vの部分が不定詞になります。注意すべきは、

It seems to be too late.　「すでに遅すぎるように思える。」

のように、itが主語になり尚且つ後ろがto不定詞の場合で、この場合のitは仮主語ではなく、時間や天気のit、あるいは代名詞として直前の文の内容を指すものです。上記の例文は時間のitです。仮主語で書けば、It seems that it is too late.です。

it seems that S V → S seem to V：SはVするようだ
it is said that S V → S is said to V：SはVすると言われている
it is believed that S V → S is believed to V：SはVすると考えられている
it is reported that S V → S is reported to V：SはVすると報じられている
it is likely that S V → S is likely to V：おそらくSはVすることになる

もう１つ注意すべきは、時制の部分です。上記の①の例文ではseemsもis satisfiedも現在形で、時制が同じです。これが、that節の中のVが１つ前の時制になると、②の形式ではto不定詞がto have 過去分詞になります。

❶ It seems that she was satisfied with the results.

時制が1つ前

❷ She seems to have been satisfied with the results.

have＋過去分詞でseemsより1つ前に起きた出来事であることを表す

「あのとき、彼女は結果に満足していたのだと、今は思える。」

不定詞自体は動詞の原形であり、時間を表すことができません。ですからふつうのto do ~はその文の動詞と同じ時制での出来事なのだと了解されます。もしその不定詞が、一緒に使われている動詞より１つ前に起きた出来事であることを表すなら、to have過去分詞という形をとります。have＋過去分詞にすることで、「動作が発生し終わった後の状態（完了の過去分詞）を、抱えている（have）」ことを表し、一緒に使われている動詞よりも１つ前の出来事を表すことになるのです。

itで始まる場合と、ふつうの主語で始まる場合の意味の違い

仮主語itは、「状況」という意味を持ちます。仮主語itを使う①の形式は、「状況全体」が主役になり、俯瞰するように状況を眺めることになり、冷静で、よりフォーマルに響きます。コーパスの使用例を見ても、アカデミックな場面が多くなります。一方で②の形式だと、主語そのものの様子により焦点が当たります。上の②の文なら主語である「彼女」への共感や、関心がより強く感じられ、「血の通った」感情的な響きを出すこともあります。

それではその他の表現の特徴を見ていきましょう。いずれも「伝聞・推測・予想」といった、事実の断言から一歩離れた表現であることが特徴です。

●── it is said that S V → S is said to V :S は V すると言われている

伝聞を表します。この構文ではsaidの部分は現在形（it is said）で、that以下は過去形、ということがよくあります。噂が流れているのは現在であっても、噂の内容は、過去に起きた出来事であることが一般的だからです。

例文 It is said that their marriage lasted fewer than three years.

状況言われてる　彼らの結婚は続いた　より少ない　3年
何て言われている?　何より少ない?

例文 Their marriage is said to have lasted fewer than three years.

彼らの結婚　言われている　続いた　3年より少なく
何することに向かって言われている?

「彼らの結婚生活は、3年ももたなかったと言われている。」

上記の例文でも「言われている」のは今でも、「結婚生活」は過去のことですので、不定詞にした場合to have過去分詞を使っています。

●── it is believed that S V → S is believed to V :S は V すると考えられている

アカデミックな文脈では、believeは「信じられている」というよりも、「考えられている」という意味で使われます。日本語の「信じる」は「根拠はないが信じている」という意味合いがありますが、英語のbelieveは「実際に見たわけではないが、十分な根拠があってそう考える」という意味でよく使われます。

例文 It is believed that dinosaurs went extinct 65 million years ago.

例文 Dinosaurs are believed to have gone extinct 65 million years ago.

「恐竜は6500万年前に絶滅したと考えられている。」

●—— it is reported that S V → S is reported to V
:S は V すると報じられている

メディアでの報道、通報や報告において使われます。

例文 It is reported that the Syrian government carried out a chemical weapons attack.

例文 The Syrian government is reported to have carried out a chemical weapons attack.

「シリア政府は化学兵器による攻撃を行ったと報じられている。」

●—— it is likely that S V → S is likely to V
:おそらく S は V することになる

likelyは「実現の可能性が高い」ということです。likeとの歴史的つながりには不明瞭なところがあり、語源的な解説は難しいのですが、likeの語源は「同じ形をしている」で、ここから形容詞の「似ている」が生まれ、「異なる＝反発 ⇄ 似ている＝親しみ」から動詞の「好き」が生まれたと考えられています。私は、likelyは「現実に似ている＝実現可能性が高い＝おそらく」ということではないかと考えています。

例文 It is highly likely that he will win reelection.

例文 He is highly likely to win reelection.

「かなりの確率で彼は再選を勝ち取るだろう。」

likelyは未来への予想ですので、that節ではwillが使われることもよくあります。一方、不定詞は「これからすることに向かう」という意味で、それ自体が未来志向の表現です。

紙幅の都合で、復習問題は省きますが、皆さん、ここに出てきた例文で書き替えの練習をしてくださいね。

Must
78

so~that とso~as to

▶soを「とても」ととらえるよりも……

soという言葉は日本語の「そう」の「そ」の部分に近い意味の言葉で、「そう」「そのように」「そういうわけで」「それくらい」といった意味を持ちます。

●――「so 〜 that」構文の２つの訳し方

so 〜 that S Vという構文のおかげでsoには「とても」という意味がある、と学習者に認識されているわけですが、soの根っこの意味は「**そう**」「**そのくらい**」「**そういうわけで**」等です。これを無視して「とても」という意味に囚われてしまうと、so that構文が２通りに訳せる理由がわからなくなりますし、否定文であるnot so 〜 thatの訳し方も理解できなくなります。以下の文を見てください。

He was so tired that he couldn't speak anymore.

この文は２通りに訳せます。

①「彼はとても疲れていたので、もう口をきくことができなかった。」

②「彼はもう口もきけないほど疲れていた。」

②の構造から解説していきます。soを「**それくらい**」と解釈します。

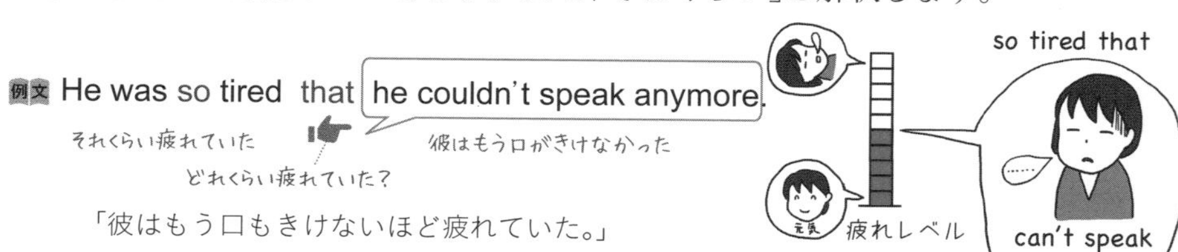

例文 He was so tired that he couldn't speak anymore.
それくらい疲れていた
どれくらい疲れていた？
彼はもう口がきけなかった
「彼はもう口もきけないほど疲れていた。」
元気
疲れレベル
so tired that
……
can't speak anymore

so ～ that構文の２つの訳し方
not so ～ that S V：SがVするほど～なわけではない
so ～ as to do…の２つの訳し方
not so ～ as to do…：……するほど～なわけではない
So 形容詞 be動詞 主語 that S V ~：書き言葉での倒置

このように、「**軽い情報が先で、重い情報は後**」という英語の語順の原則にのっとり、soを使い、先に「それくらい疲れていた」と言ってから、「どれくらい疲れていたのか」をthat節で詳しく説明します。このようにsoは本来、一種の「指示語」です。

ではなぜsoは「とても」という意味も持つのでしょうか。例えば日本語でも「へえ、あなた、カレーがそんなに好きなの……。」と言えば、それは「とてもカレーが好きなのね。」ということを意味しています。前者の「そんなに」というのは、話者が目撃した何か「いちじるしい」状態を「指す」言葉です。いちじるしい状態を指しているので、強調の意味に転用されるようになりました。これと同じことが英語のsoにも起きているわけです。

①の、「とても」のsoの文の構造は以下のとおりです。

例文 He was so tired that he couldn't speak anymore.

とても疲れていた　で、どうなった？　彼はそれ以上口がきけなかった

「彼はとても疲れていたのでそれ以上口もきけなかった。」

so tired
that
can't speak
anymore

●── not so ～ that S V:S が V するほど～なわけではない

「それくらい」のsoの感覚がわかると否定文のso ~ that構文の訳し方も理解できるようになります。試しに以下の文を「とても～なので」で訳してみてください。

He was not so tired that he couldn't speak anymore.

×「彼はとても疲れていたわけではなかったので、もう口がきけなかった。」

明らかにつじつまの合わない奇妙な文になります。しかし、「そのくらい」のsoで考えればつじつまが合います。

例文 He was not so tired that he couldn't speak anymore .

それほど疲れていなかった　もう口も聞けない、というほどには

どれほど疲れてはいなかった？

「彼は口もきけないほど疲れていたわけではなかった。」

このように否定文のso ~ that構文では、soは必ず「それほど」「そのくらい」と解釈します。

●—— so ～ as to do~ 構文の２つの訳し方

thatの代わりにas toを使う場合もあります。ただし、堅く響く表現でアカデミックな記述や小説によく見られ、使用例数もso 形容詞 that ～の約40分の１です。そして、ネガティブな意味で使われるのが一般的です。soを「とても～」と訳しても、もちろんかまわないのですが、「**それくらい～**」ととらえた方が理解はしやすいです。asは「**イコール**」(第73項参照)、to do~は「**～することに向かう**」ととらえましょう。

例文 The traffic problems in Los Angeles are so serious as to require a radical solution.

ロサンゼルスの交通問題はそれくらいに深刻だ

イコール

何とイコールなほどに深刻？

抜本的な解決策を必要とすることに向かうほど

「LAの交通問題は抜本的な解決策を必要とするほどに深刻だ。」

↓

「LAの交通問題はとても深刻なので、抜本的な解決策が必要だ。」

●—— not so ～ as to do…：・・・するほど～なわけではない

否定文の場合、soは「とても」ではなく、「それくらい」と解釈しましょう。

例文 I'm not so naive as to believe that.

それほどウブではない　＝　それを信じることに向かうほど

何とイコールなほどウブではない？

「それを信じるほど私は世間知らずではないよ。」

●—— So 形容詞 be 動詞 主語 that S V ~：書き言葉での倒置 

書き言葉で見られる表現形式です。強調されることで文頭に出て来るsoなので、このsoは「とても～」という意味で使われています。倒置のプロセスは

以下の通りです。

The prejudice against him was so strong that few people believed what he said.

偏見　何に対する偏見？　彼　とても強かったので　どうなった？　彼の言うことを信じる人はほとんどいなかった

「彼への偏見はとても強かったので､彼の言うことを信じる人はほとんどいなかった。」

↓

so strongを強調するために文頭に持ってきます。

So strong the prejudice against him was [ ] that few people …

↓

so strongを「である」と肯定するbe動詞も一緒に強調されて前に出ます。A is B構文のBが強調されるとき、Bに続いてisも前に出て、B is Aという語順が発生します。

So strong was the prejudice against him [ ] that few people …

↓

例文 So strong was the prejudice against him that few people believed what he said.

復習問題

1.「彼はそれ以上口もきけないほど疲れていた。」
(was so, couldn't, speak anymore, that he, he, tired).

2.「彼は口も聞けないほど疲れていたわけではなかった。」
(not, couldn't speak, he was, that he, so tired) anymore.

3.「LAの交通問題は抜本的な解決策を必要とするほどに深刻だ。」
The traffic problems in Los Angeles are (a radical, as, so, solution, require, severe, to).

4.「それを信じるほど私は世間知らずではないよ。」
(naive, to believe, not, I'm, that, so, as) .

5.「彼への偏見はとても強かったので、彼のいうことを信じる人はほとんどいなかった。」
So (the prejudice, that, strong, against him, was) few people believed what he said.

1.He was so tired that he couldn't speak anymore.
2.He was not so tired that he couldn't speak anymore.
3.The traffic problems in Los Angeles are so severe as to require a radical solution.
4.I'm not so naive as to believe that.
5.So strong was the prejudice against him that few people believed what he said.

Must
79

so that という構文

▶so と that がくっつくと……

so と that を使う構文は、so と that がくっついて使われるものもあります。両者全く意味が違うので、学習者にとっては悩ましいところです。

●——so that S V:S が V するように

とても便利、かつ重要、そしてよく使われる構文です。ビジネスなどで提案をするときに「こうすれば、ほら、こういうことができるでしょう」というふうに使うのをよく見かけます。

和訳すれば「～するために」「～するように」というふうに目的を表す構文ですが、この訳のせいで、後ろから文を返り読みしてしまう学習者をよく見かけます。より英語らしく理解するためには、so は「**そうすれば**」、that は「**詳しい内容はこちら**☛」と指す機能なので、この構文は「そうすればthat以下になるでしょ」と読むべきで、そうすると語順のままの理解がしやすくなります。

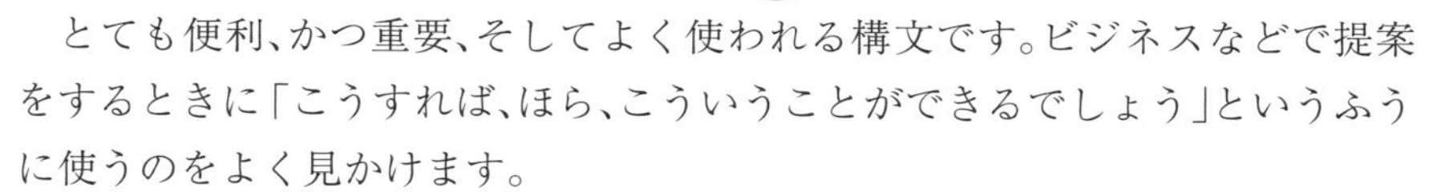

例文 I'll finish this by 4 in the evening so that I can have dinner with my family.
夕方4時までにこれを終わらせるつもりだ
家族と夕食をとることができる
そうすれば、

「家族と夕食を取ることができるよう、夕方4時までにこれを終わらせるつもりだ。」

→ 直訳 これを4時までに終わらせるつもりだよ。そうすれば家族と夕食をとれるでしょ。

くだけた言い方では that が省略されることもよくあります。

so that の後には助動詞が入るのがふつうで、一般的に can、少し堅い文なら may, might が入ります。これは「そうすればこうなるでしょ」の部分が「思っているだけで実現していない」ことを表すからです。助動詞は事

so that S V：SがVするように
, so that S V：その結果、SはVする
so as to do~：〜するように
not so much as V：Vすらしない
without so much as ~ing：〜することさえなしに

実ではなく、思っているだけのことを表す言葉です（『英文法の鬼100則』第５０項参照）。

●—— , so that S V：その結果、S は V する

カンマがない文を「１場面」の文だとすると、カンマはそれを分割し「２場面」の文にする効果があります。カンマで「場面」をいったん終わらせ、カンマの後に新しい場面を作るわけです。A, so that Bなら、カンマでAという場面が終わり、「そうしてあちらへ（so that）」と導かれ、Bという新しい場面に移るのです。したがって、この表現には「**そういうわけで**」「**その結果**」という和訳が当てられます。この表現はthatが省略される方がより一般的です。

例文 I missed the last train, | so (that) I decided to find a hotel for the night.

場面A　　そうして　　場面B

カンマによって、場面が切り替わる

so that ⇨

「終電を逃してしまった。そういうわけで、私は一夜の宿を探すことにした。」

●—— so as to do~：〜するように

soとthatがくっついて構文が出来上がるのと同様、soとas toもくっついて構文を作り、「目的」を表します。やはり主に書き言葉で使われます。

例文 The hotel clerk politely turned down my request so as to avoid trouble.

ホテルの受付係　丁寧に断った　私の要望　そうすれば　イコール　トラブルを避けることに向かう

「ホテルの受付係はトラブルを避けるため、丁寧に私の要望を断った。」

→直訳の感覚：「ホテルの受付係は私の要望を丁寧に断ったよ。そうすればイコール、トラブルを避けることに向かうでしょ。」

so that, so as toの解説はここで終わりにして、ここからは受験などのテストでお馴染みのsoを使った表現を２つ、紹介します。

●—— not so much as V：V すらしない 

小説で主に見られる表現です。not so ~ asはnot as ~ asとほぼ同じ意味で使われる比較表現です（第86項参照）。ここでもsoの「それほど」「それくらい」という意味が生きています。

He is not so cheerful as Andrew is. 「彼はアンドリューほど陽気なわけではない。」

彼　それほど陽気ではない　アンドリュー

誰ほど？

この表現を応用したのが、今回の表現です。構造は以下の通りです。muchは「量が多い」という意味ですが、ここでは単に「量」ととらえると理解しやすくなります。

例文 The man didn't so much as glance at me.

その男　その程度の量のこともしなかった　私をチラリと見る

どの程度？

「その男は私をチラリと見ることもなかった。」

この表現では行動の軽重を「量」としてとらえ、ふつうならやって当たり前だろう、という程度の量の行動がなされなかったことを表します。

作り方ですが、ふつうの否定文の、notと動詞の間にso much asを入れます。動詞の形をどうするか迷う人がいますが、下の例文のようにふつうに否定文をつくり、そのあとso much asを挿入する、と考えれば良いです。

The man didn't glance at me. → The man didn't so much as glance at me.

●—— without so much as ~ing：〜することさえなしに 

これも主に小説で見られる表現です。先ほどの not so much as VはVを否定する、つまり否定文で使い、「Vすることさえない」となりました。この表現は、「Aすることさえなしに」に加えて「Bする」も言いたいときに、「Aすることさえなしに」の部分をwithoutを使って表します。withoutは前置詞ですから、続く動詞は動名詞となり、~ingになります。

例文 She bought the dress without so much as checking the price tag.

彼女はそのドレスを買った　何なしに？　その程度の動作の量　どの程度の動作？　値札を確認する

「彼女は値札を見ることもせずにそのドレスを買った。」

復習問題

1. 「家族と夕食を取ることができるよう、夕方4時までにこれを終わらせるつもりだ。」
   I'll finish this (can have, so, the evening, that, by 4 in, I, dinner) with my family.
2. 「終電を逃してしまった。そういうわけで、私は一夜の宿を探すことにした。」
   I missed the last train, (to find, I, a hotel, decided, so) for the night.
3. 「ホテルの受付係はトラブルを避けるため、丁寧に私の要望を断った。」
   The hotel clerk politely turned down (so, trouble, my request, as, avoid, to).
4. 「その男は私をチラリと見ることもなかった。」
   (much, at me, didn't, the man, so, glance, as).
5. 「彼女は値札を見ることもせずにそのドレスを買った。」
   She bought the dress (checking, without, much, so, as) the price tag.

1.I'll finish this by 4 in the evening so that I can have dinner with my family.
2.I missed the last train, so I decided to find a hotel for the night.
3.The hotel clerk politely turned down my request so as to avoid trouble.
4.The man didn't so much as glance at me.
5.She bought the dress without so much as checking the price tag.

Must
80

whatを使う構文

▶ややこしい慣用表現

whatは疑問詞だけでなく、関係代名詞としても多用され、そのためwhatを使ったイディオム表現も数多く存在します。

●—— what if S V:もし S が V したらどうする

whatの後に、would you doもしくはwill you doが省略されていると考えるとわかりやすくなります。

例文 What (~~will you do~~) if he doesn't attend the meeting?
「もし彼がミーティングに出なければどうする？」

ifの後ろの動詞が現在形の場合、「**起こりうる未来**」に関して話しています。上の文なら「彼が実際にミーティングに出ないなら、どうしよう」というふうに「現実に起こりうる話」として問題提起しています。

一方、ifの後ろの動詞が過去形の場合、「あくまで仮の話であって、本当に起きるとは思っていない」という、**仮定法**の表現です。

例文 What (~~would you do~~) if this bridge collapsed now?
「もしこの橋が今落ちたらどうする？」

●—— A is to B what C is to D
:B にとっての A は、D にとっての C のようなものだ

大学受験で出る表現ですが、実際に雑誌のインタビュー記事などで、割と見かける表現です。ちなみに以下に出て来るクリプトナイトというのは無敵の

what if S V：もしSがVしたらどうする
A is to B what C is to D：BにとってのAは、DにとってのCのようなものだ
What is A like?：Aというのはどんな感じなの？
S make A what A is today：今日のAがあるのはSのおかげだ
what little time/money A have：Aが持っているなけなしの時間・お金

スーパーマンにとってのたった1つの弱点となる鉱石のことです。

例文 Age is to woman what kryptonite is to Superman.
「女性にとっての年齢というのは、スーパーマンにとってのクリプトナイトみたいなものなのよ。」
（雑誌「New Statesman」）

A is to Bのとらえ方

to Bで「Bにとって」です。これは例えばIt's important to me.のto meが「私にとって」となるのと同じです。これをヒントに考えると、Age is to a womanの直訳は「年齢が、女性にとってである」となります。

whatのとらえ方

① whatは「何」の他に「もの・事柄」という意味を持ちます。whatは疑問で使えば「もの・事柄」の名前を尋ねるため、「何」と訳されます。しかし、関係代名詞など、疑問以外の使い方をするときは「もの・事柄」という意味のまま使われます。
② A is to BとC is to Dのどちらが「たとえ話」なのか、ですが、whatの後ろが例え話になります。関係代名詞節は修飾、つまり何かを詳しく説明する働きを持ちます。たとえ話は「説明」の働きを持つパートです。というわけで、A is to B what C is to Dなら、C is to Dがたとえ話になります。
③ whatが「～なもの」「～であるもの」で、C is to Dは「CがDにとってである」なので、what kryptonite to Supermanの直訳は「クリプトナイトはスーパーマンにとってである、なもの」となります。

これらを踏まえた上で構造を見てみましょう。慣用表現なので通常の文法通りにはいかないところに留意してください。

Age is to a woman　what〔kryptonite is to Superman〕.
年齢が女性にとって、だ　なもの　クリプトナイトがスーパーマンにとって、だ
どのようなもの？
一応の直訳：「年齢が女性にとって」だが、それは「クリプトナイトがスーパーマンにとって、なもの」だ

●── What is A like?：A というのはどんな感じなの？ 

日常会話の中で「それは何？」と尋ねる場合もありますが、相手の話題にしている内容に対して、漠然とした雰囲気を尋ねて「それって、どういう感じ？」と尋ねた方がしっくりくることがあります。これは、そんなときに使う表現です。語順を理解しましょう。

A is like B.「A は B みたいな感じのものだ。」→ Is A like B?「A って B みたいな感じ？」

というふうに疑問文を作ったら、最後にBをwhatに変えて、文頭に持っていきます。

↓

例文 What is the new app like?　「その新しいアプリって、どんな感じなの？」

間接疑問文としてもよく使います。語順を肯定文の語順にします。

例文 I don't know what it is like.　「それがどんな感じのものなのかは知らない。」

●── S make A what A is today：今日の A があるのは S のおかげだ

構文の構造は、第５文型のmakeの使役構文です。

例文 This experience made〔me = what I am today〕.

この経験　形作った　私 ＝　今日の私

「この経験のおかげで今の私がある。」

make what I am today

author

me = what I am todayは意味的にI am what I am today.（私は今の私だ）です。what I am todayのwhatは関係代名詞というよりは、間接疑問文で、「何者なのか」を意味します。次の例文を見てください。

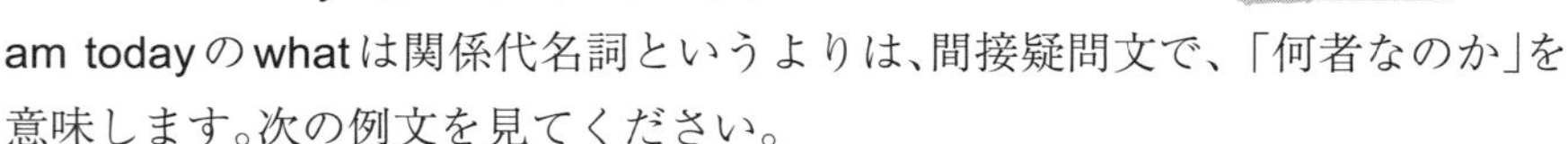

What are you? A med student?　「お前何なんだ？医学部の生徒か？」

whoなら人の名前を尋ねますが、whatなら、その人の立場、役職を尋ねます。つまり、その人の「アイデンティティ」をwhatが表しているわけです。what I am todayなら「今の私が、何者であるのか」というのが直訳です。

●── what little time/money A have
:Aが持っているなけなしの時間・お金 

例えばwhat I haveだけなら「私が持っているもの」となります。the money I haveだけなら「私が持っているお金」となります。これらを合わせてwhat money I haveとすると、「(持っている)もの」としての「お金」が強調されることになります。つまり「持っているお金全額」ですね。whatとmoneyはどちらも「(持っている)もの」であり、こうした言葉の繰り返しは、強調を意味します。そしてここに「ほとんどない」を意味するlittleを入れることで、そもそも持っているお金が少ないことを強調します。

例文 He gave me what little money he had.「彼はなけなしのお金を全部私にくれた。」

moneyやtimeのほかにもこんなのがあります。

例文 What little hair he had was deep red, and mostly near his temples.
「彼に残されたわずかな髪は深い赤色で、ほとんどはコメカミのあたりに集まっていた。」　(小説：The Entropy of Bones)

復習問題

1.「もし彼がミーティングに出なければどうする。」
(doesn't, if, the meeting, what, he, attend)?

2.「女性にとっての年齢というのは、スーパーマンにとってのクリプトナイトみたいなものなのよ。」
(what, kryptonite is, to woman, is, age) to Superman.

3.「その新しいアプリって、どんな感じなの？」
(the new, like, is, what, app)?

4.「この経験のおかげで今の私がある。」
(me, I am, this, made, experience, what) today.

5.「彼はなけなしのお金を全部私にくれた。」
(little money, me, he gave, he had, what).

1.What if he doesn't attend the meeting?
2.Age is to woman what kryptonite is to Superman.
3.What is the new app like?
4.This experience made me what I am today.
5.He gave me what little money he had.

Must

81

suchという言葉

▶such as と as such

suchはかなり複雑な使い方をする言葉です。such自体は、すでに言われていることや、これから言われることを指して「**そのような（＋名詞）**」という形容詞の働きをしたり、「**そのようなもの**」という代名詞の働きをしたりもします。本項ではsuchが形容詞として使われるsuch asと、代名詞として使われるas suchを解説します。

such as ～

●—— **there is no such thing as ～：この世に～というものなど存在しない**

人の思い込みや幻想を否定するときに使います。「そんな甘い話は、この世にはないんだよ」という感じですね。もっとも代表的なのは、

例文 There is no such thing as a free lunch.

そのようなものは全くない　無料の昼食

何とイコールのようなものが全くない？

「この世にただで食える昼飯なんかはない。」

（＝ただより高いものはない）

ということわざです。such thingが抽象的な名詞句で、asに続くa free lunchがsuch thingを具体的に説明する名詞です。

一説によると、昔のアメリカの食堂で飲み物を注文した客に無料の昼食が振る舞われたのですが、とても塩辛いもので、これによって、客はどんどん飲み物を注文する羽目になったというのが語源です。

there is no such thing as ~：この世に〜というものなど存在しない
抽象名詞＋such as＋名詞のリスト：A、B、そしてCといった○○
be動詞＋過去分詞＋as such：それ相応に〜される
not ~ as such, but …：〜というほどのものではないが、・・だ
文頭のAs such,：そのようなわけで、そういった感じで

●――抽象名詞＋ such as ＋名詞のリスト　such asの代わりにlikeだと

エッセイライティングを添削していると、何かの具体例を挙げるとき、For example, A and B.という書き方をする英語学習者がかなり見受けられます。

△ Acidic fruit is said to contain a lot of vitamin C. For example, lemons and kiwifruit.
「酸っぱい果物はビタミンCを多く含むと言われています。例えばレモンやキウイです。」

間違いではありませんが、スマートな英語とは言えません。こういう場合は「抽象名詞 such as 具体例のリスト」とした方が、より自然です。

○ Acidic fruit such as lemons and kiwifruit is said to contain a lot of vitamin C.
「レモンやキウイ といった酸っぱい果物は、ビタミンCを多く含むと言われています。」

「抽象名詞 such as 具体例のリスト」の構造は以下の通りです。

acidic fruit〔such as lemons and kiwifruit〕
酸味の果物　　そのような ＝ レモンやキウイ
どのような？

学術的な文章になるほど、such asの後ろには2つ以上の名詞のリストが続きます。一方で話し言葉や、ニュースなどで使われる場合にはsuch asの後ろには名詞が1つだけ、という場合が多いです。

such asの代わりにlikeを使うと、さらに日常会話寄りの表現になります。likeの後ろには名詞は1つだけである場合が多いです。

例文 You won't see cars like these in Japan very often anymore.
「こういった車たちは、もう日本ではそう見かけなくなったよね。」

いろいろなas such

as suchのsuchは代名詞です。つまりここでのsuchは形容詞の「そのような～」ではなく、名詞まで意味に含む「そのような物・人」です。as suchにはいくつかの使い方があり、一言では説明できません。いくつかの具体的なパターンを見ていきます。

●――be 過去分詞＋ as such：それ相応に～される

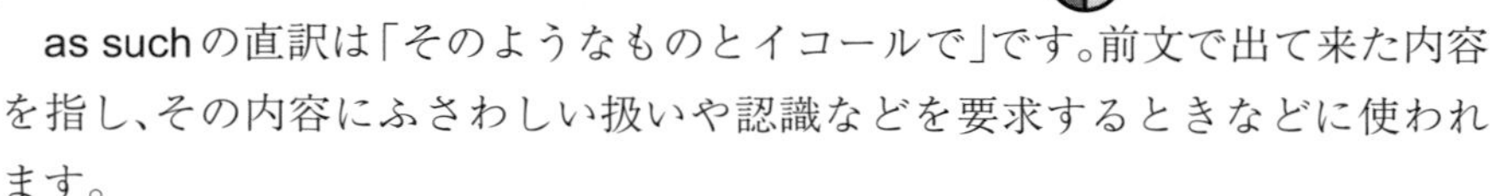

as suchの直訳は「そのようなものとイコールで」です。前文で出て来た内容を指し、その内容にふさわしい扱いや認識などを要求するときなどに使われます。

例文 Mr. Matthews is a hero and should be treated as such.

「マシューズ氏は英雄であるから、それ相応に遇されるべきだ。」

●――not ～ as such, but … ：～というほどのものではないが、……だ

not ～ as suchで「～というほどのものではない」という意味を出します。asは名詞を後ろに従えると「～として」という意味になります。suchは「そのような種類のもの」という、種類化する意味を持ちます。つまりas suchで「そのような種類のものとして」となります。

例文 He wasn't a politician as such, but he liked to do things for others.

「彼は政治家というほどのものではなかったが、人々のために何かをやりたがった。」

種類化している

a politician as suchの直訳は、「政治家という種類のものとして」です。これが否定文で使われるので「政治家と呼べる類のものではない」となります。後ろにはほとんどの場合、butを中心とした、逆接でつながれた文が来て「～というほどのものでなければ、いったい何なのか」を説明します。

●――文頭のAs such,：そんな感じで、そういうわけで等

これは辞書*ではあまりお目にかからないのですが、コーパスでas suchを検索するとかなりよく出て来る表現です（COCAで「. as such,」で検索すると3677件ヒット）。ほとんどの場合、学術的な文章で出てきます。文頭に来るas suchという表現

は、直前の文の内容を「そのようなものとイコールで」と受ける、ディスコースマーカー（話の流れを示す標識）の働きをしていることになります。ですから日本語に訳せば「そのようなわけで」とか、「そうだった感じで」と訳されることになります。

Unlike other landmasses, there was no indigenous population in Iceland. As such, Iceland's settlers could get whatever land they wanted.

「他の広大な土地とはちがい、アイスランドには先住民族が全くいなかった。そのようなわけで、アイスランドへの植民者は好きなように土地を手に入れることができた。」

* ジーニアス英和辞典、ウィズダム英和辞典、オックスフォード現代英英辞典、ロングマン現代英英辞典など。ただし、「英辞郎 on the web Pro」には掲載されていました

復習問題

1.「この世に無料の昼飯などはない。」
(no such, as a free, there, thing, lunch, is).

2.「レモンやキウイといった酸っぱい果物は、ビタミンCを多く含むと言われています。」
Acidic (as lemons, and kiwifruit, such, fruit) is said to contain a lot of vitamin C.

3.「マシューズ氏は英雄であるから、それ相応に遇されるべきだ。」
Mr. Matthews is a hero (be, and, such, should, treated, as).

4.「彼は政治家というほどの人間ではなかった。」
(a politician, he, as, wasn't, such).

5.「そのようなわけで、アイスランドへの植民者は好きなように土地を手に入れることができた。」
(could get, as, Iceland's, such,, settlers) whatever land they wanted.

1.There is no such thing as a free lunch.
2.Acidic fruit such as lemons and kiwifruit is said to contain a lot of vitamin C.
3.Mr. Matthews is a hero and should be treated as such.
4.He wasn't a politician as such.
5.As such, Iceland's settlers could get whatever land they wanted.

Must

82

butという言葉

▶「しかし」か「除く」

●—— but for A:A を除いて、（仮定法で）A なしには

butは英語が他の西ゲルマン諸語から分かれる以前からあった言葉で、by（そば・存在）+ out（外）が合わさって出来上がったと考えられています。語源的には「外にはずしておく」というイメージが強く、そのためexcept for ～（～を除いて）と同じ意味で使われるときもあります（ただし頻度は低い）。

例文 All was silent but for the sound of the wind in the trees.

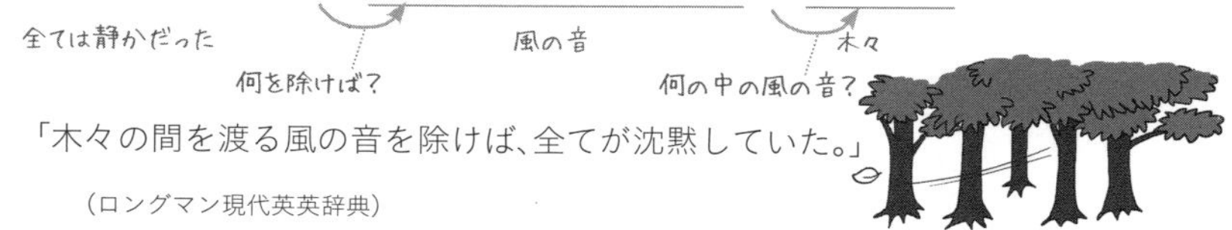
全ては静かだった
風の音
木々
何を除けば？
何の中の風の音？

「木々の間を渡る風の音を除けば、全てが沈黙していた。」

（ロングマン現代英英辞典）

仮定法で出て来るbut for ～「（仮に）～がなければ」（= without）という用法も、この「除く」感覚が元になっています。

例文 But for the accident, we would have arrived earlier.

「その事故がなければ、我々はもっと早くに着いていただろうけれど。」

→but for はwithoutと同様、前置詞扱いなので、後ろにはS+Vではなく、名詞句が来ることに注意。
仮定法の基礎に関しては 英文法の鬼100則p44、45、46項を参照

●—— not A but B:A ではなく B

butは「**しかし**」か「**除く**」かのどちらかの意味で考えると理解しやすくなります。歴史的には、「はずす・除く」が先で、そのあと「しかし」という意味が生まれてきました。「今の話をはずし」て、「逆の話題」を持って来るから「しか

---

but for A：Aを除いて、（仮定法で）Aなしには
not A but B：AではなくB
cannot but 動詞原形：〜せずにはいられない
can't help ~ing ：Aせずにはいられない
all but A：①Aを除いた全て　②ほとんどAする・Aするも同然

し」です。not A but Bは「AではなくB」を意味し、AとBは対立する話題になります。対立する話題というのは「同じ形になる」のが原則なので*、not A but Bでは、基本的にAとBには同じ形が来ます。

例文 It's not〔what he says〕but〔how he says it〕that gets on my nerves.

状況は　何ではない？　彼が何をいうか　では何なのか？　彼がどうそれをいうか　何が？　私をイラつかせるのが

「イライラするのは、彼の言っていることではなくて、言い方だ。」

→例文のnot A but BのAもBも、疑問詞を使った間接疑問文という同じ形。gets on my nervesは第34項参照。

●―― cannot but 動詞原形：A せずにはいられない 

この後説明するcan't help ~ingと、このcannot but 動詞原形では、can'tを使うか、cannotを使うかにおいて、はっきりとした傾向があります。

コーパスでのヒット件数を見ると、「help ~ing」はcannotよりもcan'tと共に使う方がより一般的で（過去形ならcould notよりもcouldn't）、「but 動詞原形」はcannotと共に使う方が一般的です（過去形ならcouldn'tよりもcould not）。短縮形であるcan't を使いたがるhelp ~ingがよりくだけた言い方で、cannotを使いたがるbut 原形がフォーマル寄りであると考えて良いでしょう。

cannot but 原形の仕組み

butは「除く」という意味で使われています。「（動詞原形）することを除くと、（何も）できない」→「（動詞原形）せずにはいられない」です。butの後ろがなぜ動詞原形か、わかりますか？ butを指で隠してみてください。cannotの後ろにあるから動詞は原形なのです。このbutは副詞で使われ、修飾語なのです。動

---

* 比較でも、比べる情報同士は同じ形になります。第85項参照。比較も一種の対立情報。例えば「兄と弟を比べる」ということは「兄 vs 弟」。

詞の形を決める文法的な影響力はありません。

例文 I cannot but think of the irony of the situation.
「状況の皮肉に思いを致さずにはいられない。」
→ 直訳 思いを致すことを除いてしまうと、(何も)できない

●── can't help ~ing：～せずにはいられない 

We can't help it.（しょうがない）（第57項参照）にもあるように、can't helpは「助けようがない＝コントロールできない」という意味を出します。「～せずにはいられない」「思わず～してしまう」というのは「コントロール不能」から出る意味です。「～しちゃうのは、しょうがないよね、抑えられないよね」ということです。

そして、「コントロールできない」内容は、helpの目的語である~ingで表されています。なぜ~ingなのかといえば、~ingは「動作の途中」であることを表すからです*。例えば「笑わずにはいられない」「思わず笑ってしまう」というのは、「気がついたらすでに笑っている最中」ということです。したがって、~ingが使われているわけです。

思わず笑う＝気がついたときはすでに笑っている最中

例文 I can't help laughing.
「思わず笑っちゃうよ。」「笑わずにいられないよ。」

ちなみに、「cannot but 原形」「can't help ~ing」以外にもう1つ、「can't help but 原形」という言い方があります。これは、cannot but 原形とcan't help ~ingが混ざってできたものです。cannot but 原形もcan't help ~ingも、どちらも1700年代あたりから使われていますが、cannot help but原形は1900年代に入るころから使われだしています。

●── all but A：① Aを除いた全て  ②ほとんどA 

butが「除く」を意味していると考えれば、①の意味が出ることはすぐに理解できます。「all but one of＋複数形」（1人/1つを除いて全員/全部が）という言い方がよく見られます。

*動名詞の性質については、『英文法の鬼100則』の第26項を参照のこと

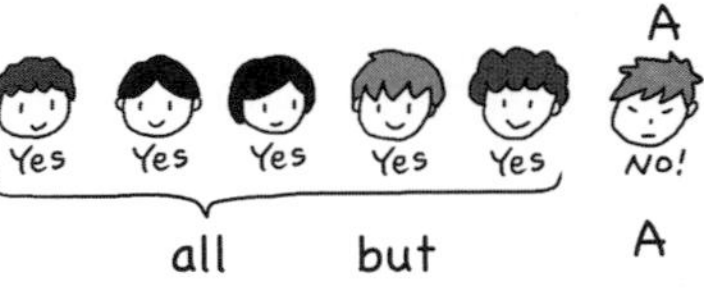

例文 All but one of them accepted the offer.

全員　彼らのうちの1人　受け入れた　その申し出
誰を除く全員？

「彼らのうちの、１人を除く全員がその申し出を受け入れた。」

②は例文にあるとおり、文中の位置も意味も、almostと同じように使います。①の「～を除く全部」という意味から「ほとんど全部・ほぼ」という意味が生まれたと考えられます。

例文 Indigenous species have all but died out.

「固有種はほぼ絶滅してしまっている。」

復習問題

1. 「その事故がなければ、我々はもっと早くに着いていただろうけれど。」
   (the, for, accident, but), we would have arrived earlier.
2. 「イライラするのは、彼の言っていることではなくて、言い方だ。」
   It's (he says, he says it, what, not, but, how) that gets on my nerves.
3. 「状況の皮肉に思いを致さずにはいられない。」
   (cannot, think, I, but, of) the irony of the situation.
4. 「思わず笑っちゃう。」
   (help, I, laughing, can't).
5. 「彼らのうちの、１人を除く全員がその申し出を受け入れた。」
   (them, one, all, of, accepted, but) the offer.

1.But for the accident, we would have arrived earlier.
2.It's not what he says but how he says it that gets on my nerves.
3.I cannot but think of the irony of the situation.
4.I can't help laughing.
5.All but one of them accepted the offer.

Must

83

notを使わない否定表現

▶単調な表現から幅を広げる

●—— far from A：A どころではない・けっして A ではない

Aを真実かどうかと考えたとき、真実から大きく離れているから「真実には程遠い」という意味になる表現です。

例文 It is still far from clear how the government will carry out the plan.

状況は未だ遠い　何から遠い？　明瞭　itの詳しい内容　政府がどうやってその計画を実行するのか

「政府がどのようにその計画を実行するかについては、まだまだ曖昧な点が多い。」

●—— be free from A：A が存在しない

freeは「自由」という意味ではありますが、「(義務・束縛から)逃れている」という見方をすると、より多くの用法が理解できるようになります。

例えば「無料」という意味のfreeは「お金を支払う義務から逃れている」わけですし、「砂糖なし」のsugar freeなら「砂糖」から逃れているから「砂糖抜き」なわけです。今回の表現ではbe freeの後にfromが付いていますが、fromは「離れている」ことを表すため(第74項参照)、「逃れる」freeと相性が良いのです。

例文 These gains are free from taxes.

「これらの収入は、税金がかかりません。」

→ 直訳 税金から逃れている

far from A：Aどころではない・けっしてAではない
be free from A：Aが存在しない
to name (but) a few：まだまだ他にも例はあるが
be anything but A：まったくAなどではない
couldn't care less：どうでもいい（と思っている）

●── to name (but) a few：まだまだ他にも例はあるが 

「いくつかここに例を挙げるが、実際にはまだまだたくさんある」ということを表す表現です。アメリカではto name a fewが多数派で（to name but a fewの約10倍）、イギリスではto name but a fewが多数派（to name a fewの約３倍）です。

nameは動詞で「名前をあげる・名前を出す」です。butは、onlyと同じで*1、「**ほんの**」という意味を表しています。but a fewで「ほんの少ししか（例をあげていない）ない」です。アメリカ英語ではこの強調部分であるbutがとれた状態で使われています。

例文 Japan has many multinational corporations such as Sony, Honda and Nintendo, to name a few.

日本は多くの多国籍企業を抱えている
何のような？
何することに向かえば？
2、3名前をあげることに向かえば

「日本は、少し例をあげただけでもソニーやホンダ、任天堂といった多くの多国籍企業を抱えている。」

●── be anything but A：まったくAなどではない 

anyは「どの１つとってみても」というのが根っこの意味です*2。anythingなら「どの１つのものであっても」となります。butは「外す・除く」ですから、be anything but Aで、「Aを除いた、どの１つのものでもある」が直訳です。

*1 butは前項で説明している通り「外す」が語源的な意味で、「他から外して、それだけを取り出してみる」という感覚のせいで、副詞で使うときにonlyと同じ意味を出します。例：This is but one example of what they can do.「これは彼らができることのほんの一例でしかない。」

例文 He is anything but a gentleman.

彼は決して紳士などではない。

例えば上記の例文なら、「彼は『紳士』を除いたどの１つのものでもある」という直訳ができますが、これが意味するのは、「彼を定義すると、けちん坊、冷血漢、情熱家など、どんな人でもありうるのだが、たった１つ除くべきものがあって、それは『紳士』だ」ということになり、「彼は決して紳士などではない。」という和訳が生まれます。

このイディオムではbutの後ろに形容詞が来る例もよく見られます。

例文 This concept is anything but simple.（形容詞）

「この概念は決して単純なものなどではない。」

→ This concept is not simple. のnotという否定が強調される感覚でanything butが使われている。

●── couldn't care less.：どうでもいい（と思っている） 

care lessで「より少なく気にする」です。これにcouldn'tを加えてcouldn't care lessとすると、一見して「より少なく気にすることができない」という直訳ができあがるようで、なぜこれが「どうでもいい」という訳になるのかが不思議に見えます。

実は、couldn'tに秘密があります。can'tという現在形ではなくcouldn'tという過去形を使っているのは、**仮定法過去**だからです。仮定法は「実際にはそうではないよ。あくまで仮定して想像しただけの話だよ」という気持ちを表します。もし直説法のcan'tを使うなら、これは現実を描写することになり、can't care lessなら「より少なく気にすることができない＝気にしてしまう」という意味になるでしょう。しかし、couldn't care lessは仮定法過去ですから、「仮にこれ以上少なく気にしようと思ってもできない」＝「限界まで少なく気にしている」＝「どうでもいい」という意味になるのです。

例文 I couldn't care less about him.

「彼のことは心底どうでもいいと思っている。」

*2 anyについては『英文法の鬼100則』第66項を参照

これと似た表現に、以下があります。

(I) Couldn't be better.　「すごく調子良いよ。」

「仮にこれ以上調子良くなろうと思っても、ムリ。それくらい調子が良い。」ということです。くだけた表現で仲間内の挨拶に使うフレーズです。挨拶ですから省略も多く、コーパスでは主語の I が省略される場合が、I を使う場合よりも６倍多く見られます。一方で、couldn't care less では主語 I をつけるのがふつうです。これは couldn't care less が挨拶表現ではないからでしょう。

復習問題

1.「政府がどのようにその計画を実行するかについては、まだまだ曖昧な点が多い。」
(is still, clear, from, it, how, far) the government will carry out the plan.

2.「これらの収入は、税金がかかりません。」
(are, from, these gains, free, taxes).

3.「日本は、少し例をあげただけでもソニーやホンダ、任天堂といった多くの多国籍企業を抱えている。」
Japan has many (such as, Sony, Honda and Nintendo,, name, multinational corporations, a few, to).

4.「この概念は決して単純なものなどではない。」
(is, but, this concept, simple, anything).

5.「彼のことは心底どうでもいいと思っている。」
(less, couldn't, about, I, him, care).

1.It is still far from clear how the government will carry out the plan.
2.These gains are free from taxes.
3.Japan has many multinational corporations such as Sony, Honda and Nintendo, to name a few.
4.This concept is anything but simple.
5.I couldn't care less about him.

英熟の鬼
10

第5章 比較の構文で世界を広げる

Must
84

比較の構文を作る　その１

▶前半の情報：シンプルな文から始めよう

本書は各種熟語表現や、慣用表現、構文を解説する本です。英語を書き、話すに当たって、単語をどうつなげて文にするかを考えるとき、大きなチャンク（かたまり）を扱う熟語や構文を知っておくことが有利に働きます。

拙著『英文法の鬼100則』ではあまり取り上げなかった「比較」の項は、この各種表現の宝庫であり、解説なしには理解しづらいものもたくさんあるところです。本書ではページを割いて、比較表現をいろいろ解説していきます。

比較の文が「難しい」理由

比較の文は読むのも作るのも難しいものです。なぜでしょうか？

それはふつうの文の情報を「１」だとすると、比較の文は情報が「２」あるからです。Aという情報とBという情報、**「２つの情報」を比べるのが比較の文**です。

This is much more difficult (A) than I thought it was (B).

「思っていたより (B) もこいつはずっと難しいな (A)。」

さて、このように2つの情報を扱う文を作るのは、当然ながら、脳に大きな負担を与えます。それを避けるには、一度に全部処理しようとせず、少しずつ情報を処理するというのが得策です。

そして、大事なことですが、「前から順に、少しずつ文を作って」いかないといけません。これは比較の文に限った話ではありませんが、英文を読むときに「後ろから読み返す」癖がついている人ほど、英文の処理は難しくなります。

まずふつうの文を作り、そこから膨らませる

では作り方を見ていきましょう。例えばこんなas ~ asの文を作ってみます。

例文 They are as different from each other as a tree is from a picture of a tree.

「それらは、本物の木と写真の木ぐらい、お互いに異なっているのです。」

どうでしょう。結構難しいですね。理解するだけでも大変そうです。けれども、きちんとした思考の手順を踏めば、こういう文を楽に作れるようになります。当然、読んで理解するのなんて、もっと簡単だと感じるでしょう。

Step1 まずはふつうの文を作る

『英文法の鬼100則』でも説明しましたが、まずは「様子を表す言葉」（形容詞や副詞）を含むふつうの文を作ります。左の英文のAの部分に当たります。ふつうの文というのは、上の文で言えば、2回目のas以降を消し、前半の文のasを消した文です。

They are different from each other.

「それらはお互いに異なっている。」

→ A is different from Bで「AはBと異なっている」。fromは「離れている」ことを表す前置詞（第74・75項を参照）

Step2 様子を表す言葉（形容詞か副詞）の前に１回目の as をつける

as ~ as構文の**１回目のasは「同じくらい～」という意味**です。これを様子を表す言葉、つまり形容詞か副詞の前につけます。この文では、「異なっている」というdifferentがそれですね。as differentで「同じくらい異なっている」となります。

They are as different from each other.
同じくらい異なる

「それらはお互いに、同じくらい異なっている。」

Step3 文末に２回目の as をつける

上記のままでは、「何と同じくらい異なっているのか」がわかりません。そこで、文末に２回目のasをつけます。**２回目のasは、何と同じくらい～なのか、という「基準」を表す働き**を持ちます。

They are as different from each other as ….
同じくらい異なる
何と同じくらい？

「それらはお互いに、・・・と同じくらい異なっている。」

ここで注意してほしいのは、「**２回目のasは文末につける**」ということです。

as ~ as構文を初めて習うときに、I am as tall as he is. とか、I can swim as fast as he does. というような例文を習うのがふつうです。そこで、あまり意味を考えずにこの構文を丸暗記している人の中には、なんでも「as 形容詞 as」「as 副詞 as」というふうにしてしまう人がいます。上の例文だと、

✕ They are as different as from each other …

としてしまう人がいる、ということです。

こうしたミスを犯さないよう、「２回目のasは元の文の文末につける」ことを肝に銘じてください。

さて、この後「２回目のas」の後ろの形の作り方を説明します。

ここで大事になってくるのが、「**比べる情報同士は同じ形になる**」ということです。これを理解できていないと、いつまでたっても「何となく」な感じで作った文しか作れません。

さらにここに、省略や、代名詞の使用が複雑に絡んできます。少し難しいですが、ここがわかるようになると、自信を持って比較の文を作ることができるようになりますし、また、読んだり聞いたりするときの精度も格段に上がってきます。

Must

85

比較の構文を作る　その2

▶後半の情報：比べる情報同士は同じ形

比べる情報同士は、同じ形になる

次に、2回目のasの後ろの文を作りましょう。「比べる情報同士は、同じ形になる」とは、どういうことなのか説明していきます。

そもそも、どんな言語であっても、**比べるものは「同じ土俵の上にいる」ことが必須**です。例えば、「私」と「彼」を比べることはできます。同じ人間同士だからです。人間と犬を比べることもできます。どちらも動物だからです。

では、「私」と「石ころ」を比べられるでしょうか？片や生き物で、もう片方は生き物ですらありませんから、一見比べられそうにありません。しかし、「私なんか、道端の石ころほどの価値もない」（暗くてすみません）と言えますので、比べることはできそうです。なぜ比べることができたのか？それは「私」も「石」もどちらも名詞だからです。

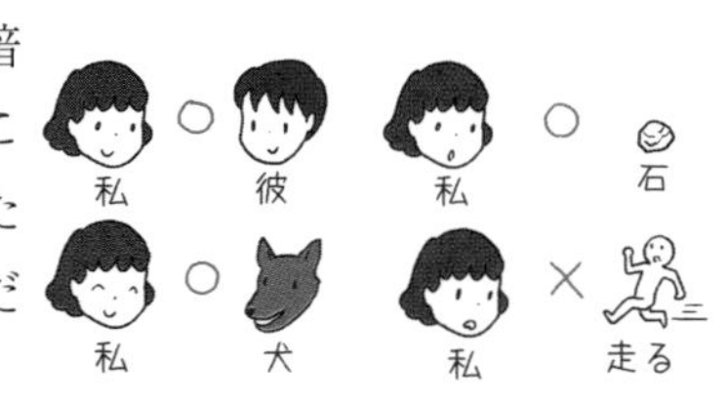

では「私」と「走る」を比べられるでしょうか？これはさすがに無理ですね。「私は、走るに比べて……」とは言えません。なぜなら「私」は名詞で、「走る」は動詞、つまり品詞が異なるのです。ここで重要なルールが浮かび上がります。それは、

比べる情報は、文法的に同じ形でないといけない

です。

例えば、以下の文の空欄にはどちらの選択肢が入るでしょう？日本語訳をよく見てくださいね。

> I like Jeff better than (　　　).
> 「私は彼女よりも、ジェフの方を気に入っているんだ。」
> 1. she　　　　　2. her

答えは2. herですね。なぜなら、日本語訳を見るとわかる通り、この文で比べている情報は「私と彼女」ではなく、「ジェフと彼女」だからです。Jeffはlikeという動詞の目的語ですね。もしJeffの代わりに「彼」という言葉を入れるなら、ここはheではなくて、himになる位置です。したがって、thanの後ろに入れる「彼女」も**目的格のher**にしないといけません。主格のsheでは「形がそろわない」のでダメなのです。

さて、前項で出したasの文に戻ります。

例文 They are as different from each other as a tree is from a picture of a tree.
「それらは、本物の木と写真の木ぐらい、お互いに異なっているのです。」

この文は２つの情報から成り立っています。１つは前半のこれです。

> They are different from each other.　「それらはお互いに異なっている。」

これと比較されているのが後半の文です。２回目のas以降の情報は、

> a tree is from a picture of a tree

ですね。実はここには単語が１つ省略されています。わかりますか？

比較する情報は同じ形になるのが原則です。そう考えると……

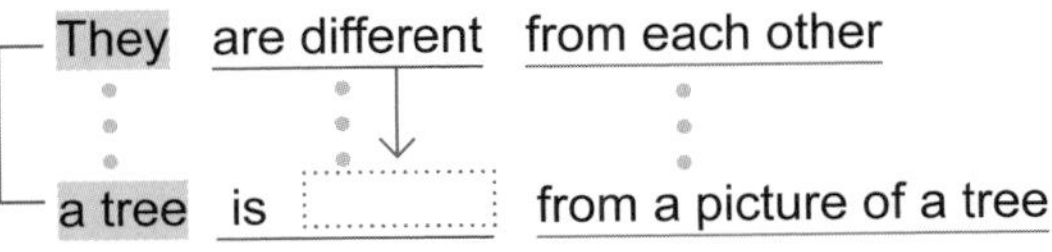

このように、differentが省略されていると考えると、両者の情報は「同じ形」

になることがわかります。つまりa tree is different from a picture of a tree（木は、木の写真とは異なっている）です。（情報を比較する際には前半の情報の中の比較表現の部分〔ここではas differentのas〕を取り除いておきましょう。）

比較の文の難しさの原因の1つが、as ~ as構文の2回目のasや比較級のthanの後に発生する、この「省略」です。省略が発生する理由は、前半の情報と後半の情報が同じ形になるからです。同じことを2回繰り返すのは「嫌」なので、**後半に省略が発生**するわけです。

前項の最初に出した例文の構造も見ておきましょう。

例文 This is much more difficult than I thought it was.

「これは私が思っていたよりもはるかに難しい。」

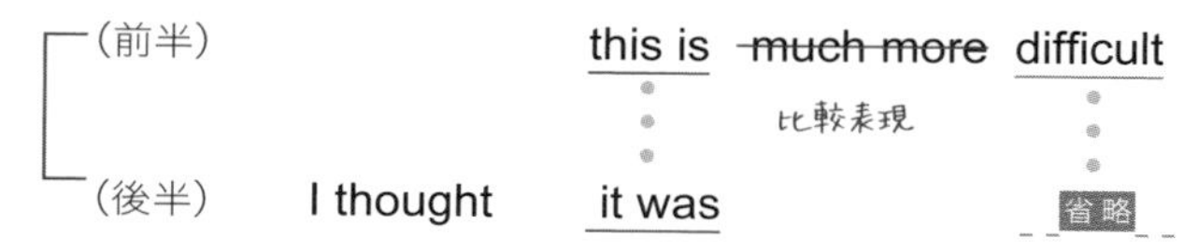

後半の情報にはdifficultが省略されていることがわかります。

また、省略の代わりに代名詞や代動詞が使われることもよくあります。

例文 I love Andy much more than you do.

「あなたよりも私の方がずっとアンディのことを愛しているわ。」

2つの情報を比べてみましょう。前半のI love Andy much moreからは、比較表現の部分であるmuch moreを取り除いておいてください。

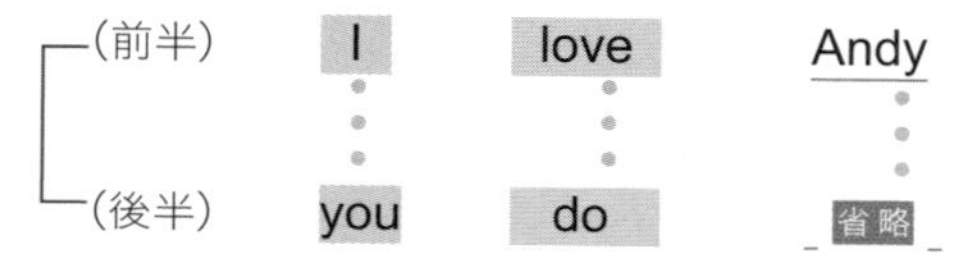

これでわかる通り、後半の情報のdoはloveという動詞の繰り返しを避けるために使われる「代名詞」ならぬ、「代動詞」です。そして、doの後ろにはAndyという目的語も省略されていることがわかります。

ここまでわかってそれぞれの文を作ることができれば、多少複雑な文であっても、正確で、意味の伝わる比較の文を作ることができます。

例文 They are as different from each other as a tree is from a picture of a tree.

同じくらい異なっている　何とは異なっている？　お互い　何と比べて同じくらい異なる？　木が(異なる)　何とは異なる？　木の写真

「それらは、木と木の写真が違うくらいに、
互いに異なっている。」

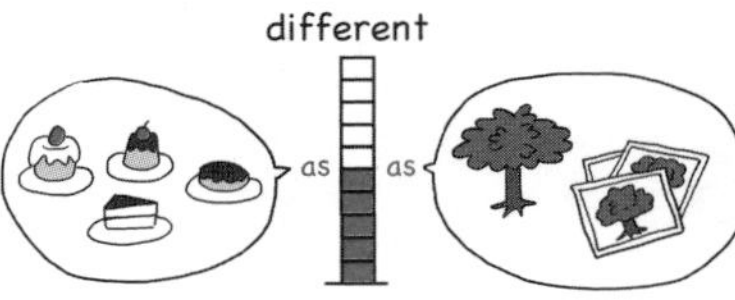

例文 This is much more difficult than I thought it was .

これはずっと難しい　何と比べて　私が思っていた　それは難しいと

「これは思っていたよりずっと難しいな。」

例文 I love Andy much more than you do.

私はアンディをずっともっと愛している　何と比べて？　あなたがアンディを愛している

「あなたよりも私の方が、ずっとアンディのことを愛している。」

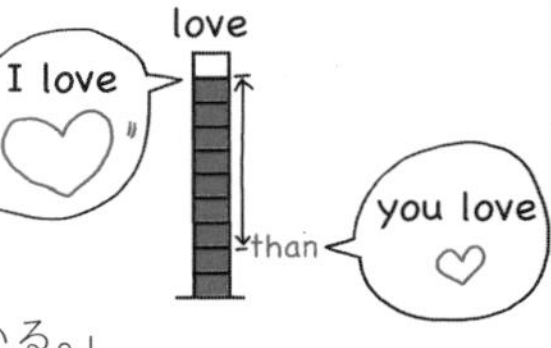

○ 比較の文は２つの情報を比べる文。
○ 前半の情報は、「ふつうの文」をベースにし、そこに比較の情報（１回目の as や比較級）をつけ加えるようにする。
○「基準」を表す２回目の as や than は前半の情報の文末につける。
○ 後半の情報は、前半の情報と文法的な形を同じにする。
○ 後半の情報では省略や代名詞の使用に気をつける。

復習問題

1.「それらは、木と木の写真が違うというのと同じくらいにお互い異なっている。」
They are (as, as, from, from, each other, a tree, different, is) a picture of a tree.

2.「これは私が思っていたよりもずっと難しい。」
(thought, this is, than, it was, much more, I, difficult).

3.「あなたよりも私の方がずっと、アンディのことを愛している。」
(I, you, Andy, than, do, love, much more).

1.They are as different from each other as a tree is from a picture of a tree.
2.This is much more difficult than I thought it was.
3.I love Andy much more than you do.

Must
86

as ~ asを使った表現その1

▶「同じ」から出るさまざまな意味

●── not as(so) ~ as A : A ほど~なわけではない

not as ~ as Aで「Aほどは~なわけではない」となるところを「Aと同じくらい~ではない」と解釈してしまう人が見られます。

例文 I cannot run as fast as Kathy.

○「私はキャシーほど速く走れるわけではない。」
（＝キャシーの方が足が速い）

×「私はキャシーと同じくらい、速く走れない。」
（＝私もキャシーも足が遅い）

一度目のasにnotがついたとき、「同じくらい~ではない」ではなく、「同じくらい~というわけではない」という意味になることを覚えておきましょう。

作り方はこうです。まずはふつうの文から。

I cannot run fast.　「私は速く走れない。」

「どんなふうに走るのか」という、様子を表す言葉であるfastに1回目のasがつきます。

I cannot run as fast.　「私は同じくらい速く走れるというわけではない。」

そして文末に「誰と同じくらい？」という基準を表す2回目のasがつきます。

I cannot run as fast as Kathy.

基準 キャシー

「私はキャシーと同じくらい速く走れるというわけではない。」

not as(so) ～ as A：Aほど～なわけではない
not so much A as B：AというよりはむしろB
as ～ as 主語 can：できるだけ～
as ～ as ever：相変わらず～
as 形容詞 as 形容詞 can be：この上なく～、～極まりない

not as ～ as ≒ not so ～ as です。soは日本語の「そう」に近い意味の言葉で、「そういうふうに」「それくらい」というのが元々の意味です。

例文 I cannot run so fast as Kathy.　「私はキャシーほどは速く走れない。」

それほど速くは走れない　キャシー（ほど）
どれほど？（比べる基準）

as ～ asとは違い、so ～ asは否定文で使われるのがふつうです。

●── not so much A as B：A というよりはむしろ B

not so ～ asの仕組みの土台になっている表現です。

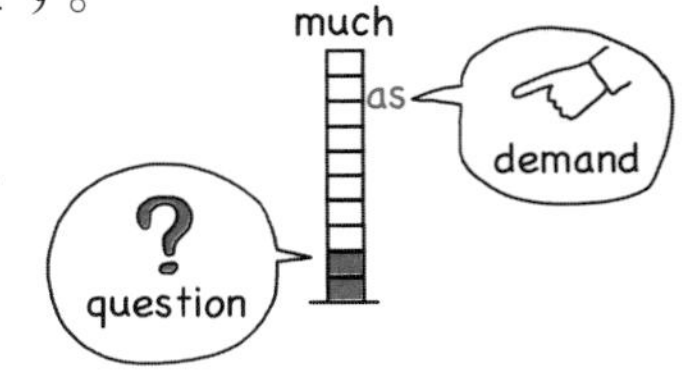

例文 This is not so much a question as a demand.

これはそれほど多くは「質問」ではない　「要求」
何を基準として考えると？

「これは質問というよりは要求なのです。」

「要求」という言葉を基準にして考えれば、「質問」という言葉はそれほど多くはない、ですから「質問というよりは要求」ということです。

●── as ～ as 主語 can：できるだけ～

ご存知の方も多いでしょうが、改めて、構造を確認しておきましょう。

I'll call you back soon.　「すぐに、折り返しお電話差し上げます。」

I'll call you back as soon.　「同じくらいすぐに、折り返しお電話差し上げます。」

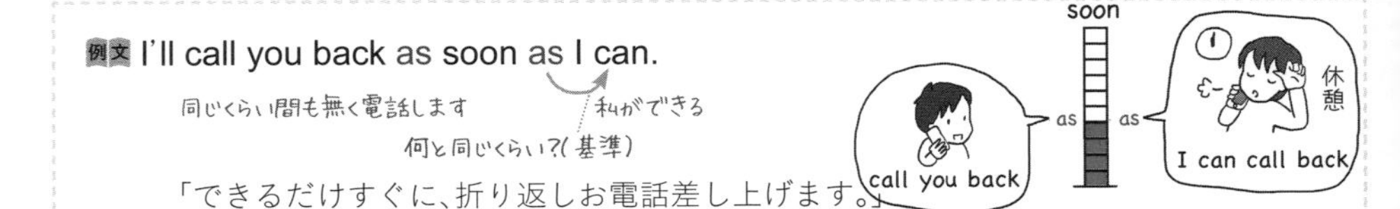

例文 I'll call you back as soon as I can.
同じくらい間も無く電話します
私ができる
何と同じくらい?(基準)
「できるだけすぐに、折り返しお電話差し上げます。」
soon
as
as
call you back
I can call back
休憩

文末のI canのところは前半の情報と同じ形になるのでI can call you back soon.が元の形です。そこから、重なるところが省略されます。

I'll call you back as soon as I can ~~call you back soon~~.

そういうわけで、**後半の文の主語は、前半の文の主語と必ず同一**になります。

例文 Try as hard as you can.　「できる限り、一生懸命やりなさい。」
→命令文は「目の前のあなた」に対しておこなうものなので、「隠れた意味上の主語」はyou。

「S + can」の代わりにpossible一語で済ませることもできます。

例文 Try as hard as possible.　「できる限り、一生懸命やりなさい。」

●── as ～ as ever：相変わらず～

例文 He is as busy as ever.　「彼は相変わらず多忙だよ。」

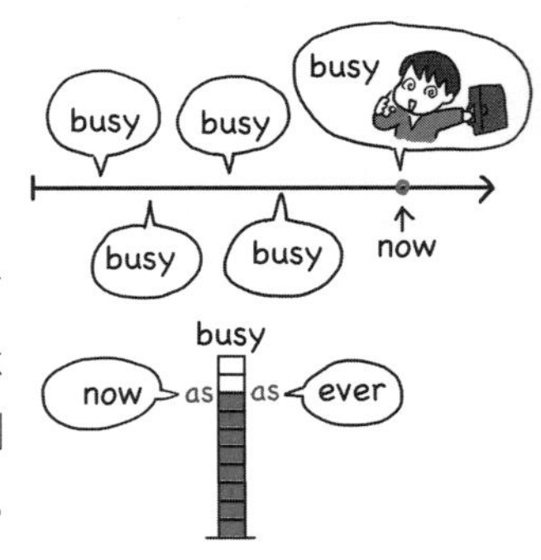

『英文法の鬼100則』第15項でも解説している通り、everの根っこの意味は「どの時の一点をとってみても」です。したがって、He is as busy as ever.の直訳は「彼はどの時の一点と比べてみても同じくらい忙しい」となり、「相変わらず忙しい」という意味が出てきます。

●── as 形容詞 as 形容詞 can be：この上なく～、～極まりない

以下のように、強調で使われます

I'm sure that the attack was planned by him.

例文 I'm as sure as sure can be that the attack was planned by him.
「攻撃が彼によって計画されたということを、私はこれ以上ないくらいに確信している。」

この文で比べている「２つの情報」は以下のとおりです。

I'm sure. ←→ I can be sure.

I'm sure. （様子を表す言葉である形容詞はsure）「私は確信している。」

I'm as sure. 「私は同じくらい確信している。」

I'm as sure as I can be sure 「私が確信できうるのと同じくらい確信している」

同じくらい確信　私が確信できうる

何と同じくらい？（基準）

→「自分が可能な限り確信しているのと同じくらい確信」＝「最大限、確信している」

さらに後半のI can be sureのsureを強調するために、sureとIが前後入れ替わり、sure can be Iという倒置が発生していると考えられます。「S＋be動詞＋補語」という文は、強調のためにbe動詞を中心に前後が入れ替わる倒置が起きることがよくあります。そして、Iは重複するので、省略されます。

I'm as sure as sure can be＋…

sureが２回繰り返されるところもまた、強調の演出に一役買っています。

復　習　問　題

1.「私はキャシーほど速くは走れない。」
(so, cannot, Kathy, I, as, fast, run).

2.「これは質問というよりは要求なのです。」
(is, a question, a demand, this, as, not so, much).

3.「できるだけすぐに、折り返しお電話差し上げます。」
(back, soon as, I'll, you, as, can, call, I).

4.「彼は相変わらず多忙だよ。」
(as, as, is, ever, busy, he).

5.「攻撃が彼によって計画されたということを、私はこれ以上ないくらいに確信している。」
(sure, can, I'm, sure, as, that, as, be) the attack was planned by him.

1.I cannot run so fast as Kathy.
2.This is not so much a question as a demand.
3.I'll call you back as soon as I can.
4.He is as busy as ever.
5.I'm as sure as sure can be that the attack was planned by him.

Must

87

as ~ asを使った表現その２

▶「同じ」が強調になる理由

●── as well：同様に 

wellは「上手に」「うまく」などと訳されますが、「**基準を満たしている**」、つまり、「十分に」という感覚がその根っこにあります。そうすると、as wellというのは「**同じくらい十分に**」「同じくらいのレベルで」という意味だということになります。ここからas wellには「同様に」という意味が出ます。ここでのasはas ～ as構文の「１回目のas」に当たります。

例文 Are they attending the meeting as well?
「彼らも会議に出席しているのですか？」

→ as wellは「同じくらいのレベルで」＝「同様に」

●── A as well as B：Bと同様Aも、BだけでなくAも 

as wellの後ろに「基準」を表す２回目のasがついて、A as well as B「Bと同じレベルでA」、つまり「Bと同様、Aも」となります。

例文 They serve light meals as well as soft drinks.
彼ら　提供する　軽食　同様に　ソフトドリンク
何と同様に？（基準）

ですから直訳すると、上の例文なら「彼らはソフトドリンクと同様に、軽食も提供している」となるのですが、この表現は「ソフトドリンクだけだと思っていたら、実は軽食も同様に」という文脈でよく使われるので、結果的に「ソフトドリンクだけでなく軽食も提供している」と訳されることがよくあります。A as well Bのうち、Aの方が「言いたいこと」になります。

as well：同様に
A as well as B：Bと同様Aも、Bだけでなく Aも
might as well 動詞原形～：～しないこともない、～した方がいいかも
as ～ as 数字：（数量）ほども
as ～ as any A：どのAにも負けず劣らず～だ

●── might as well 動詞原形～：～しないこともない、～した方がいいかも

例文 We might as well ask him about it.
「ダメ元で、彼にそのことについて尋ねてみるのもアリかも。」

この表現には「した方がいい」という和訳がつくときもあって、学習者に「積極的なアドバイス」と誤解されることもあるのですが、実際は**「やってもやらなくても同じだけど、一応、やってみようか」という消極さ**を表現するフレーズです。

比較につきものの「省略」を理解すると、「消極さ」を実感することができるでしょう。ちなみにこの「消極さ」のせいで、この表現ではmayよりもmightが好んで使われます。「ひょっとしたらその方がいいかもねぇ、知らんけど」という感じなのです。

まずは前半の「might as well 動詞原形」から考えていきましょう。

「might 動詞原形」で「ひょっとすると～するかもしれない」ですね。そこにas well（同じくらい十分）が加わって、「might as well 動詞原形」で「ひょっとすると同じくらい十分～するかもしれない」「ひょっとすると～するのは同じくらい十分なことかもしれない」という意味になります。

We might as well ask him about it.
直訳「ひょっとすると彼に、同じくらい十分、そのことを尋ねるかもしれない」

さて次に、「何と同じくらい十分なのか」ですが、この表現は文末にas notが省略されたものだ、と言われています。

We might as well ask him about it as not.

as notの部分の省略をさらに復元すると、以下のようになります。復元のコツは前半の文と同じ形（ただし、might as wellは抜く）を２回目のasの後ろに作り、それを否定文にするということです。

We might as well ask him about it as we do not ask him about it.

同じくらい十分、彼にそれを尋ねるかも　彼にそのことを尋ねない

何と同じくらい十分に？

直訳 私たちはひょっとすると尋ねないことと同じくらい十分に、彼にそのことを尋ねるかもしれない

（ここでの「同じくらい十分」は「同じくらいのレベルで」と言い換えても良いです）

つまり、直訳は「尋ねても尋ねなくても同じようなものかもね」です。そしてこの表現は「どっちでも変わらないかもしれないけど、一応、やってみるか？」という文脈で使われて、「まぁ、やった方がいいかな」とか「やらないこともないけど」という意味を出すのです。

●── as ～ as 数字：（数量）ほども

as ～ asの後ろに数字や年月がつくと**強調を表す表現**になります。強調されるのはasとasの間に来る形容詞か副詞の部分です。

なぜ「同じくらい」を意味するas ～ as表現が強調になるのでしょうか？例えば、「彼って、ブラッド・ピットと同じくらいハンサムなんだよ。」と言えば強調になりますよね。比べる対象が「すごいもの」だと、「すごいものと同じ＝強調」になるわけです。この表現では、数字・年月が、その「すごいもの」の働きをします。

例文 The number of people who had cellphones reached 10,000 as early as 1995.

携帯電話を所有する人の数　達した　同じくらい早く　（なんと）1995年　早さの強調

何と同じくらい早くに？

「携帯電話を所有する人の数は、1995年には早くも１万人に達した。」

例文 He makes as much as ¥100 million a year.　「彼は年に１億円も稼ぐ。」

多さの強調

同じくらいたくさん稼ぐ　（なんと）年に一億円

何と同じくらいたくさん？

●── as ～ as any A：どの A にも負けず劣らず～だ 

anyは冠詞のanから派生した言葉ですので、a/anと同様､｢抽選箱から適当に１つ取り出す｣イメージを持ちます。そこから、「どの１つを取ってみても」という｢ランダム性｣の意味を持つようになった言葉です。

1つ1つのissueなので単数形

例文 This is as important as any issue that I work on.

これは同じくらい重要だ　　何と同じくらい重要？　　私が取り組むどの1つの問題（と比べてみても）

「これは､私が取り組むどの問題にも負けず劣らず重要なのだ。」

上記の例文で「どの１つの問題と比べても同じくらい重要」ということは､｢どの問題と比べても、重要性において､勝ってはいないにしても､負けてもいない｣ということを意味します。したがって､｢負けず劣らず｣という和訳が当てはまるわけです。

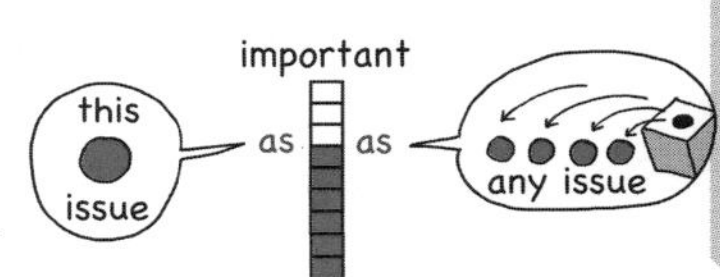

復 習 問 題

1.「彼らも会議に出席しているのですか？」
(the meeting, as, they, well, are, attending)?

2.「ソフトドリンクだけでなく軽食も提供している」
(light meals, soft drinks, serve, as, they, well, as).

3.「ダメ元で、彼にそのことについて尋ねてみるのもアリかも。」
(well, we, him, as, ask, might) about it.

4.「彼は年に１億円も稼ぐ。」
(¥100 million, he, as, as, a year, makes, much).

5.「これは、私が取り組むどの問題にも負けず劣らず重要なのだ。」
(as, is, issue, this, important, any, as) that I work on.

1.Are they attending the meeting as well?
2.They serve light meals as well as soft drinks.
3.We might as well ask him about it.
4.He makes as much as ¥100 million a year.
5.This is as important as any issue that I work on.

Must
88

as ～ asを使った表現その3

▶いろいろな as far as

●── X times as ～ as A：AのX倍～だ 

いわゆる倍数表現です。難関はこの表現の語順の理解です。しかしこの**語順が掛け算の文字式と同じ並び方になる**ということを知っておけば、楽に解決できます。a × b = abというふうに、文字式では掛け算は「横並び」になります。これと同じことが倍数表現で起きます。

He has many books.　「彼は多くの本を持っている。」

↓

He has as many books.　「彼は同じくらい多くの本を持っている。」

例文 He has twice as many books as I do.

持ってる　2　×　[同じ数の本]　私が持ってる（= I have ~~many books~~）省略

何を基準として2倍の数の本？　代動詞doに

直訳 彼は「2×同じ数の本」を持っているよ、私が持っているのを基準として。

→「彼は私の倍の数の本を持っている。」

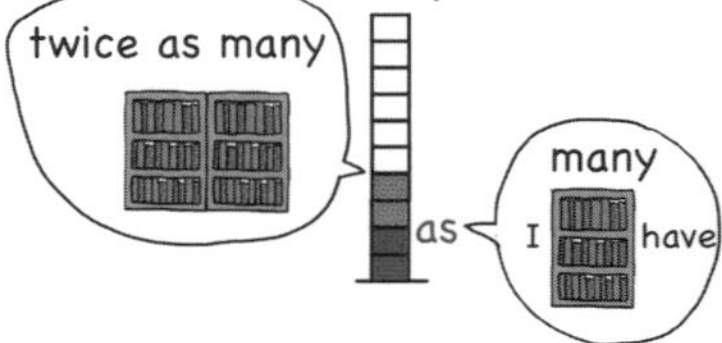

valuable information

『英文法の鬼100則』第91項にも書きましたが、数式と英語の語順が同じような形になるのは偶然ではありません。私たちが中学以降で習う数学はヨーロッパで育った学問です。数式が数字を使ってこの世の現象を説明する一種の「言語」ある以上、地元の言語であるヨーロッパ語を土台にして数式が形成されます。したがって数式はヨーロッパ語の1つである英語の語順と同じような形になるのです（もちろん、全てではありませんが）。

X times as ～ as A：AのX倍～だ
as long as S + V ～：SがVする限り
as far as S + V ～：SがVする限り
go as far as to do ～：～さえする
as far as it goes：ある程度までは・それなりに

●── as long as S + V:S が V する限り

as long as ～は、次に出て来る as far as ～と「日本語訳」が同じで、けれども、「意味」が異なるので厄介です。

as long asは「時間」を扱い、**as far asは「範囲」**を扱います。

どういうことなのか、as long asから見ていきましょう。

as long asのlongは「時間の長さ」を意味します。

例文 You can stay here as long as you like.
ここにいてもいい　同じくらい長く　あなたが好む
何と同じくらい長い時間?

「好きなだけここにいて良いのですよ。」

as long asは「**条件**」を意味することもありますが、そこには「時間の長さ」の感覚が息づいています。

例文 You can play video games as long as you study hard.
ゲームをしても構わない　同じくらい長く　一生懸命勉強する
何と同じくらい長い時間?

「一生懸命勉強するならば、ゲームをしても構わない。」

直訳すれば「勉強を一生懸命やるのと同じ期間、ゲームをすることができる」わけですから、「勉強を一生懸命やっている限りはゲームをしても構わない」という意味が出るわけです。

●── as far as S + V ～:S が V する限り

次にas far asを見ていきましょう。時間の長さを意味するlongに対して、

farは物理的な距離を意味します。そのため、as far asでは「届く範囲・及ぶ範囲」という意味が出てきます。例えばas far as the eye can seeという慣用表現がありますが、これも「視界が及ぶ限り」という距離・範囲の話をしています。

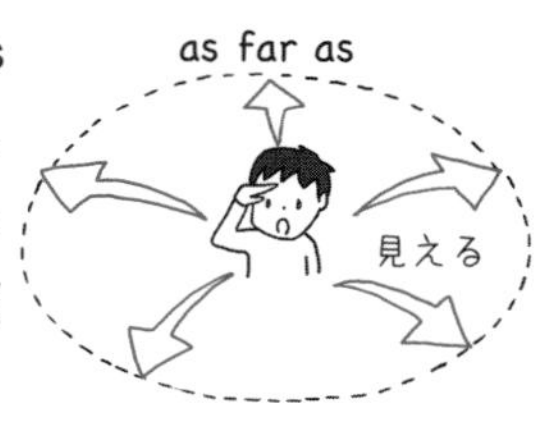

例文 The field was filled with abandoned cars as far as the eye could see.

野原は捨てられた車で埋め尽くされていた　同じくらい遠く　目が見ることができた
何と同じくらい遠く?

「野原は見渡す限り捨てられた車で埋め尽くされていた。」

そこから抽象的なもの、つまり触ることも見ることもできない物にも応用されます。例えばas far as I know（私の知る限り）では、「知識」を野原のように範囲のある広がりとしてとらえていることがわかります。

例文 He is the best chef in this town as far as I know.

「私の知る限り、彼はこの街一番のシェフだ。」

●── go as far as to do ～:～さえする 

直訳すると「～するのと同じくらい遠くまで行く」です。何かをするときの程度が甚だしいことを表します。

そんなこと
するとこまで
行っちゃうの?!

例文 I won't go as far as to say the project will fail.

同じくらい遠くまで行くつもりはない　その計画が失敗する、と言うこと
何することと同じくらい遠くまで?

「その計画が失敗するとまで言うつもりはない。」

(けれども大成功とはいかないだろう)

go as farは「同じくらい遠くまで行く」、つまり「～までエスカレートする」ことを意味します。2回目のasはエスカレートの「どこまで行ってしまうのかの基準」を表し、その後に続く不定詞句がその基準の内容を説明します。

上記の例文では否定文で「**～するとまではいかない**」という和訳がつきますが、肯定文では「**～さえする**」という訳になることが多いです。

例文 He went as far as to borrow money to see her.

同じくらい遠くまで行った　　彼女に会うために借金をする

何することと同じくらいまで？

「彼は、彼女に会うために借金すらした。」

●── as far as it goes：ある程度までは・それなりに

仮主語のitやお天気、時間のitは「状況」を意味し、このitも同様と考えられます。it goesで「状況が進行する」、as far asは「〜の範囲まで」ということですから、as far as it goesの直訳は「状況が進行する範囲まで・程度までは」になります。

しかし、このフレーズは「ある程度まではやってくれるが、満足できるレベルには届かない」という意味で使われます。

例文 Her assessment of his character, as far as it goes, is accurate.

「彼女による彼の性格分析は、ある程度までは正確だ。」

ここでも「完全に正確とまでは言い難い」というニュアンスを含んでいます。

復　習　問　題

1.「彼は私の倍の数の本を持っている。」
(as, as, has, books, he, I, twice, many) do.

2.「一生懸命勉強するならば、ゲームをしても構わない。」
You can (video games, study, as, as, play, long, you) hard.

3.「野原は見渡す限り捨てられた車で埋め尽くされていた。」
The field was filled with (could, far, cars, as, as, abandoned, the eye, see).

4.「その計画が失敗するとまで言うつもりはない。」
(the project, far as, I, will fail, won't go, to say, as).

5.「彼女による彼の性格分析は、ある程度までは正確だ。」
Her assessment of his character, (as, it, far, goes, as), is accurate.

1.He has twice as many books as I do.
2.You can play video games as long as you study hard.
3.The field was filled with abandoned cars as far as the eye could see.
4.I won't go as far as to say the project will fail.
5.Her assessment of his character, as far as it goes, is accurate.

Must
89

as 形容詞 a 名詞 as A

▶トリッキーな語順を理解する

以下の例文の下線部に注目してください。

例文 The world is not as wonderful a place as it was.
「世界はかつてのような素晴らしい場所ではない。」

「素晴らしい場所」を意味するのですから、本来はa wonderful placeという語順になるはずです。それがwonderful a placeという語順になっています。
なぜこういうことが起きるのか？そして、どういうときにこのような現象は起きるのか？を考えていきます。

まず、as ～ as構文の１回目のasは「同じくらい～」を意味する「副詞」です。

①副詞は動詞の様子と、副詞・形容詞の程度を説明する
副詞は主に動詞の様子を説明します。「様子を説明する」は「修飾する」と置き換えて考えても結構です。例えば、「速く走る」の「速く」は、「どんなふうに走るのか」を説明する副詞です。
一方で副詞は、形容詞や副詞の「程度」を表すこともあります。例えば「大きい机」の「大きい」は名詞である「机」の様子を説明する形容詞ですが、「どのくらい大きいのか」という形容詞の程度を表す「とても」「まぁまぁ」「かなり」などは副詞です。先ほど述べた副詞「速く」の程度を表す「すごく」「わりと」なども副詞です。（副詞の詳しい働きに関しては、『英文法の鬼100則』の第７４項を参照）

②副詞は名詞の様子は説明しない

副詞は少数の例外を除いて名詞の様子は説明しません。「わりと大きい（副詞＋形容詞）」とは言えても、「わりと机（副詞＋名詞）」とは言わないわけです。

すると、こういうことが起きます。

as a wonderful place → as wonderful a ［　　］ place

副詞 ＋「a 形容詞　名詞」という名詞句
副詞は名詞句と直接くっつくことができない
（＝修飾できない）

as（副詞）とくっつくためにwonderful（形容詞）が出て来る

「同じくらい」を意味する副詞asは、「素晴らしい」を意味する形容詞wonderfulの程度を説明することができます（＝「同じくらい素晴らしい」）。

しかし、a wonderful placeというかたまりは、placeを中心とする「名詞」のかたまり（名詞句）です。したがって、この名詞句まるごとのままでは、副詞であるasとくっつくことができないのです。

そこで、形容詞のwonderfulだけが、単独でこの名詞句から「脱出」し、副詞のasとくっつく、という現象が起きます。

これはasだけでなく、「程度を表す副詞＋『a＋形容詞＋名詞』」に広く見られる現象です。このパターンで出て来る副詞にはas, so, tooなどがあります。

so＋『a＋形容詞＋名詞』

例文 So large a number of people were crammed into so small a space.

それほど多くの数の人が　押し込められていた　それほど小さな場所
何の中へと？

「とてもたくさんの人たちが、ものすごく狭い場所に押し込められていた。」

→ 元の形はそれぞれ、so ＋ a large numberとso ＋ a small space

too＋『a＋形容詞＋名詞』

例文 This is too big a problem for us to deal with.

これは大きすぎる問題だ　我々　対処する

誰にとって？　何することに向かうのか？

直訳 これは私たちにとっては、対処するには大きすぎる問題だ。

「これは問題が大きすぎて、私たちには対処できない。」

→ 元の形はtoo + a big problem

例文 They live in too dangerous a world.

「彼らはあまりにも危険な世界に住んでいる。」

→元の形は too + a dangerous world

というわけで、冒頭に出た例文を再度見てみましょう。

The world is not as wonderful a place as it was.

「世界はかつてのような素晴らしい場所ではない。」

この文では「as + a wonderful place」がas wonderful a placeという形になっています。元の形から、その構造を追ってみましょう。

The world is not a wonderful place.

「世界は素晴らしい場所ではない。」

The world is not as wonderful a place.

「世界は同じくらい素晴らしい場所というわけではない。」

The world is not as wonderful a place as the world was ~~a wonderful place~~.

it　省略

何と同じくらい素晴らしいというわけではない？

例文 The world is not as wonderful a place as it was.

（今）同じくらい素晴らしい場所ではない　　かつて世界は素晴らしい場所だった　（基準）

直訳 世界がかつて素晴らしい場所だったことを基準にして比べると、今は世界は同じくらい素晴らしい場所、というわけではない。

→「世界はかつてのような素晴らしい場所ではない。」

復習問題

1.「とてもたくさんの人たちが、ものすごく狭い場所に押し込められていた。」
(were crammed into, a space, of people, so, so, large, small, a number).

2.「これは問題が大きすぎて、私たちには対処できない。」
(to, for, this is, us, big, deal with, a problem, too).

3.「彼らはあまりにも危険な世界に住んでいる。」
(in, a world, they, dangerous, live, too).

4.「世界はかつてのような素晴らしい場所ではない。」
(a place, is not, it was, the world, wonderful, as, as).

1.So large a number of people were crammed into so small a space.
2.This is too big a problem for us to deal with.
3.They live in too dangerous a world.
4.The world is not as wonderful a place as it was.

Must
90

比較級を使った表現その1

▶比較級の強調

なぜ比較の強調にveryが使えないのか

例えば、He is very tall.と言えるのに、He is very taller than I.とは言えません。なぜこういうことが起きるのでしょうか？

それは、**veryの「本来の意味」が「比較の強調」に向いていない**からです。

実はveryはラテン語起源（日本語で言えば漢字言葉）の、少し堅めの言葉です。

例えば同じ語源の言葉にverify（証明する）、verdict（陪審員が下す評決）といった、とても堅い言葉があります。語源は「真実」を意味するラテン語のverusです。verifyは「真実であることを示す＝証明する」ですし、verdictはver（真実）+ dict（話す）→「これが真実だという判定＝評決」です。

La Bocca della Verità
「真実の口」。ラテン語の子孫であるイタリア語でveritàは「真実」。

veryの持つ「とても」という意味は、実は「真実・本当に」という感覚から来ています。例えばHe is very tall.なら、「彼は真実背が高い」とか「彼は本当に背が高い」という感覚が土台として存在しているのです。

では、なぜこれが比較の強調として使えないのでしょうか？

AとBを比べるということは、両者の間に「差がある」ことを意味します。よって、比較の強調とは、「差があることを強調する」ということになり、「真実」を土台に強調をはかるveryよりも、「差の量が多い」ということを表すmuch

much/ far /many+ 比較級：～の方がずっと～～だ
way/even＋比較級：～の方がずっと/より一層～～だ

や、「差の距離がある」ということを表すfarなどの方が向いているわけです。

●—— much /far /many ＋ 比較級：～の方がずっと～～だ

まずはmuchとmanyのイメージの違いを理解しておきましょう。図にあるように、muchは「**量**」の多さ、manyは「**個数**」の多さを表します。したがって量（名詞で言えば不可算名詞）の比較の強調ではmuch、個数（名詞で言えば可算名詞）の比較の強調ではmanyを使います。

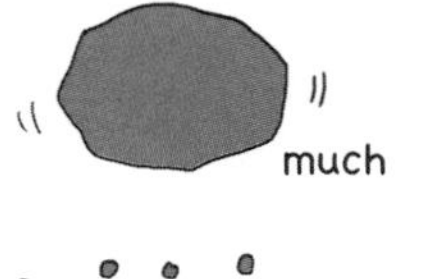

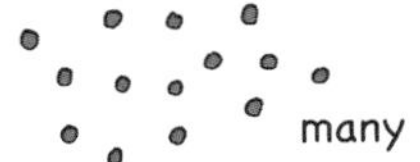

例文 He is much taller and much heavier than I.
「彼は私よりずっと背が高くて、体重もずいぶん重い。」

「差の量がたくさんある（much）」という言い方を通して両者の差を強調しています。ちなみに長さや重さ、時間、お金など、「単位でしか表せないもの」は数えられない名詞です。例えば「身長・体重は何個ある？」とは言えません。長さも重さも、「個数」ではなく「量」の世界です。

farの場合は、「距離が離れている」という言い方を通して「両者の差」を強調しています。

差の量がmuch
身長の差は1個、2個
とは数えられない。
水と同じく「単位」で
しか数えられないので
「不可算」の世界。
far
自分よりもはるか
先を行っているなあ
という感覚。

例文 She is far smarter than Kate.　「彼女はケイトより、はるかに頭がいいよ。」

一方で、両者の差が「量」ではなく「個数」であるときには、比較の強調にはmuchの代わりにmanyが使われます。例えば２人の間で持っている本の数を比べるとき、その差は個数であり、量ではありません。

例文 I have more books than he does. → I have many more books than he does.
「私は彼より多くの本を持っている」「私は彼よりずっと多くの本を持っている」
→ more booksにmanyをつけて強調。

●—— way /even ＋比較級:「～の方がずっと / より一層～～だ」

wayやevenも比較級を強調します。ここでのwayは「やり方」を意味するwayとは別物で、awayのaが脱落して使われるようになったものです。そのため「(比較する両者が)離れている」という意味でfarが比較を強調するのと同じ感覚を持ちます。また、wayは比較だけではなく、tooとくっついて「～すぎる」という強調でもよく使われます。

例文 We have a way better understanding of what's going on than they do.
我々　持っている　ずっと良い理解　何の理解？　何が起きているか　(基準)何と比べて？　=they have an understanding
「私たちは彼らよりもはるかによく状況を理解している。」

例文 I have seen this for way too many years.
「私はこれまで、あまりにも長い間、これを見てきた。」

evenで比較級を強調するときは、「段階が１つ上がる」イメージが出ます。

例文 The threat is even higher with government sponsored espionage.

脅威は　より一層高い　何を伴うことで?　政府に金を出されたスパイ活動

「政府に支援されたスパイ活動のせいで、脅威は一層高まっている。」

→ただでさえ高かった脅威が、政府に支援されたスパイ活動のせいでより一層高くなる。

evenは「平ら」が語源で「差がない」ことを意味し、そこから「**均質な**」という意味が出たり（例：walk at an even speed「一定のスピードで歩く」)、「割った数に差がない＝割り切れる」ことから「**偶数**（even number)」という意味がでたりします。「差がない」ということは「両者の間にズレがない」ということでもあります。evenに「**〜でさえ**」という意味が出るのは「差があると思い込んでいたものに、実は差がなかった」ということへの驚きの心理なのかもしれません。「even＋比較級」が持つ強調の意味は、evenの「差がない＝ズレがない＝まさに」から出たものだと考えられ、「まさにより〜だ」というところから「より一層〜だ」という意味になったと考えられます。

復習問題

1.「彼は私よりずっと背が高くて、体重もずいぶん重い。」
(much, much, is, taller and, than, he, heavier) I.

2.「彼女の方がケイトより、はるかに頭がいいよ。」
(than, is, she, far, Kate, smarter).

3.「私は彼よりずっと多くの本を持っている。」
(books than, have, more, I, many) he does.

4.「私たちは彼らよりもはるかによく状況を理解している。」
We have (a way, what's going on, they do, understanding, better, of, than).

5.「政府に支援されたスパイ活動のせいで、脅威は一層高まっている。」
(even, the threat, with, is, higher) government sponsored espionage.

1.He is much taller and much heavier than I.
2.She is far smarter than Kate.
3.I have many more books than he does.
4.We have a way better understanding of what's going on than they do.
5.The threat is even higher with government sponsored espionage.

Must
91

比較級を使った表現その2

▶ラテン比較級とその周辺

●——比較級 and 比較級：ますます〜だ

andは「足し算」を意味する言葉です。例えば「一時間＋半」ならan hour and a halfですし、「3+5=8」ならThree and five is eight.です。「比較級 and 比較級」だと、「比較したときの両者の差が足し算される」わけですから、差がどんどん大きくなり、「ますます〜だ」という意味になります。シンプルなので是非積極的に使ってほしい表現です。

例文 Technology is making [our world = smaller and smaller].

形作っている最中にある

「テクノロジーのおかげで我々の世界はますます狭くなってきている。」

●——本来 -er がつく比較級が more + 原級になる：A というよりは B だ

本来比較級にするときに-erの形になる形容詞が「more＋原級（つまり、-erや-estがついていない形容詞の元々の形）」で使われる構文があります。一般的には「同一の人や事物についてその異なる特性を比較するときには-er型の形容詞もmore＋原級で表す」と説明されますが、どうもわかりにくいですね。

例文 That man was more wide than fat.

「その男は、太っているというよりは、がっしりしていた（横幅が広かった）。」

形容詞wideは本来ならwiderという比較級の形があります。なぜここではmore wideという言い方になるのでしょうか？

比較級 and 比較級：ますます〜だ
本来-erがつく比較級がmore +原級になる：AというよりはBだ
much less A：ましてやAなどではない
ラテン比較級（superior, inferior, senior, juniorなど）
prefer A to B：BよりもAを好む

この謎を解く鍵は、既に説明した「**比較では、比べる情報同士は同じ形になる**」というルールです。ここで比べているのは何と何でしょう？「wideとfat」ですね。thanの後ろにあるfatは形容詞の原級であり、比較級のfatterではありません。原級fatと比べるなら、wideも同じく原級にしなければ、fatと比べていることがわからなくなります。そして、fatという成分よりもwideという成分の方が「より多い」ことは、more wideという形で表します。

もしこれをwiderとしたらどんな感じで「変」でしょうか？

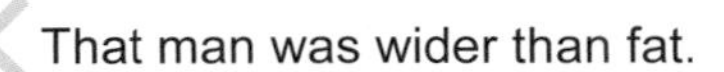

✕ That man was wider than fat.

この形だと、例えばThat man was wider than Bob.（その男はボブよりも横幅が広かった。）のように、that manとfatを比べているように見えてしまいます。名詞であるthat manと形容詞であるfatを比べることは不可能で、意味も「その男は太いさんよりも横幅が広かった…」みたいな感じでおかしくなります。

●—— much less A：ましてやAなどではない

文末に「つけ足しの情報」として使われる表現です。

例文 I have never met Mrs. Ashgrove, much less talked with her.

「アシュグローブ夫人とは会ったこともないのだ。ましてや話したことなどあるわけがない。」

much lessのmuchは比較級であるlessを強調しています。つまり、前に述べた情報よりも「可能性がグッと少なくなる」ことをmuch lessが表しているわけです。

さて、意味の成り立ちはこれでわかるとして、使い方が問題です。あなたは、上記の例文においてmuch lessの後ろになぜtalkedが来て、そして、なぜ

talkedというふうに-edが付いているのか、説明できるでしょうか。

ここにも「**比較では比べる情報同士が同じ形になる**」ルールが働いています。ここで対比されているのはmeetとtalk。時制はhave never metという現在完了です。したがって過去分詞metと対応する形で、much lessの後ろに置くtalkの形はtalkedになります。much less talkedだけでも十分意味は通じますが、例文ではより丁寧にmuch less talked with herとしています。

下の例でも、対比される情報の形が同一であることに注目してください。

例文 There was no evidence that the red stain was blood, much less that it had any DNA.

「その赤い汚れが血だという証拠など全く無かったのです。ましてやその汚れになにがしかのDNAが存在したという証拠なんてあるはずもない。」

→ evidenceの具体的内容を説明するthat S + V ～の形がmuch lessを挟んで対比されている。

● ――**ラテン比較級（superior, inferior, senior, junior など）**

thanを使わずにtoをつかう比較級の形容詞があります。語尾が-orで終わるのが特徴である、ラテン語（古代ローマ帝国の公用語）から来た形容詞です。日本語が中国語から多くの言葉を輸入したように、英語もラテン語からたくさんの言葉を輸入しています。漢字と同様、英語にとってもラテン語由来の言葉は堅い言葉です。以下、ラテン語から来た形容詞の比較級とそれに対応する英語の比較級を示します。

senior (= older)	**junior (= younger)**
major (= larger)	**minor (= smaller)**
superior (= better)	**inferior (= worse)**

ラテン語から来た形容詞の比較級には**thanを使わずto**を使います。toはここでは「～に対して」という意味で使い、比較を表します。またtoは前置詞なので、その後ろに来る代名詞は必ず目的格になるという特徴があります。

例文 He thinks he is better than I. 「彼は自分が私よりも優れていると思っている。」

→「彼」を表すheは主語で、それと比べられている「私」は同じく主格にならなければいけないのでthanの後ろにmeではなくIが来ている

ラテン比較級だと

例文 He thinks he is superior to me.

彼は自分がより優れていると考えている　私

誰に対してより優れている？

→何と比べられているかは関係なく、toという前置詞の後ろなので、「私」は目的格のmeになる。

●—— prefer A to B：B よりも A を好む

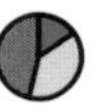

like A better than Bよりも堅い表現です。preferの語源はpre（前）+ fer（運ぶ）→「前へ運ぶ」で「好きなものは嫌いなものよりも一歩前に出す」という感覚が元にあります。ですから、単に「好き」というよりは「より好き」という比較の意味を元々持ちます。toは「～に対して」という意味で「対比」を表します。

例文 Even as a little child she preferred toy cars to dolls.

小さな頃でさえ　彼女は　より好んだ　玩具の自動車　お人形

何に対してより好んだ？

「小さな頃でさえ、彼女はお人形よりも、車のおもちゃを好んだ。」

復習問題

1.「テクノロジーのおかげで我々の世界はますます狭くなってきている。」
(our world, and, technology, smaller, smaller, is making) .

2.「その男は、太っているというよりは、がっしりしていた。」
(more, than, that man, fat, was, wide) .

3.「アシュグローブ夫人とは会ったこともないのだ。ましてや話したことなどあるわけがない。」
I have never met Mrs. Ashgrove, (with, less, her, talked, much).

4.「彼は自分が私よりも優れていると思っている。」
(thinks, he, to, he, me, superior, is) .

5.「小さな頃でさえ、彼女はお人形よりも、車のおもちゃを好んだ。」
Even as a little child, (toy cars, she, to, preferred, dolls).

1.Technology is making our world smaller and smaller.
2.That man was more wide than fat.
3.I have never met Mrs. Ashgrove, much less talked with her.
4.He thinks he is superior to me.
5.Even as a little child, she preferred toy cars to dolls.

Must

92

the 比較級とは

▶theは何をやっているのか

the 比較級：2つのうちのより〜な方

中学英語で比較を学ぶとき、「形容詞や副詞の最上級にはtheをつける」と習います。このため、高校英語で「比較級にもtheをつけるときがある」と言われると、何か「例外的な文法ルール」を教わった気になったりします。

しかし、比較級にtheをつけるのにもきちんとした理由があります。

わかってみると、例外でもなんでもなく、「ああ、そりゃあtheをつけなきゃおかしいよな」と納得できるものです。

そのための第一歩として、まずは「なぜ最上級にはtheをつけるのか」を理解していただきましょう。

最上級の文は、「〜のうちでAが一番……だ」ということを表す文です。「一番」は、「二番でも三番」でもない「**オンリーワン**」の存在ですのでtheがつきます。theというのは、「他のじゃないよ、これだよ」と「輪で括って限定する」イメージの言葉です。

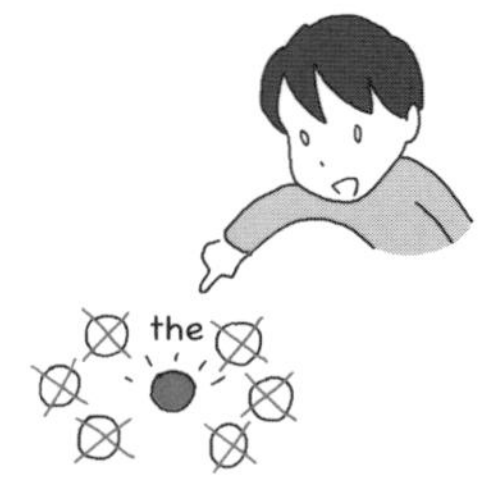

例文 He is the tallest of the three.

「彼は３人のうちで一番背が高い。」

→話に出ている「その」3人のうちから「一番」背が高い人を限定して取り出すイメージの文。ofは「全体から、構成要素を一部取り出す」イメージ。

これで、なぜ最上級にtheがつくのかがわかりました。

次に、どういうときに「比較級にtheがつく」のかを見てみましょう。

以下の２つの文を比べてみてください。

例文 Alex is taller than I.　「アレックスは私より背が高い。」

例文 Alex is the taller of the two.　「アレックスはその２人のうち、背の高い方の人です。」

２つある例文のうち、上の例文は、単にアレックスと私の背丈を比べているだけの文です。一方、下の例文は、「２人のうち、アレックスはどちらの方の人なのか」という**選別・判別**を表す文です。

ここで、理解を助けるために、一度比較級から離れて考えてみます。もう１つ、比較級を使わない「選別、判別」の文を見てください。そうすると、theが使われることに納得するはずです。

例えば目の前に赤い帽子と青い帽子があって、自分の帽子は青ではなく赤い方だ、と言いたいとき、

Get me my hat … the red one.　「私の帽子とって……赤い方。」

となります。

このように、比較級とは関係なしに、「あっちじゃなくて、こっちだよ」という場合にはtheを使わないといけないことがわかります。つまり、「赤い方だよ」と言う代わりに「背の高い方だよ」と言っているだけなのです。

上の例文ではthe tallerの後ろにはoneが省略されています。省略せずに、

例文 Alex is the taller one of the two.

とも言えます。

なぜ「2つのうちの」なのか?

the比較級は必ず「2つあるうちの、より〜な方」となります。なぜ「2つ」なのでしょうか? 「3つ」ではいけないのでしょうか?

実は日本語でもそうなのですが、「3つ」以上だと、必然的に比較級ではなく、最上級の感覚を使わないといけなくなります。

日本語でも「2人のうちの、より背が高いほうだ」は言えますが、「3人のうちの、より背が高い方だ」は不自然です。「3人のうちで一番背が高い人だ」は自然です。一方で、「2人のうちの一番背が高い人だ」というのも不自然ですね。

このように、日本語・英語に関わらず、2つの物や人を比べる場合には**比較級**、3つ以上なら**最上級**の感覚が自然だとわかります。したがってthe比較級は一種の比較級なので、必ず「2つ(2人)のうちのより〜な方」となります。

というわけでもう一度例文を見てみましょう。

例文 Alex is the taller of the two.

「アレックスはその２人のうち、背の高い方の人です。」

２人いる人間のうちの、「相手に比べてより背の高い方の人だよ、もう一方の人じゃないよ」ということでthe tallerという形になります。of the twoは「そこにいる２人のうちから『取り出す』」ことを意味します。

次項では、「the＋比較級」を使った様々な表現を見ていきます。

Must

93

the＋比較級を使った表現

▶隠れている２つのうちのより〜な方

ここからはthe 比較級を使ったいくつかの表現を説明していきます。共通するのはどの表現にも「２つのうちの、より〜な方」という意味が隠れていることです。

●—— a change for the better：好転 

the betterは、２つ存在する状況のうちのより良い方、という意味です。道が目の前で２つに分かれていて、より良い方の道へ進む感じですね。「より良い方への状況変化」＝「**好転**」がa change for the betterです。a change for the worse（worseはbadの比較級）というのもあり、こちらは「悪化」という意味です。

例文 Focus on what you can do to make a change for the better.

集中しろ　あなができること　好転させること

何の上に集中の圧力をかける？　何にすることに向かってできること？

「事態を好転させるために自分ができることに集中しろ。」

●——原因 get the better of 人：（感情や欲望に）人が支配される 

主語の「原因」のところに来るのは「感情・欲望・妄想」など精神的なものが典型的です。get the betterは「より良い方を手に入れたので、優勢になり、支配する」という意味を出しています。「欲望や誘惑に負ける」という意味でよく使われます。コーパスでは頻出１位がcuriosity（好奇心）、２位がemotions（感情）で、あとはanger（怒り）などがあります。

a change for the better：好転
原因 get the better of 人：（感情や欲望に）人が支配される
the 比較級 S + V ~：SがVするほど
all the more for ~：〜のせいでなおさら
nonetheless：それでもなお、にもかかわらず

例文 Curiosity got the better of me.

好奇心　手に入れた　より有利な方　私
何のうちの「より有利な」方？

「私は好奇心に負けてしまった。」

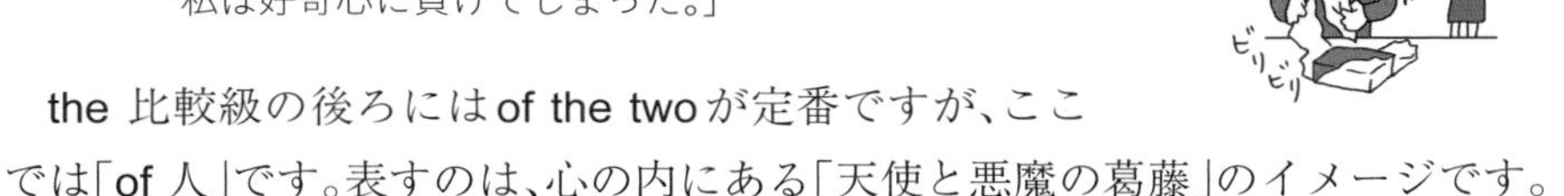

the 比較級の後ろにはof the twoが定番ですが、ここでは「of 人」です。表すのは、心の内にある「天使と悪魔の葛藤」のイメージです。

●—— the 比較級 S + V ~:S が V するほど 

例文 The more, the better.　「多ければ多いほど、良い。」

上記のようにS+Vが省略された形もよく使われます。the moreは「２つあるうちの、より多いほうなら」、the betterは「２つある状況のうちのより良い方」だ、ということです。the 比較級なので、必ず「２つあるうちの」という感覚が奥底に潜みます。

この表現でマスターすべきなのは、語順です。倒置が起きて強調が発生するから「〜するほど」という意味が出るのですが、倒置のせいで語順がややこしくなります。以下の例文で考えてみましょう。

例文 The more he walked, the narrower the space became.
「彼が歩くほどに、空間は狭くなっていった。」

この文のもとの形は、He walked more, (and) the space became narrower.です。ここからそれぞれmoreとnarrowerにtheをつけることで「『ふつうに歩く』のと『もっと歩く』の２つのうちの『もっと歩く』をすれば、『ふつうに狭くなる』のと『もっと狭くなる』の２つのうちの『もっと狭く』になる」という意味が出ます。さらに、これらは強調のために節の先頭に倒置され、「歩けば歩くほど、より狭くなる」という意味が出てきます。

The more he walked ［　　］, the narrower the space became［　　］.

この表現をうまく作るには、**とにかく元の文をきちんと倒置させる**ということに尽きます。もうワンステップ複雑な文を見てみましょう。次の文をうまく倒置させて、「～すればするほど」というthe比較級の構文を作ってください。

You make more money, (and) you must pay more taxes.
「より多くのお金を稼げば、より多くの税金を支払わないといけない。」
※ただし、この構文にするときには接続詞のandは不要になります。

さて、こういう文にした人はいないでしょうか？

× The more you make money, the more you must pay taxes.

表面的な形に囚われて、とにかく「the比較級」を文頭に持ってくれば良いんだと考えると、こんな間違いを犯します。倒置をするときには「**ひとまとまりの意味のかたまり**(ここでは「句」)**ごと**」、移動させないといけません。

○ The more money you make, the more taxes you must pay.

●── all the more for ～:～のせいでなおさら

allは「全く」という強調、the moreは「『ふつう』と『より多い』という２つのうちの、『より多い』の方」ということです。

例文 She valued family all the more for having lived without it.
「それまで家族を持たずに生きてきた分、なおのこと彼女は家族を大切にした。」

直訳すると、for having lived without it「それまでそれ（＝家族)なしに生きてきたという理由のせいで」、she valued family all the more「彼女は、全くもって、『ふつうに家族を大事にする』と『もっと家族を大事にする』の２つのうちの『もっと大事にする』の方をした」となり、ここから「なおのこと一層大事にした」という意味が出ます。理由の部分を「S + V ~」にしたいなら、all the more because S + V ～という言い方もあります。

例文 She valued family all the more because she had lived without it.

●—— nonetheless：それでもなお、にもかかわらず

none the lessと分けて綴られることもある副詞で、かなり堅い表現です。

noneはnot + one、つまり「1つもない、ゼロ」ということ。the lessは「2つある可能性のうち、より少ない方」です。「2つあるうちの『より少ない』方（the less）に行くと思いきや、全然そんなことがない（none）」という感じを表しています。この感覚はあとで解説するno more thanやno less thanで重要になってきます。

例文 Nonetheless, the global financial recovery remained sluggish.

「それでもなお、世界経済の回復は鈍いままだった。」

復習問題

1. 「事態を好転させるために自分ができることに集中しろ。」
   Focus on what you can do (a change, make, the better, for, to).
2. 「私は好奇心に負けてしまった。」
   (the, me, curiosity, of, got, better).
3. 「お金を稼げば稼ぐほど、より多くの税金を払わないといけない。」
   (you, more, make, the, money), (you, more, taxes, pay, the, must).
4. 「それまで家族を持たずに生きてきた分、なおのこと彼女は家族を大切にした。」
   She valued family (having lived, more, all, for, the) without it.
5. 「それでもなお、世界経済の回復は鈍いままだった。」
   (the global, remained, nonetheless,, sluggish, financial recovery).

1.Focus on what you can do to make a change for the better.
2.Curiosity got the better of me.
3.The more money you make, the more taxes you must pay.
4.She valued family all the more for having lived without it.
5.Nonetheless, the global financial recovery remained sluggish.

Must

94

no＋比較級とは

▶no と not はどう違うのか

いわゆる「くじらの構文(no more A than B)」を含め、no＋比較級というのは英語学習者が学ぶ英語表現の中でもっともややこしいものの1つです。こういう表現たちこそ、丸暗記をやめ、理屈とイメージを理解して覚えてこそ直感的な使用が可能になります。

noという言葉には注意が必要です。「noはnotが強調されたもの」という曖昧な考え方を捨て、「**noはゼロを意味する**」という考え方で取り組まないと「no＋比較級」を使う表現の微細なニュアンスを理解することができません。

notは「事実ではない」、noは「ゼロ」

例えばnot more thanとno more thanを比較してみると、両者ほぼ同じ意味で使われる場合も多いのですが、違いを感じざるを得ないときもあります。表現によってはnotとnoの意味の差が大きくなることもあります。

違いが生まれるとすれば、その原因は、not ＝「**事実ではない**」、no ＝「**ゼロ**」という根っこの意味の違いにあります。

not more than 1,000 yenは「せいぜい千円」と訳されることがよくあります。これは、「千円以上になるという事実はない(not)。いったとしても千円。」という感覚から出てきます。

ではnoになるとどうでしょう？ no more than 1,000 yenは「たった千円」と訳されることがよくあります。また、参考書や辞書などではno more than ＝ onlyと説明されることもよくあります。これは、noのどこから出て来るのでしょうか？

これを理解するには次の３つのポイントを押さえておく必要があります。

① noは「ゼロ」
② noの後ろに来る比較級は「思い込み」
③ thanは「基準、つまり±0」

③→②→①の順番で思考を進めましょう。

③thanは「基準、つまり±0」

thanは「基準」を意味する言葉です。比較で「AはBより～（A than B）」と言うとき、話し手はBを基準にして（than B）Aの話をするわけです。そして基準点というのは±０です。Bを基準にしてAがプラス側に行ったり、マイナス側に行ったりするわけですから、Bは±０となるわけです。

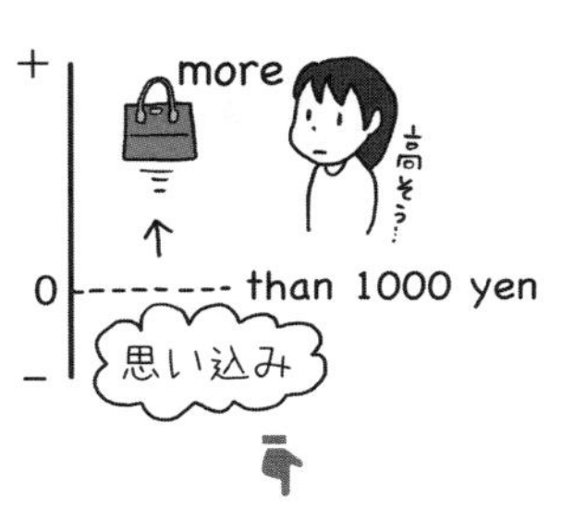

②noの後ろに来る比較級は「思い込み」

noの後ろに来る比較級は「思い込み」です。例えばmoreなら「きっと、もっといってるだろうなぁ」、lessなら「きっとそんなにはいかないだろうなぁ」という思い込みです。

①noは「ゼロ」

それではno more than 1,000 yenを説明します。

まず「千円」を基準値（±０）として（=than 1,000 yen)、「きっと千円なんてことはないだろう、もっとたくさんだろう」と思い込んでいる（= more than 1,000 yen）ところへ、実際にフタを開けてみると「ゼロ化（no）」、つまりnoによって±０のところ、千円の位置にストンと戻されるというのがno more than 1,000 yenです。

この「もっとたくさんだろう」という思い込みが裏切られて、もとの±０のところへジェットコースターのようにストンと戻されるところが「驚き」の心象をあらわすことになり、「たった（only）」という和訳がno more thanにつくわけです。

イラストは This bag cost no more than a thousand yen.「このカバンはたった千円だった・千円しかしなかった。」のイメージを表しています。

valuable information

ちなみにno＋比較級の比較級の部分を私は「思い込み」と説明していますが、私が認知言語学を教わっていた東京大学の西村義樹教授とno＋比較級のお話をしていたときに、先生は比較級の部分を「期待値」とおっしゃっていました。私の「思い込み」と同様、「きっとこうだろうなぁ」という気持ちの現れ、ということです。まさに我が意を得たりという気持ちになり、嬉しかったのを覚えています。

●—— no less than ～:「～もする」

次にno less than Aを見てみましょう。これは「たくさんある」ことを強調する表現です。先程のno more thanはmoreがあるのに「たった～しか」で、このno less thanはlessがあるのに「～もある」という意味になりますから、学習者は混乱します。しかしこれも、仕組みがわかれば容易に理解ができます。

例えば以下の文を考えてみましょう。

例文 This bag cost no less than 1,000 yen.
「このカバンは千円もした。」

この場合、基準、つまりプラマイゼロのところに千円があります。パッと鞄を見て、「いやいや、こんな安っぽいカバン、まさか千円もしないでしょう。もっと安いでしょう。」つまりless than 1,000 yenという思い込みが発生します。

ところが実際にフタを開けてみるとnoによって、千円以下だった自分の思い込みがプラマイゼロ、つまり千円のところにズドンと押し戻されます。よって「千円もする」という感覚が表現されるわけです。

すでに前項でnonetheless（それでもなお）という表現を紹介しました。これも同じ仕組みだということがおわかりでしょう。noneはnot + one、つまり「１つもない、ゼロ」です。the lessは「２つあるうちのより少ない方」で、ここでは「思い込み」にあたります。「２つあるうちのより少ない方かと思いきや、実際にはプラマイゼロであって、少なくなんか、全然ない」という「予想外の感覚」が「それでもなお」という逆接の意味の源泉になっています。

さて、noではなくnotを使った場合ですが、「not less than 数字」は「**少なくとも**（数字）」です。つまりat leastと同じ意味になります。notは「事実ではない」ということですから、「（数字）より少なくなるという事実はない＝少なくとも（数字）」という意味が出て来ます。

例文 “How long do you think it is going to take?” “Not less than a week.”
「どれくらいかかると思うのですか？」　「少なくとも１週間です。」

こうした感覚がつかめると、no more thanやno less than以外にも、様々なno 比較級 thanが一気に理解できるようになります。

例文 The small box was no bigger than the palm of her hand.
「その小さな箱は彼女の掌ほどの大きさしかなかった。」
→直訳の感覚：まさか彼女の掌よりは大きいだろうと思ったかもしれないが、実際はそんなことは全くなく、彼女の掌と同じ大きさしかなかった。

例文 Several boys were brought in. The oldest boy was no older than twelve.
「何人かの男の子が連れてこられた。一番年上の子でもたかだか12歳といったところだった。」
→直訳の感覚：最年長の子はきっと12歳よりは上だろうと一瞬思ったのだが、実際はそんなことは全くなく、12歳だった。

Must

95

no+比較級の表現その1

▶思い込みに反してプラマイゼロ

no less thanの後ろに数字ではなくふつうの名詞がつく場合、「～に劣らず」や、「～に他ならない」という意味を出す場合があります。意味の原理はいずれも同じで、「～よりも少ないかと思っていたら全くそんなことはなく、プラマイゼロ、つまりthanのところまで戻っていく」ということです。

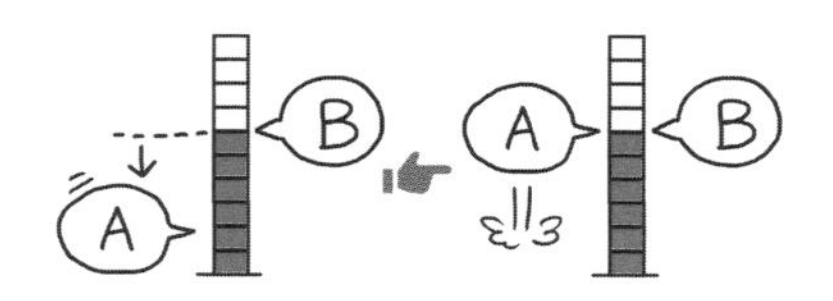

●——A, no less than B, 動詞～:Bに劣らずAも～する 

Aに関して、「Bよりも程度が下がると思いきや」というのがless than Bです。それがnoによって±0、つまり「Bのレベル」にまで引き戻されます。「AはBより程度が下がるかなと思っていたら、全然そんなことはなくて、Bと同じレベルだ」というところからBに負けず劣らずという意味が出ます。このパターンが典型的に出て来るのが主語Aと動詞の間にno less than Bが挿入されるパターンです。

例文 The history of art, no less than the history of science, suggests that this is true.

「科学の歴史に負けず劣らず、芸術の歴史もこの事が真実であるということを示唆している。」

→芸術の歴史が科学の歴史よりは下がるかと思いきや、実は全くそんなことはなく、科学の歴史のレベル(±0)まで引き戻される。つまり「科学の歴史に負けず劣らず芸術の歴史も」。

A, no less than B, 動詞〜：Bに劣らずAも〜する
A is no less than B：AはBに劣らない/AはBに他ならない
no better than A：Aも同然だ

●―― A is no less than B
:AはBに劣らない(同じレベルだ) /AはBに他ならない

A is no less than Bとなるとき、訳すパターンは主に３種類です。

①Bが「数字」ならば、「〜もある」という「多さの強調」

例文 Your daily commute is no less than one hour.

「君は通勤に毎日１時間もかかる。」(直訳 君の日々の通勤時間は1時間も、である。)

→1時間より少ないかと思いきや、そんなことは全くなく1時間かかる＝「1時間もかかる」

②AとBが同じカテゴリーの名詞ならば、「AはBに劣らない」

例文 Your damage is no less than mine.

「君の被害は私の被害に劣らない。」

→「君」と「私」のdamageという同じカテゴリーを比較している。感覚を直訳すると、「君の被害は、私の被害よりも少ないと思っているかもしれないが、全くそんなことはなく、私の被害と同じレベルだ。」

③BがAの言い換えになっていたり、価値判断、性質の説明を表す表現ならば、「AはBに他ならない」

例文 Life is no less than a journey.

「人生とは旅に他ならない。」

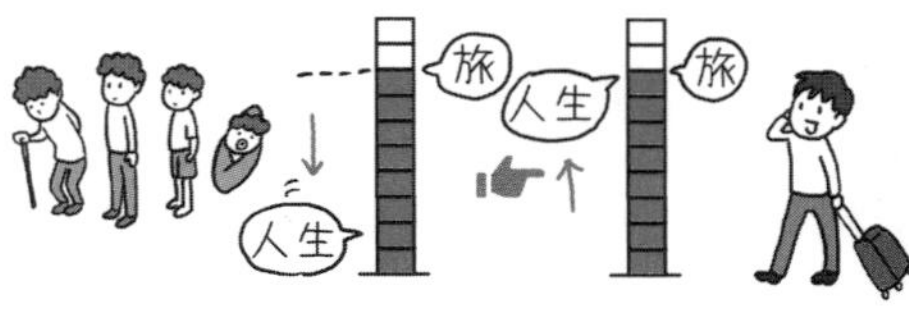

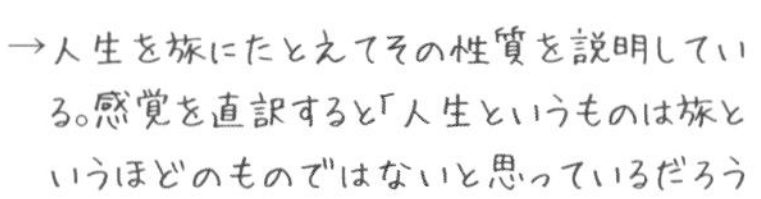

→人生を旅にたとえてその性質を説明している。感覚を直訳すると「人生というものは旅というほどのものではないと思っているだろうが、実際にはそんなことはなく、旅と同じレベルのものだ。」

例文 While the process of journalism is no less than a commitment to accuracy, mistakes do happen.

「ジャーナリズムのプロセスというものは正確さを突き詰めていくことに他ならないが、それでも間違いというものは実際に起きる。」

→ジャーナリズムのプロセスというものがどういう性質のものなのかを「正確さの追求」という言葉で表している。感覚を直訳すると、「ジャーナリズムのプロセスというものは、正確さの追求よりも少ない・劣っている・程度が低いと思っているかもしれないが、実際にはそんなことは全くなく、正確さの追求と同じレベルのものだ。」

a commitment to ～：～への専心、深い取り組み

●── no better than A：A も同然だ 

Aを基準に考えたときに、それよりはましだろう（better）と思っていたら、実際は全くそんなことはなく（no）、Aと同じレベルだということです。Aには悪いイメージのものが来ます。

例文 Then you are no better than a bully.

「それじゃ、君はいじめっこと変わらないじゃないか。」

→ 直訳 君はいじめっこよりはましな人間だと思っているかもしれないが、実際は全くそんなことはなくていじめっこと同じレベルだ。

例文 They saw us to be no better than criminals and treated us as such.

彼ら 見た 我々 犯罪者も同然であるという状態 扱った 我々 そんなふう

どう見ることにたどり着いた？ 何とイコールに扱った？

「彼らは我々のことを犯罪者も同然に考え、そのように接した。」

→ 犯罪者よりはもっとマシに見られたかと思いきや、全くそんなことはなく、犯罪者同然に見られた。

see A to be B：「AのことをBだと見る・認識する」。
as suchに関しては第81項参照。

no＋比較級のかたまりはどこに置いて使うか

no more than A, no less than A, no better than Aなどのかたまりは、名詞を強調するために使われます。そこで、**強調したい名詞の直前に置く**のがふつうです。例えば「千円しか」なら「千円」という金額を強調していますので、no more than 1,000 yenですし、「犯罪者も同然」なら「犯罪者」という名詞を強調していますので、no better than criminalsです。

復習問題

1.「このカバンはたったの千円しかしなかった。」
(no, a thousand, more, this bag, than, yen, cost).
2.「君は通勤に毎日１時間もかかる。」
(is, less than, your daily, one hour, commute, no).
3.「君の被害は私の被害に劣らない。」
(no, mine, is, than, your damage, less).
4.「ジャーナリズムのプロセスというものは正確さを突き詰めて行くことに他ならない。」
(a commitment, the process of, no less, is, journalism, to accuracy, than).
5.「それじゃぁ君はいじめっことと変わらないじゃないか。」
Then (better, a bully, are, no, you, than).

1.This bag cost no more than a thousand yen.
2.Your daily commute is no less than one hour.
3.Your damage is no less than mine.
4.The process of journalism is no less than a commitment to accuracy.
5.Then you are no better than a bully.

Must
96

くじらの構文が本当にわかる

▶no more A than B の映像

例文 A whale is no more a fish than a horse is.

「馬が魚でないのと同様に、クジラも魚ではない。」

受験のときに目にした方も多い、いわゆる「くじらの構文」です。

なぜこの英文がこんな日本語訳になるのか、さっぱりわからない。しょうがないから一応暗記。でもわからないから覚えられない。私も含めてそういう経験をした方は多いと思います。「て言うかこんなの実際使われないよ！」とおっしゃる方もいるかもしれませんが、論文にも新聞にも、ブログにだってわりとふつうに出て来る構文で、書き言葉としては日常的な表現です。何ならギャグアニメでも使われていますし、映画の中では反抗期の娘が使っていたりします。以下、実際に使われている例をいくつか紹介します。

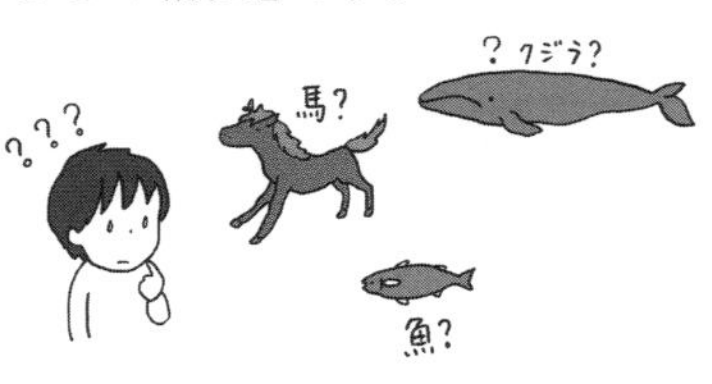

例文 He is no more a Christian than Buddha is.

「彼がキリスト教徒だなんていうのはブッダがキリスト教徒だと言うのと同じくらいありえない話ですよ。」(ブログ)

例文 Good people of jury, my client Terrence is no more a murderer than you or me.

「善良なる陪審員の皆様、私が弁護人を務めるテレンスは、皆様、あるいは私と同様、決して人殺しなどではありません。」(アニメ South Park)

A whale is no more a fish than a horse is.
：「馬が魚でないのと同様に、クジラも魚ではない。」

例文 I'm no more a kid than you are.
「アンタだって、私だって、全然子供じゃないわよ。」(映画 American Beauty)

さすがに日常の話し言葉のなかでポンポン出て来るものではありませんが、それでも現代英語の中で生きた表現であることは理解しておくべきです。ことわざのように固定した表現ではなく、no more A than Bの形を柔軟に応用して使っていますので、これを使いこなすにはただの形式ではなく、感覚を理解する必要があります。

すでにno more than Aの仕組みについては理解できていると思います。

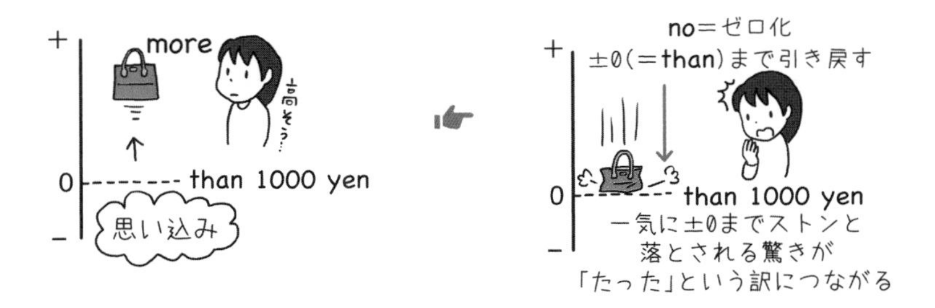

その知識があれば、no more A than Bを理解するのはそれほど難しくありません。「**たった**」というno more than A、「**Bでないのと同様、Aでもない**」というno more A than B。両者の日本語訳は一見かけ離れているように見えますが、形が同じならば、出て来る映像は同じなのです。

前提としてわかっておくべき2つのポイント

no more than Aの知識に加えて、もう1つわかっておくべきことがあります。それはthanの後ろに来る言葉です。2つポイントがあります。

①thanの後ろに来る内容は「ありえない非常識」

②thanの後ろに来る言葉の省略を復元する

まずは、A whale is no more a fish than a horse is.の文でやってみましょう。thanの後ろにある a horse isの後に隠れた言葉を復元すると、a horse isが「非常識」を表していることがわかります。

比較の大原則は「比べる情報同士は必ず同じ形になる」ということです。ここでは比べています。

a whale　is a fish
a horse　is …

比べる情報同士を見るときには、no moreとthanを取り除いておくことがポイントです。同じ言葉を二度繰り返さないように省略が発生するので、a horse isの後ろにa fishが省略されていることがわかります。

A horse is a fish.　「馬は魚だ。」

誰が見ても非常識ですね。このようにno more A than Bの構文では**Bの部分に誰でもわかる非常識が来る**のがお約束です。

❶
常識
非常識
← than a horse is a fish
馬は魚です
あり得ない！

そしてthanは「**ここを±0にする基準点**」の役割ですから、「この非常識を基準に、今から言うことを考えてね」という気持ちがno more A than Bの構文に隠れていることがわかります。

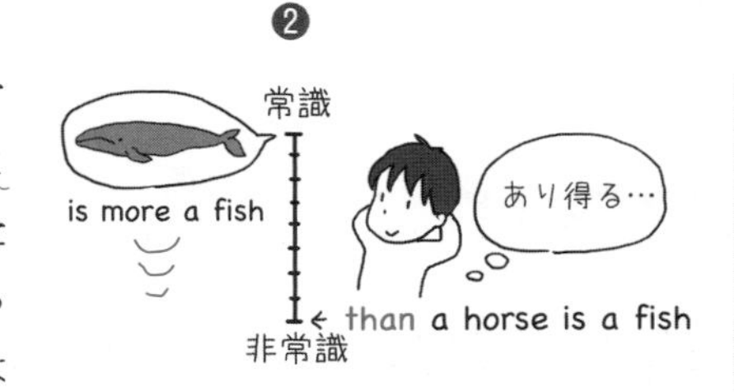

次に前半のa whale is no more a fishを見てみましょう。no＋比較級は「～かと思いきや、全くそんなことはない」でしたね。ということは、「クジラというのはもっと魚だと思っているだろうけれども、実は全然そんなことはない」という意味になることがわかります。

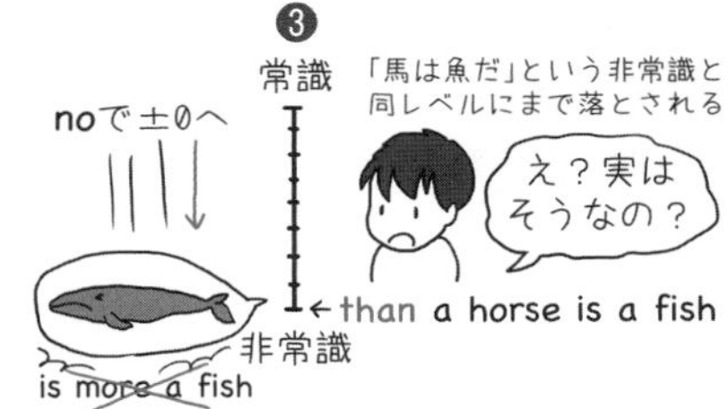

何と比べてもっと魚寄りなのでしょう？ そこでthan a horse is (a fish)が出てきます。「『馬は魚だ』という非常識と比べたら（❶）、クジラはもっと魚寄りだろうとあなたは考えているかもしれないが（❷）、実際は全くそんなことはなくて、馬は魚だと言っているのと同じレベルだ（❸）。」というのがA whale is no more a fish than a horse is.の直訳の感覚です。

noは比較級の「思い込み」（ここではmore a fish）を、ジェットコースターのように一気に±0の位置まで引き戻す働きがありますので、ここに話者の「意外性」「びっくり」という感情に根差した「強調」の意味が込められることに留意してください。そして、thanの後ろには「非常識」が来るため、「それってこれくらい馬鹿げた話をしているのと同じなんだよ」という気持ちがあることも認識しておくべきです。

さて、no more A than Bの定型の和訳は「Bでないのと同様、Aでもない」ですが、上記の感覚がわかると、「Aだと言うのはBと言っているのと同じ（くらい馬鹿げている）」という訳の方がしっくりくるでしょう。

例文 A whale is no more a fish than a horse is.

「馬が魚でないように、クジラもまた魚ではない。」

→「クジラを魚と言うのは、馬が魚だと言うようなものだ。」

いかがでしたでしょうか。次項では、この感覚に基づいて、既に出て来た例文を概観します。

Must
97

no more A than Bと no less A than B

▶no less A than B の B に来るのは

それでは前項で理解できた知識に基づいて、既に出て来た例文をもう一度見てみましょう。

例文 He is no more a Christian than Buddha is.

❶thanの前の文の補語がa Christianなので、Buddha isの後ろにもa Christianが省略されています。つまりBuddha is a Christianという非常識がthanの後ろに来ています。

❷「その非常識に比べれば、彼はそれよりはもう少しキリスト教徒だ、ってあなたは考えるかもしれないけれど……」

❸「実際にはそんなことは全くなくって、彼がキリスト教徒だというのは、仏様がキリスト教徒だって言うのと同じレベルの話なんですよ。」

この感覚に基づいて和訳を作ると、「彼がキリスト教徒だなんて、仏様がキリスト教徒だって言っているみたいなものですよ。」となります。

例文 My client Terrence is no more a murderer than you or me.

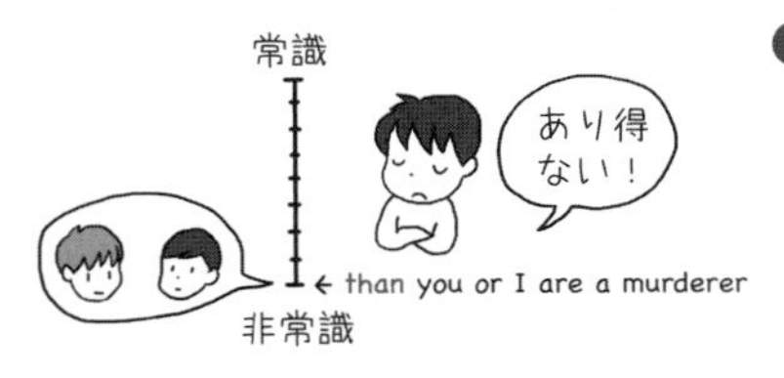

❶than you or meの後ろに省略されているのは(you or I) are a murdererです。thanの後ろは本来、主格のyou or Iなのですが、例文が目的格のyou or meになっているのは、本来接続詞であるthanが英語話者の間で前置詞に誤解された結果、後ろに目的格の代名詞をつけることが一般化しているためです。thanの後ろに、「陪審員のあなたや、もしくは弁護士の私が人殺しだ、なんていうのはありえない話ですよね」という気持ちがあります。

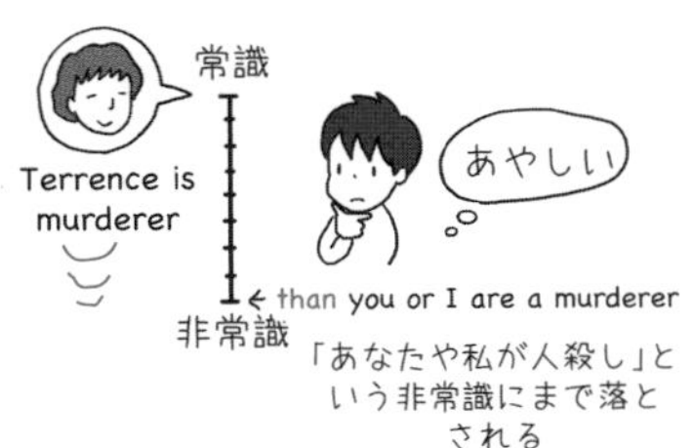

❷「それと比べれば、テレンスがもう少し人殺し寄りかと思うかもしれませんが……」

❸「実はそんなことは全くなく、それって、あなたや私が人殺しだというのと同じくらいありえない話なんですよ。」となります。

そこで、「私が弁護人を務めるテレンスが人殺しだなんて、あなたや私を人殺しと言っているようなものなのですよ。」という和訳が出来上がります。

これをさらにスマートにすると、定型和訳の「皆さんや私がそうでないように、私が弁護人を務めるテレンスだって、全く人殺しなどではないのですよ。」が出て来ます。

例文 I'm no more a kid than you are.

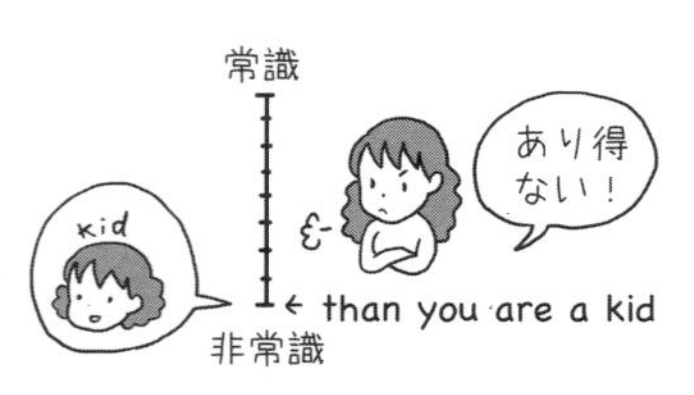

❶ than you areの後ろに隠れているのはyou are a kidです。ティーンエイジャーの女の子が同年代の友人に向かって言っているセリフで友人に対して「あなただって自分はもう全然子供じゃないって思ってるでしょ！（＝自分が子供であるというのは非常識）」という前提があります。

❷「それと比べたら私はもっと子供だと思ってるかもしれないけど……」

❸「実際には全然そんなことないわ。私を子供扱いするのは、アンタが子供だって言ってるのと同じようなことなのよ。」という気持ちがこもっています。

ですから「アンタだって私だって、全然子供じゃないのよ！」という和訳を作ることができます。

no more A than B の文章の作り方

こういった文を作るにあたって、no moreやthanをどこに置くかを考えましょう。

I'm no more a kid than you are.

例えばこの文で比べている２つの情報I'm a kid. とYou are a kid. に注目します。まずはI'm a kid. から。どこにno moreを置くかですが、no moreは否定語ですので、I'm not a kid. という否定文のnotと同じ位置です。

I'm no more a kid.

そして、as ～ as構文の２回目のasや**比較級の文のthanは「文末」に置く**のでしたね。ですから、次のようになります。

I'm no more a kid than …

最後に**比較の基準**を入れ、**重なるところは省略**して出来上がりです。

I'm no more a kid than you are ~~a kid~~.

動詞は省略せず残すのが一般的

thanの後ろの省略の傾向として、be動詞はそのまま残し、一般動詞ならdoやdoes, didといった代動詞にして残すのが一般的です。これによって、聞き手はyouが主語だな、ということが判断しやすくなります。

●── no less A than B：B に劣らず A

次にno less A than Bの解説に移ります。この表現において、than Bにやって来るのは「常識」、もしくは「話し手と聞き手の両者が了解済みの知識」です。

no less A than BのAには形容詞が入る場合と名詞が入る場合がありますが、形容詞が入る方がわかりやすいので、まずはそちらから説明します。

例文 Intellectual property rights are no less important than other forms of private property.
「知的財産権というのは他の私有財産権に劣らず重要である。」

比べている情報同士を確認しましょう。no more A than Bのときと同じく、no lessとthanを取り除いて、比較する情報を確認します。

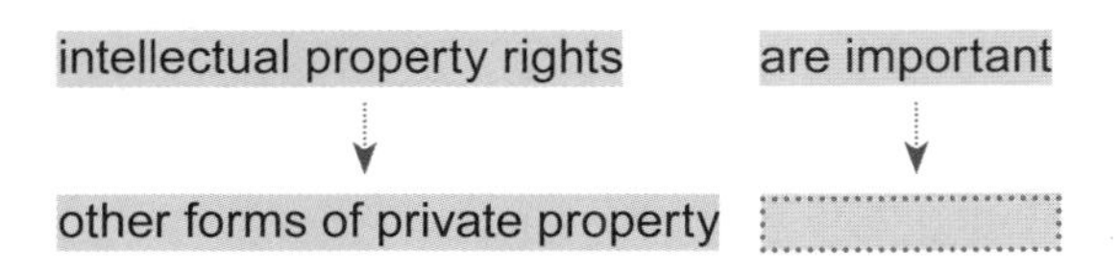

二度同じことを言わないように省略が行われるので、other forms of private propertyの後ろにはare importantが省略されていることがわかります。

other forms of private property are important「他の私有財産権は重要である」

というフレーズは「常識」であり「聞き手と話し手の間で了解済みの情報」です。というわけで、下のような形になります。

Intellectual property rights　are no less important

知的財産権というのは　重要さが劣るかと思いきや全くそんなことはない

than　other forms of private property (are important).

何と比べて？　他の私有財産権が重要である（という常識）

●―― no less a/an 名詞 than 具体的な人名 ：他ならぬ（人名）という（名詞）

no less とthanの間に名詞が入っている場合、少し特殊で、**「何とあの人が！」**という感覚を出す表現になることがよくあります。a/anの後ろによく来るのはauthority（権威）と、figure, personage, person（いずれも「人・人物」を表す）です。ここでは一番わかりやすいpersonを使った例文をご紹介します。

例文 … and that was sung by no less a person than Ray Charles!

「……そしてその曲は何とレイ・チャールズが歌っていたのです。」

原理は「no＋比較級」そのままです。「レイ・チャールズという大歌手を基準にしたら、それよりはきっと低いレベルの人が歌っているとあなたは思ったかもしれないけれど、実はそんなことは全くなくて、何とレイ・チャールズその人が歌っていたんですよ！」という感じです。

no less の後ろのa person, figure, personageは「何とあの人が」という感じです。an authorityになると「何とこの世界の権威と言われるあの人が」という感じです。

復習問題

２つの情報を比較して日本語訳に沿った英文を作りましょう。

1.「彼がキリスト教徒だなんて、仏様がキリスト教徒だと言っているようなものですよ。」

比べる２つの情報： He is a Christian. と
Buddha is a Christian.

2.「私が弁護人を務めるテレンスは、皆さんや私と同様、人殺しなどではありません。」

比べる２つの情報：My client Terrence is a murderer. と
You or I are a murderer.

（ここではyou or Iをyou or meに変え、are以下は省略して英文を作ってください。）

3.「アンタだって、私だって、全然子供じゃないのよ！」

比べる２つの情報：I'm a kid. と You are a kid.

4.「知的財産権というのは他の私有財産権に劣らず重要である。」

比べる２つの情報：Intellectual property rights are important. と
Other forms of private property are important.

5.「……そしてその曲は何とレイ・チャールズが歌っていたのです。」

（「no less 人を表す名詞 than 具体的な人名」の型を使って）

… and that (no less, was, Ray Charles, sung, a person, than, by)!

1.He is no more a Christian than Buddha is.
2.My client Terrence is no more a murderer than you or me.
3.I'm no more a kid than you are.
4.Intellectual property rights are no less important than other forms of private property (are).
5.… and that was sung by no less a person than Ray Charles!

Must

98

no sooner than構文を攻略する

▶「no ＋比較級」と「過去完了」と「否定の倒置」

●―― no sooner had S ＋ 過去分詞 ~ than S ＋ 過去形 ~.
:S が(過去完了)するやいなや、S が(過去形)する

例文 No sooner had Kate returned to the kitchen than Bob emerged from the bedroom.
「ケイトがキッチンに戻るやいなや、ボブが寝室から姿を現した。」

この文にはno＋比較級だけでなく否定の倒置*と過去完了*も組み込まれているのでややこしいですね。1つずつ順を追って理解していきます。

Kate had returned to the kitchen.「ケイトはそのときにはもうキッチンに戻っていた。」

まず過去完了は「過去の１つ前」と考えるよりも、「**そのときにはもう〜してしまっていた**」ととらえるとわかりやすくなります。ポイントになるのは「そのときにはもう」です。**過去完了**は「ある過去の時点で既に抱えていた(had)状況」を表す表現です。ですから、どの過去の時点なのか、つまり「物語の舞台」となる過去の一点を表す表現と必ず一緒に使われます。

ではケイトは「どのときに」はもう、キッチンに戻っていたのか。それを表すのがもう１つの過去形の文です。

Bob emerged from the bedroom.　「ボブが寝室から姿を現した。」

例えばこの２つの文をwhenでつないでみましょう。

Kate had returned to the kitchen when Bob emerged from the bedroom.

そのときにはもうキッチンに戻ってしまっていた　ボブが寝室から現れた時(＝物語の舞台の時点)
どのときにはもう?

「ボブが寝室から現れたときには、ケイトはすでにもうキッチンに戻ってしまっていた。」

これがよくある過去完了の文です。「物語の舞台」となる過去の一点は「ボブが寝室から現れた時」で、そのときにケイトが既に抱えてしまっていた状態が「キッチンに戻ってしまった後」の状態です。

さて次の段階です。否定のnoを入れるとややこしくなるので、いったんnoを入れずに、sooner thanを入れて文を作りましょう。倒置も入れない、ふつうの比較の語順です。

Kate had returned to the kitchen sooner than Bob emerged from the bedroom.

ケイトはもっと早くキッチンに戻ってしまっていた　ボブが寝室から現れた(時よりも)
いつよりも早く?

「ケイトはボブが寝室から現れるよりも、もっと早くキッチンに戻ってしまっていた。」

これにnoを加えます。「no＋比較級」のときの比較級の役割は、「思い込み」でしたね。no sooner thanとすると、感覚的直訳はこうなります。

Kate had returned to the kitchen no sooner than Bob emerged from the bedroom.

「この話を聞いているあなたは、ボブが寝室から姿を現すよりも、もっと早くケイトが台所に戻ってしまっていたと思っているだろうが、実は全くそんなことはなくて、同時だ」

そして、最後の仕上げです。

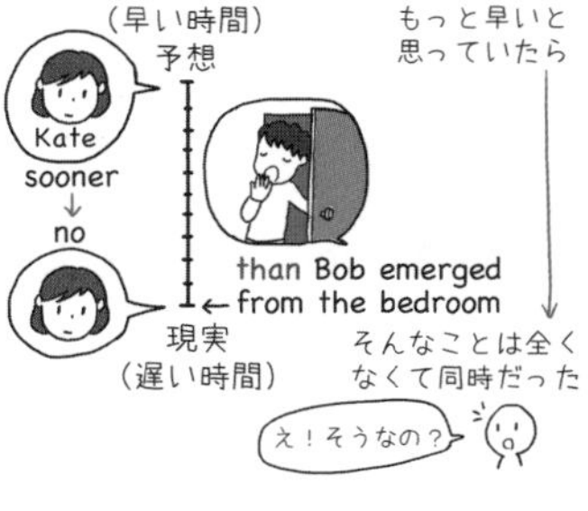

「全くそんなことなくて同時だよ」を強調するためにno soonerを文頭に出します。no soonerはhad returnedを否定している（＝「『早く戻っている』ということが全くない」）ので、no soonerとともに**had returnedという動詞も強調**されます。『英文法の鬼100則』でも説明していますが、いわゆる「疑問文の語順」と呼ばれるものの正体は「動詞を強調するための語順」です。したがってKate had returnedはhad Kate returnedという語順になります。

No sooner had Kate returned to the kitchen than Bob emerged from the bedroom.

さて、このようにして「全く早くなくて同時だよ」と強調されたので、その訳は「〜するや否や」となります。こうして以下の訳が成立するのです。

「ボブが寝室から現れたよりももっと早くケイトはキッチンに戻ってしまっていたと思っているだろうけど、実際は全くそんなことなくて同時だよ。」

「ケイトがキッチンに戻るや否や、ボブが寝室から現れたんだ。」

理屈がわかったら、暗記も大事

さて、丸暗記では記憶に引っ掛かりがないので、「よくわからない＝覚えられない」ということが起きます。一方で理屈だけでは「えーっと、あれがこうなって、次にああなって……」というふうに知識を動かすのに余計な時間がかかります。そこで**理屈を理解したら、形を暗記**しましょう。形は、以下の通りです。

No sooner [had を使った過去完了の疑問文語順] than [過去形の文].
〜するやいなや　〜した

過去完了の文が「〜するやいなや」で、thanの後ろの過去形の文が「〜した」です。いくつか例文を見てみましょう。

例文 No sooner had I closed my eyes than images flickered in my mind.
目を閉じるや否や　私の頭をイメージがチラチラとよぎった

「目を閉じるとすぐにイメージが私の頭の中をチラチラとよぎった。」

例文 No sooner had he finished his meal than the doorbell rang.
彼が食事を終えるや否や　ドアのチャイムが鳴った

「彼が食事を終えるや否や、ドアのチャイムが鳴った。」

これらをas soon asの構文で言い換えることもできます。こちらは「〜するのと同じくらいまもなく」、つまり「同時」ですので、**時制がどちらも同じ**になっていることに注目してください。

As soon as Kate returned to the kitchen, Bob emerged from the bedroom.
「ケイトがキッチンへ戻ると同時にボブが寝室から姿を現した。」

As soon as he finished his meal, the doorbell rang.
「彼が食事を終えるのと同時に、ドアのチャイムが鳴った。」

ただし、as soon asは同時であることを淡々と表すだけの構文です。一方でno sooner thanは同時に起きたことへの「意外性」や「うんざり感」の表明で使われ、この意味はas soon asでは出ません。no＋比較級の根っこの意味である「もっと～かと思ったら実は全くそのようなことはなくて、同じレベルだ」という感覚が「意外性」を生み、「え？もうなの？ほぼ同時じゃん！」という不満の意味も生みます。

*過去完了の詳しい解説は、拙著『英文法の鬼100則』の第18項、否定の倒置については同第88項を参照。

復習問題

1. 「ケイトがキッチンに戻るやいなや、ボブが寝室から姿を現した。」
   (returned, emerged, to the kitchen, no sooner, from the bedroom, Kate, than Bob, had).
2. 「目を閉じるとすぐにイメージが私の頭の中をチラチラとよぎった。」
   (had I, my eyes, flickered in my mind, no sooner, closed, images, than).
3. 「彼が食事を終えるや否や、ドアのチャイムが鳴った。」
   (finished his meal, rang, no sooner, he, the doorbell, had, than).
4. 「ケイトがキッチンへ戻ると同時にボブが寝室から姿を現した。」
   (to the, Kate, as, as, returned, soon, kitchen), Bob emerged from the bedroom.
5. 「彼が食事を終えるのと同時に、ドアのチャイムが鳴った。」
   (he, his meal, soon, finished, as, as), the doorbell rang.

1.No sooner had Kate returned to the kitchen than Bob emerged from the bedroom.
2.No sooner had I closed my eyes than images flickered in my mind.
3.No sooner had he finished his meal than the doorbell rang.
4.As soon as Kate returned to the kitchen, Bob emerged from the bedroom.
5.As soon as he finished his meal, the doorbell rang.

Must

99

theを使わない最上級

▶どういうときに、そしてなぜ the を使わないのか

例文 This lake is deepest at this point.

「この湖は、この地点が最も深いです。」

例文 Mt. Fuji is highest at this point.

「富士山はこの地点が一番高いです。」

例文 She is happiest when dancing.

「彼女は踊っているときが一番幸せだ。」

これらの最上級にはtheをつけません。私たちは中学英語で「最上級にはtheをつけるもの」と習います。しかし、上記のような文には最上級であってもtheをつけるとおかしく感じられるのです。

このルールに関して、私たちは高校英語で、下のように習います。

「同一人〔物〕の性質や状態などについての比較を表す形容詞が補語として用いられている場合(叙述用法)には、ふつうtheをつけない。」

(ロイヤル英文法(旺文社)より)

そうは言われても、これを理解するのはなかなか難しいですし、実際、高校生当時の私にはさっぱりわかりませんでした。また、なぜこういう事が起きるのかに関しては、私の周りからは、説明を受けることができませんでした。

今回は、上の説明が具体的には何を意味しているのか、そして、なぜこうなるとtheが使えなくなるのか、theを使うとどう不自然なのか、を説明します。

そもそもなぜ最上級にtheをつけるのか、の復習

既に一度「the＋比較級」のところで説明しましたが、最上級は「２位や３位ではなく、１位ですよ」という限定の気持ちを表します。例えばHe is the tallest of the three.（彼は３人の中で一番背が高い。）と言えば、その３人のなかで一番背が高い人（he）を他の人から切り離して取り出す感覚があります。ですからtheを使うわけです。

ここが重要です。

the＋最上級では「主語」を「他者」から切り離して「一番」だと言っているのです。そこで「他の人じゃなくて、主語であるこの人（が一番だよ）」という意味で限定のtheを使っているわけです。

だとすると、逆に言えば「主語」を「他者」から「切り離していない」文ならtheをつける必要がなくなるということになります。

①Mt. Fuji is the highest mountain in Japan.「富士山は日本で一番高い山だ。」
②Mt. Fuji is highest at this point.「富士山はこの地点が一番高い。」

①の文では、主語の富士山を、日本の中の他の山と比較し、他の山から切り離す形で「富士山こそが一番だ」としています。したがって、ここではtheが必要になります。

一方②の文では、主語の富士山は他の山とは比較されていません。富士山自身の中での地点の話をしています。ということは、主語の富士山を「他者から切り離して、富士山こそが」という文ではないわけです。そうすると、必然的に「切り離して限定する役割」であるtheはつけると意味がおかしくなるのです。

先ほどのロイヤル英文法から引用した定義に話を戻すと、この「主語を他者と比較していない」という感覚がいわゆる「同一人〔物〕の性質や状態などについての比較」ということです。あくまで富士山の中の地点の比較であって、富士山を他の山とは比べていないのです。

この定義にはもう１つ大事なことが書かれています。このタイプのtheなしの最上級は「補語」に使われる「叙述の形容詞」だという点です。簡単に（かつ乱暴に）言ってしまえば、be動詞の後ろに使われる叙述用法の形容詞に発生するということです。

形容詞には、名詞の修飾において「限定用法」と「叙述用法」と呼ばれる２つのやり方があります。限定用法から見てみましょう。

I need a red pen.　「赤いペンが必要なんだ。」 限定用法

限定用法というのは「形容詞＋名詞」という形で現れます。「限定」と呼ばれるのは、「他のではなく、こういう特徴がある物（人）」ということを表そうとするからです。この例文では「赤いペンだよ。他の色のペンじゃないんだ。」というふうに、様々なペンの中から「赤色のペン」に限定し、他の色は候補から排除しています。

次に叙述用法を見てみましょう。

I'm happy.　「私は嬉しい。」 叙述用法

ここでのhappyは「私」の今の心情を説明（叙述）している表現です。**叙述用法**というのは名詞を限定する働きを持ちません。先ほどの例文ではredという形容詞はpenという名詞の様子を説明すると同時に、他の色のpenから赤色のpenを区別する働きを持っていました。ここでのhappyはIの様子を説明していますが、Iを他の人から区別しているわけではありません。大事なことなのでもう一度言いますと、このhappyは、主語であるIを他の人から区別していないのです。

これらを踏まえて、次の例文の補語highestに注目してください。

例文 Mt. Fuji is highest at this point.　「富士山はこの地点が一番高い。」

highestという形容詞は叙述用法（highestだけで、highest＋名詞という形ではない）で、Mt. Fujiを他の山から区別していません。そして他の山から区別される必要がないので、最上級にも関わらずtheが不要なわけです。

一方で次の例文は「形容詞＋名詞」の限定用法です。

Mt. Fuji is the highest mountain in Japan.　「富士山は日本で一番高い山だ。」

富士山を他の山から比較し、区別しているので最上級にはtheが必要です。

ところで以前、こういう文はどうなのか？と質問されたことがあります。

Mt. Fuji is the highest in Japan.　「富士山は日本で一番高い。」

これならbe動詞の後ろに補語として形容詞highestが来ていて、尚かつhighestの後ろに名詞がないから、叙述用法じゃないか、という質問です。

残念ながら、これはthe highestの後ろにmountainが省略されているだけで、意味的には限定用法です。そもそも叙述用法の形容詞の後ろには名詞は省略されていません。単純に存在していないのです。その証拠に、叙述用法のhighestの後ろに名詞mountainを入れるとおかしくなります。

× Mt. Fuji is highest mountain at this point.
「富士山はこの地点が一番高い山だ。」

主語の「富士山」を他の山と区別しているわけではないので、このようなことが起きるのです。

このパターンの構文でよく出て来るパターンは２つ。

「**Aはここが一番〜だ**」と「**(人)は〜しているときが一番……だ**」です。おさえておきましょう。

Must
100

最上級を使った表現

▶「～のうちで一番・・」：of なのか in なのか

●——「～のうちで一番～」は of なのか、in なのか

これを区別するための考え方は、「枠の」イメージならin、「粒(＝構成要素)」のイメージならofです。

例えば、クラス、世界、日本、アジア、地域、分野などは「枠内」のイメージを持ちますのでinを使います。

例文 He is the best known movie director in Europe.
「彼はヨーロッパで最も名が知られている映画監督です。」

一方で、「３人のうちで」とか「私たちの中で」のように、「構成要素の粒の集合体」の中から一番を取り出すというイメージの場合には「全体からそれを構成する一部を取り出す」が根っこの意味であるofの出番です。

例文 He makes the most money of us all.
「私たち全員の中で、彼が一番お金を稼ぐ。」

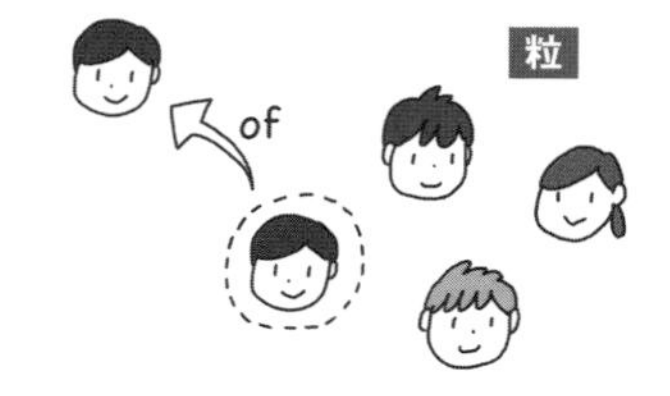

●—— the very 最上級：まさに一番～な

すでに比較級を使った表現その１(第90項)のところでveryの根っこの意味が「真実」だということを紹介いたしました。「 the very ＋最上級」は「真に一番」ということを意味する言葉です。日本語でも歌手のアルバムなどに出て来る「very best版」というのは「まさにベスト」というところから来ています。

例文 Education is the very best investment we can make.
「教育は、我々ができうる中で、まさに最高の投資だ。」

the very 最上級：まさに一番～な
最上級＋ever：これまでで一番～な
最上級＋名詞＋ of all time：史上最も～な
the last＋名詞＋to不定詞：最も～しないであろう…

最上級の強調にはby farやmuchも使われますが、これは「１位と２位以下の間の差（の量・距離）が多い」という意味での強調です。いわゆる「差がはっきりしている」ことを意味する日本語の「**断然**」に近いです。

例文 This product is by far the most popular.　「この製品が断然一番人気だ。」

試験などでもよく出るので、語順つまりtheの位置に気をつけましょう。veryの場合はthe very最上級、by farやmuchは、the＋最上級の前につきます。

●――最上級＋ever:これまでで一番～な 

例文 This is the funniest ever!　「こいつは最高におもしろい！」

（直訳　どのときの一点で検索しても一番面白い）

とても使用率の高い表現です。everが「今まで」というのはただの和訳の１つで、根っこの意味は「どの時の一点をランダムに取り出してみても」ということです*。anyは「どの１つ（のもの）をランダムに取り出してみても」というふうに、「もの・人」をランダムに取り出しますが、everは「時の一点」を取り出します。上の例文では「どの時の一点の記憶を検索しても、これが一番面白い。」となります。未来のことはわからないから、everの時間の担当範囲は当然、今を含めたこれまでの過去ということになります。everが「今まで、これまで」という和訳にたどり着くのはこういった理由からです。

これを少し長くすると、「最上級＋名詞＋(that) … ever ~」という関係代名詞を使った表現になります。

どの1点で検索しても
一番おもしろい！
birth
now

例文 This is the funniest joke (that) I've ever heard.
「これは私がこれまで聞いた中で一番おもしろい冗談だ。」

*everの詳しい意味については、『英文法の鬼100則』第15項を参照

the funnies jokeは先行詞。先行詞というのは「情報が足りないから、説明が後ろにほしいなぁ」と感じられる名詞です。ここでは「一番おもしろい冗談、ってどういう意味で一番なの？」という説明を待っています。それを説明するために後ろに関係代名詞節がつきます。

最上級を先行詞とするとき、使われる関係代名詞はwhoやwhichよりもthatが圧倒的に多くなります。関係代名詞節は「現在完了＋ever」の文になります。

●——最上級＋名詞＋ of all time：史上最も～な 

これも日常的にとてもよく見る表現です。特にテレビのニュースやトーク番組で何かを解説する際によく使われているのを耳にします。

例文 He is one of the greatest gymnasts of all time.

「彼は史上最高の体操選手の１人だ。」

of all timeは直訳すると「すべての時間から取り出して」ということですから、「史上最も」という和訳が出てきます。

ここで２つ、ついでの知識を。

1.「one of the 最上級＋複数形名詞」：「最も～な……のうちの１つ」

人間は断言を避けたがります。「最も」と言い切る際に腰がひけてしまうことがあります。そこで「最も～なもののうちの１つ」というぼかし表現は意外と便利です。気をつけるべきは複数形の名詞と共に使うということです。上記の例文ではone of the greatest gymnasts。「いろいろいる最高の体操選手たちのうちの１人」ということです。

2. favoriteは「最上級」の一種

コーパスでof all timeを検索するとかなりの割合でmy favorite＋名詞＋of all timeという形が出てきます。favoriteはただの「お気に入り」ではなく、実際には「一番気に入っている」という、一種の最上級です。

This is my favorite song of all time.

「これは私が人生で一番気に入っている曲なんだ。」

→ 直訳 人生のすべての時間の中で、最も好きな曲

●── the last ＋名詞＋ to 不定詞：最も～しないであろう…

例文 He would be the last person to make friends with me.

彼は(仮になるとしても)最後の人だろう　　私と友達になる

何することに向かう最後の人？

「彼は、一番私と友達になりそうにない人だよ。」

ここでのthe lastは、「現実になりうる可能性の順位をつけたときに、最後に来るもの」＝「一番実現可能性の低いもの」ということです。そして、頭の中で「仮に友達になることがあったとしても」という仮定法過去の感覚が入りますので、「仮定の予想」を意味するwouldが使われています。

復習問題

1. 「私たち全員の中で、彼が一番お金を稼ぐ。」
   (money, us all, makes, the, he, most, of).
2. 「教育は、我々ができうる中で、まさに最高の投資だ。」
   (the, investment, education is, best, very) we can make.
3. 「こいつは最高におもしろい！」
   (is, ever, funniest, this, the)!
4. 「彼は史上最高の体操選手の１人だ。」
   (one of, all time, he, gymnasts, of, the greatest, is).
5. 「彼は、一番私と友達になりそうにない人だよ。」
   He would be (with, to make, the last, me, person, friends).

1.He makes the most money of us all.
2.Education is the very best investment we can make.
3.This is the funniest ever!
4.He is one of the greatest gymnasts of all time.
5.He would be the last person to make friends with me.

あとがきに代えての謝辞

本書を手に取っていただき、なおかつ最後までお読みいただきありがとうございます。

無事こうして２冊目の著書を世に送り出すことができたのは、ひとえに前著『英文法の鬼100則』を熱く支持していただいた読者の皆様と、同じく熱いご支持を下さった全国の書店様およびネット書店様のおかげです。書店店頭を回ってその気持ちを何度も実感しました。改めて感謝申し上げます。

実は昔、お笑い芸人をやっていました。90年代の後半から2000年頃までですが、コンビを組んでコントをやり、ツッコミを担当していました。今でも場の雰囲気に応じて瞬時に話を取り出したり組み立てたり、さらにそれをよどみなく話すことができたりするのは、その頃の舞台経験と、その後のラジオパーソナリティの経験のおかげです。あの頃から「たとえツッコミ」が得意だったのですが、後に言語学でメタファーを理解するのに役立ちました(笑)。

今回本の帯を書いてくださった、パックンマックンのパックンことパトリック・ハーランさんとは、その当時よく舞台をご一緒させていただき、私は英語の漫談であるスタンドアップ・コメディに憧れていたので、パックンに「こういうネタはどうか？ああいうネタはどうか？」とたびたび質問していました。『アメリカン・ジョーク』と言うと、日本ではベタでダサい、ステレオタイプなイメージがありますが、実際には全くそんなことはなく、パックンを通して、アメリカのジョークの精巧さ・緻密さに目覚めた思い出があります。私は言語のスキルの中で最高峰はお笑いの分野だと確信しているのですが、彼は日本語話者よりも日本の笑いをわかっているところがあり、それが当時のパックンマックンのネタにうまく反映されていました。舞台袖で彼らの爆笑ネタを見て、よく嫉妬したものです(笑)。

ノンネイティブとして一から日本語を勉強し、とても高いレベルでマスターしたパックンに、英語話者として私の本の価値を理解してもらい、推薦文まで書いていただいたことに、感謝の気持ちとともに大きな誇りを感じます。パックン、本当にありがとうございます。

今回も素晴らしいイラストを提供してくださった末吉喜美さん、いつも痒いところに「絵が届く」、素晴らしい仕事をありがとうございます。いつも一定のクオリティを保つ、というのができそうでできないプロの仕事。今回も私の伝えたいことを余すことなく、なおかつ端正に伝えていただき、感謝と感心の念を禁じ得ません。

英文校正は前回に引き続き、Adam McGuire氏にお願いしました。Adamは忌憚なく意見をぶつけ合える、掛け替えのない友人です。今回も例文を前に、議論を白熱させました。言葉は時間と共に変化していきます。彼と意見を交わし、そのあとコーパスでデータを検証し、できるだけ現代の英語事情に沿った表現を紹介できるよう心がけました。コーパスのデータだけでは見えてこないところを彼との議論で見つけることができます。Adam、いつもありがとう。

編集の藤田知子さんには今回もお世話になりました。いつもと変わらぬ明るさと包容力です。本を書くのに、最初から完成品が頭の中にあるわけではなく、試行錯誤の末なんとか形ができていくのですが、特に最初の試行錯誤の段階で色々言われると、その縛りのせいで書けるものも書けなくなってしまうものです。藤田さんの包容力は、私の創造力を最大限に生かしてくれます。藤田さん、今回もありがとうございました。これからもよろしくお願いいたします。

年を経て、ますますかわいく美しく、そして愛おしくなる妻。いつもありがとうございます。自宅で仕事をすることが増えて、一緒にいる時間が長くなった分、楽しい時間が増えました。前著のあとがきは、妻に対するラブレターでもあったのですが、照れたのか（？）何も言ってくれませんでした。でも今回も懲りずに書きます。生きる意味をくれてありがとう。

そして最後に、教え子の皆様、そしてブログ「時吉秀弥の英文法最終回答」の読者の皆様に感謝いたします。皆様のおかげで私は刃を鋭く研ぎ続けることができます。これからも奢らず弛まず怠らず、皆様に恥ずかしくないよう、研鑽を続けていきます。ありがとうございます。

2020年10月　　時吉秀弥

H

I

J

K

V

W

その他

参考及び引用文献（順不同）

時吉秀弥 . 2019.『英文法の鬼 100 則』. 東京：明日香出版社 .
Harper, Douglas. Online Etymology Dictionary: https://www.etymonline.com/ .
English-Corpora.org（コーパス）：https://www.english-corpora.org/corpora.asp .
Lindstromberg, Seth. 2010. English Prepositions Explained. Amsterdam/Philadelphia: John Benjamins Publishing Company.
Goldberg, Adele E. 1995. Constructions: A Construction Grammar Approach to Argument Structure. Chicago and London: The University of Chicago Press.
中島文雄 . 1979.『英語発達史』. 東京：岩波書店 .
堀田隆一 . 2016.『はじめての英語史』. 東京：研究社 .

辞書

2009. Longman Dictionary of Contemporary English, 5th Edition. Edinburgh Gate: Pearson Education Limited.
2015. Oxford Advanced Learner' s Dictionary, 8th Edition. Oxford: Oxford University Press.
Minamide, Kosei. 2014.『ジーニアス英和辞典第 5 版』. 東京：大修館書店 .
井上永幸 . 赤野一郎（編）. 2013.『ウィズダム英和辞典』. 東京：三省堂 .
『英辞郎 on the Web Pro』: https://eowp.alc.co.jp/ . 東京：Alc Press Inc.

●著者略歴●
時吉　秀弥（ときよし　ひでや）
（株）スタディーハッカーシニアリサーチャー。神戸市外国語大学英米語学科卒。米国チューレン大学で国際政治を学んだ後、帰国。ラジオパーソナリティという特殊な経歴を経つつ、２０年以上にわたって予備校で英語も教えて来た。英語を教える中で独自の英文法観を築きつつあった頃、それが認知言語学に通じるものだと知り、東京言語研究所に入所、池上嘉彦東京大学名誉教授、西村義樹東京大学准教授（当時。現教授）、尾上圭介東京大学教授（当時。現名誉教授）、上野善道東京大学名誉教授らのもとで認知言語学、日本語文法、音声学などを学ぶ。２０１０年同所で理論言語学賞を受賞。認知言語学に基づき英文法を解説したブログ「時吉秀弥の英文法最終回答」が、英語学習者から多くの支持を集める。舞台やラジオで実践的に培った「人に話を聞いてもらうとはどういうことか」の追求と、認知言語学の知見に基づく英文法の教授法を融合させ、日本人が「人を説得できる」英語を話すための方法論を開発する日々を送る。

主な著書『英文法の鬼100則』明日香出版社
ブログ「時吉秀弥の英文法最終回答」
https://ameblo.jp/eigoshokunin-finalanswer/

■英文チェック
Adam McGuire

本書の内容に関するお問い合わせは弊社HPからお願いいたします。

英熟語の鬼100則

2020年　11月　22日　初版発行
2020年　12月　4日　第11刷発行

著　者　時吉秀弥
発行者　石野栄一

明日香出版社
〒112-0005 東京都文京区水道2-11-5
電話 (03) 5395-7650（代表）
(03) 5395-7654（FAX）
郵便振替 00150-6-183481
https://www.asuka-g.co.jp

■スタッフ■　BP事業部　久松圭祐／藤田知子／藤本さやか／田中裕也／朝倉優梨奈／竹中初音
BS事業部　渡辺久夫／奥本達哉／横尾一樹／関山美保子

印刷　株式会社フクイン
製本　根本製本株式会社
ISBN 978-4-7569-2118-5 C0082

編集担当　藤田知子

大好評『鬼100則シリーズ』

ISBN978-4-7569-2059-1

A5並製　440ページ

2019年11月発行

本体価格1800円+税

発売２か月で驚異の５万部突破！

「目からウロコ」「高校生の頃にこの本が出ていたら、人生変わっていた」と多くの支持を得ています！

英語を学ぶ人が知っていると役立つ英文法の知識を**「認知言語学」**を下敷きに100項まとめました。

「どうしてここはingを使うのかな」「ここはforかな、toだっけ」「これは過去形で語るといい案件かな」

英文法のルールを丸暗記するだけの詰め込み勉強だと、いつまで経っても英語が「使えません」。

「どういう気持ちからこう話すのか」が体感できると英語で実際に話し、書く力が飛躍的に伸びます。

この本では、「なぜ」そうなるのかを認知言語学的に解説しているので、英語の気持ちと型が理解でき、相手にしっかり伝わる英語を使えるようになります。著者のわかりやすい解説に加え、洗練されたカバーや本文のデザイン、理解を助けるイラスト等も高評価。

受験英語から脱皮して
「どう話すか」ではなく
「何を話すか」を身につけましょう！

文法書の新定番が、ここにできました‼

ぜひ併読ください

紫色

ISBN978-4-7569-2103-1
A5並製　440ページ
2020年7月発行
本体価格2100円+税

「ここまできちんと学習者の都合を理解して構成している本は初めて見た」
「なんという圧倒的なクオリティの高さか、と感嘆しっぱなし」

そう読者を歓喜させる、極上のリスニング・トレーニング本ができました。

本書では、**音声学**の知識を利用して、「聞きながら話し」、「発音しながら聞く」ことをバランスよく組み込み、英語力を鍛えられるように工夫しました。
つまり、**リスニングの教材であるとともに、発音の教材でもある**のです。
本書にある100の法則(Must)をしっかり学習すれば、「グローバル時代の英語」に対応できるようになっている点が、本書の最大の特徴です。

また、単語レベルから短文、著名人によるスピーチまでを練習用教材として扱っているので、基礎レベルから上級レベルに対応しています。
学び直しにも最適。
法則が100あるので、少しずつコツコツ無理なく学習できます。

あなたの英語力向上に、ぜひ。